CW00742299

Conrad Schmidt

Rattenkönig

© 2024 Conrad Schmidt
Herstellung und Verlag:
BoD – Books on Demand, Norderstedt
ISBN: 9783758317569

Für
Großmutter
und
Oma Inge

„Gute Tiere, spricht der Weise, mußt du züchten, mußt du kaufen,

doch die Ratten und die Mäuse, kommen ganz von selbst gelaufen."

- Wilhelm Busch

I. Omen

Liebste Frau Mutter,

mit guten Nachrichten wende ich mich an dich, denn all jenes, was du für mich erdachtest, wird schon alsbald in Erfüllung gehen. Ich stehe kurz vor der Vollendung unserer einstigen gemeinsamen Zukunftspläne und würdest du noch unter uns weilen, so wärest du sicherlich mit dem Stolz mir bezüglich erfüllt, den ich in deinem Herzen mein Leben lang zu erwecken versuchte.

Es gibt Tage, da fehlt mir dein weiser Rat und ich sehne mich nach deinen ermutigenden Worten, doch ich bleibe stets davon überzeugt, dass deine Lehren mich auf all die zu bestehenden Prüfungen bestens vorbereitet haben. Mögest du deinen Frieden in der Gewissheit finden, dass dein Dasein trotz vielerlei Strapazen und Opfer nicht umsonst gewesen ist und ich deine vermutlich noch immer verirrte Seele mit meinem Tun in baldiger Erwartung zur Ruhe betten kann...

Schon der bloße Anblick ließ ein unnachgiebiges Gefühl des Ekels über meine Haut fahren. Die Straßen, welche ich eilig passierte, waren völlig verdreckt, der Lärm des Verkehrs war kaum auszuhalten und die triste Aura, die sich vermutlich schon vor langer Zeit über diesen Ort gelegt hatte, gab einem das Gefühl, die Geburtsstätte der Winter- als auch der Sommerdepressionen betreten zu haben.

Dazu diese offensichtlichen Blicke, die man mir von allen Seiten entgegenbrachte und die sich förmlich in mich hineinzufressen schienen. Jene Skepsis, welche von den zahlreichen Augenpaaren ausging, wurde zudem nicht ansatzweise von den dazugehörigen Passanten zu verstecken versucht. Warum Christopher mir ausgerechnet diese Stadt so sehr ans Herz gelegt hatte, blieb mir ein völliges Rätsel. Ich würde sogar so weit gehen zu behaupten, dass ich in meinem gesamten Leben noch nie so ein heruntergekommenes Stück Landschaft erblickt hatte.

Mit jedem Schritt, den ich tat, um endlich meine Wohnung zu erreichen, rechnete ich damit, einen Jünger der Drogenkultur in der Ecke liegen zu sehen oder von einem dahergelaufenen Betrunkenen belästigt zu werden. Und wenn das jemand wie ich sagte, die aus einer Familie stammte, welche sich ausschließlich aus besagten Schmarotzern zusammensetzte, dann konnte man nur erahnen, wie schäbig der Boden sein musste, auf welchem ich Fuß gefasst hatte.

Wenn ich erst einmal in meiner Wohnung war, würde Christopher sich einiges anhören müssen. Am liebsten hätte ich sogleich kehrt gemacht und wäre wieder in den Zug gestiegen, um mich so schnell wie möglich wieder zurück nach Berlin zu begeben, auch wenn ich Gefahr liefe, die Wege einiger ungemütlicher Menschen zu kreuzen, mit welchen ich eine Begegnung in diesem und im nächsten Dasein nach Möglichkeit überaus gerne vermieden hätte.

Eine einzelne Strähne, die sich aus meinem Dutt gelöst hatte, strich mir, vom kalten Wind gelenkt, über die blasse rechte Wange, bevor ich sie wieder zu den anderen Haaren gesellte. Eigentlich hätte ich sie abschneiden müssen, so oft wie er sie mit seinen gierigen Pfoten berührt hatte, aber da ich mir geschworen hatte, all das Vergangene hinter mir zu lassen, ließ ich sie als Symbol dessen weiterhin auf meinem Schopf gedeihen.

Plötzlich spürte ich, wie etwas Nasses auf

meinem Kopf landete und an meiner Schläfe hinunterlief - ein Wassertropfen, der zu meinem Pech nicht alleine kam, sondern lediglich als Vorbote eines heimtückischen Sturzregens diente. *Großartig*, dachte ich mir, ein scheußliches Ende für einen scheußlichen Tag in der scheußlichsten Stadt, die man sich nur hätte vorstellen können. Keine fünf Sekunden später wurde der schon seit längerer Zeit düstere Himmel aufgerissen und über mir ergoss sich eine eiskalte Regenflut.

Ohne eine Möglichkeit mich unter eine schützende Abdeckung zu stellen und nur mit einer dünnen Lederjacke bekleidet, begann ich mein Schritttempo anzuziehen, doch je schneller ich mich vorwärtsbewegte, umso mehr Regen schien zu fallen. Die Menschen, deren geiernden Blicken ich soeben noch ausgeliefert war, dezimierten sich binnen weniger Minuten, bis ich mutterseelenalleine auf der Straße weilte, an deren Rinnstein bereits reißende Bäche entstanden waren.

Als ich schließlich zu rennen begann, hatte sich das leichte Unwetter bereits in ein fürchterliches Gewitter verwandelt. Da meine Anreise auch noch an einem Sonntagabend war, entging ich zudem der Gelegenheit, mich in ein nahegelegenes Geschäft zu flüchten, um dieser Sintflut zu entkommen. Nicht einmal ein öffentliches Gebäude oder zumindest eine Bar waren irgendwo zu sehen. Es gab nur mich und den bitterlich weinenden Himmel.

Und als wäre dies nicht schlimm genug gewesen, verspürte ich urplötzlich das ungute Gefühl, dass sich die Einsamkeit, die mich in Berlin vor Jahren einst ergriff und quasi großzog, an meine Fersen geheftet hatte und mir bis an diesen gottverlassenen Ort gefolgt war.

Der kleine Koffer, den ich hinter mir herzog, sprang auf dem unebenen Fußweg auf und ab und ich wusste jetzt schon, dass ich später beim Auspacken die gesamte Wäsche noch einmal aufs Neue zusammenlegen durfte. Ich hoffte nur, dass der Koffer und besonders die Rollen, welche unter diesem angebracht waren, bei dem durch meine Hektik ausgelösten Gepolter nicht zu Schaden kommen würden, ganz zu schweigen von meinen Wertsachen und dem Portemonnaie, die ich darin mit mir herumschleppte, obgleich der Verlust dieser meine finanzielle Situation letztlich nicht großartig verschlechtern würde.

Während ich mich so durch sämtliche Pfützen und reparaturbedürftige Bodenlöcher kämpfte, dachte ich an die lausigen 100 Mark, die ich mir mühselig zusammengekratzt hatte und die zurzeit alles waren, was mir an Geld zur Verfügung stand.

Gerade als ich mich mit meinem Schicksal, so lange im Regen zu stehen, bis ich völlig durchgeweicht war, abgefunden hatte, leuchtete in einem der Gebäude neben mir ein Licht auf und ich hörte das Läuten eines kleinen Glöckchens, dem ein leises Knarren folgte, welches mich erleichtert aufatmen ließ. Eine sich öffnende Tür war die Antwort auf mein Hoffen und als ich dem Licht entgegenblickte, sah ich eine lächelnde, aber zugleich irritiert dreinblickend Frau, die mich vom Innern des kleinen Ladens heraus anblickte.

»Meine Liebe, haben Sie ihren Hausschlüssel verloren oder sind Sie obdachlos? Na los, kommen Sie schon rein.«

Erleichtert darüber, dass ich doch nicht auf offener Straße ertrinken musste, nahm ich das Angebot der Dame an und begab mich so schnell ich konnte zu ihr ins Trockene. Als ich mich mitten in dem kleinen Kiosk platziert hatte, stieg mir der Geruch von allerlei Süßem und altem Papier in die Nase, sowie der Geruch von Zigarettenrauch, den die schon etwas in die Jahre gekommene Dame in mein Gesicht blies, während sie mich neugierig von oben bis unten musterte.

»Sie kommen wohl nicht von hier, nicht wahr?«, fragte sie lächelnd und reichte mir ein Handtuch.

Ich musste schmunzeln und begann mein Gesicht abzutrocknen.

»Okay, was hat mich verraten?«

»Nun,« begann die Frau grinsend und nahm einen weiteren Zug von ihrer Zigarette.

»Zuallererst wirkst du ziemlich verloren, was eigentlich nicht der Fall sein kann, wenn du erst einmal eine Weile in dieser Stadt lebst. Man findet sich hier sehr schnell zurecht, zumindest war das meine Erfahrung, und wenn man dem, was meine Kunden sagen, Glauben schenken kann, bin ich damit nicht die Einzige. So scheußlich diese Stadt auch ist, man kann ihr nicht vorwerfen unübersichtlich zu sein.

Und der zweite Grund ist, dass ein junges hübsches Ding wie du sich nicht alleine um diese Uhrzeit auf der Straße rumtreiben würde, wenn sie mehr über diese Stadt wüsste als ein Neuankömmling. Ein Mädchen, das vorhat länger in dieser Stadt zu verweilen lernt zuallererst, dass sich hier nach Einbruch der Dunkelheit die abartigsten Gestalten auf der Straße tummeln, denen jemand wie du nicht in die Quere kommen wollen würde.

Die einzige andere Möglichkeit wäre die, dass du vollkommen von Sinnen bist, aber ich denke, ich habe ausreichend Zeit an diesem Ort verbracht, um die Verrückten erkennen zu können, wenngleich meine Menschenkenntnis zu wünschen übriglässt.«

Fantastisch, demnach waren meine Sorgen also mehr als berechtigt. Dieser Ort war ein absoluter Alptraum. Die Frau wandte sich dem Regal zu, in welchem sich ihr großes Sortiment an Tabakwaren stapelte, holte eine Schachtel Zigaretten heraus, öffnete sie und reichte mir eine.

»Rauchst du?«

»Nicht mehr. Hab' vor knapp einem Jahr damit aufgehört.«

»Du Glückliche,« sagte sie und rauchte dabei genüsslich ihre eigene Zigarette auf, um sie im Anschluss in einem knallroten Aschenbecher hinter sich zu zerdrücken.

»Ich hab's auch probiert, aber natürlich nie geschafft. Vielleicht hab' ich einfach zu spät damit angefangen, dem Drang nach diesen kleinen Krebsstängeln zu entfliehen.«

Die Frau wandte sich wieder mir zu, entfachte mit ihrem Feuerzeug eine kurzlebige Flamme und zog genüsslich an ihrer zweiten Kippe.

»Da du ja offenbar neu hier bist, stellt sich mir natürlich die Frage, was dich hierhertreibt, beziehungsweise, wohin du gelangen wolltest, bevor der Regen dich überraschte. Wir können nämlich eher wenig damit prahlen, dass wir einen großen Zuwachs an neuen Bewohnern in dieser Stadt aufweisen.«

Ich kramte in meiner Jackentasche und holte einen kleinen Schmierzettel hervor, auf welchen ich meine neue Anschrift gekritzelt hatte.

»Ich bin auf dem Weg in meine neue Wohnung. Könnten sie mir vielleicht helfen, dorthin zu finden? Orientierungsmäßig bin ich bisher nämlich ziemlich aufgeschmissen.«

»Natürlich, zeigen Sie mal her...«

Sie nahm das Stück Papier entgegen und kniff angestrengt ihre Augen zusammen.

»Ach Mist, ohne meine Brille kann ich das nicht lesen, was steht da bitte, meine Liebe?«

»Eiben-Allee 17, das müsste ein mehrstöckiges...«

Noch bevor ich meinen Satz zu Ende bringen konnte, hatte die alte Dame auf einmal amüsiert zu Kichern begonnen und als ich ihr mit meinem völlig verwirrten Gesichtsausdruck signalisierte, dass ich absolut keine Ahnung hatte, weshalb sie mit einem Male so erheitert zu sein schien, klärte sie mich auf und deutete mit einem Finger aus dem Fenster.

»Sie sind schon längst da, Liebes.«

Tatsächlich. Hinter einer dichten Regenwand erkannte ich die verschwommenen Konturen eines großen dunkelgrünen Fachwerkhauses, das mich von der anderen Straßenseite aus anzugrinsen schien, so als wolle es sich darüber lustig machen, dass ich so verzweifelt nach ihm gesucht und kurz vor meinem Ziel diese Suche aufgegeben hatte. Erleichtert war ich dennoch darüber, dass der Weg zu meinem neuen Heim jetzt nur noch aus wenigen Metern bestand und diese Misere von einer Odyssee endlich ihr Ende gefunden hatte.

In Anbetracht dessen, dass ich nach Ankündigung meiner Ankunft auch sogleich meine Wohnung beziehen und den ersten Fuß in mein neues Leben hier setzen durfte, war mir nun auch der Regen völlig egal.

»Vielen Dank, dann mach' ich mich mal gleich auf den Weg. Für die paar Meter muss ich mich eigentlich nicht länger unterstellen. Danke, dass sie mich hereingelassen haben.«

»Besuch mich gerne jederzeit wieder, jetzt, wo wir quasi Nachbarn sind. Diese Einsamkeit hier kann einem manchmal ziemlich zusetzen und die einzige Möglichkeit auf Gesellschaft, die man bekommt, lehnt man dann in den meisten Fällen doch lieber ab.«

Mit einem breiten Lächeln und einem zarten Winken verabschiedete mich meine erste richtige Bekanntschaft, die ich in dieser Stadt geschlossen hatte. Es war beruhigend zu wissen, dass dieser Ort nicht gänzlich aus jenem Müll bestand, nach dem ihre Straßen stanken.

Nachdem ich die Straße, die inzwischen deutlich mehr Ähnlichkeit mit einem Fluss aufwies, überquert und das Gebäude erreicht hatte, über dessen Pforte eine riesige schwarze 17 ihren Platz fand, betätigte ich sogleich die darunter befindliche Klingel und begann zu warten.

Kaum fünf Sekunden, nachdem das Läuten durch das Innere hinter der Türe hallte wurde mir diese geöffnet und ich sah mich einer großgewachsenen, völlig kalt auf mich herabblickenden Frau gegenüber, die mich misstrauisch musterte.

»Wer sind sie bitte?«

Ihre Stimme klang krächzend schwach, aber zeitgleich fordernd und einschüchternd. Ich beschloss jedoch diesem unverkennbaren Versuch mich nervös zu machen, nicht nachzugeben und stattdessen selbstbewusst zu wirken, um einen guten, aber nicht zu unterwürfigen Eindruck zu wahren.

»Nina Lehmann. Ich werde erwartet.«

Sie neigte ihren Kopf, so als wolle sie andeuten, dass sie das von mir Gesagte nicht richtig verstanden habe.

»Ist das so?«

Ohne auch nur einen Schritt zur Seite zu weichen, blockierte die hünenhafte Dame weiterhin den Eingang und verwehrte es mir, hinein ins Trockene zu gelangen.

»Würden Sie mich bitte eintreten lassen. Wie Sie sehen, regnet es ganz fürchterlich und ich bin schon ganz durchnässt.«

»Ja, das sehe ich«, sagte sie mit einem leicht abfälligen Ton in der Stimme und wanderte langsam mit ihren Augen an meinem vom Regen durchtränkten Körper hinunter.

Trotz dessen sie über die Lage nun ausreichend informiert zu sein schien, weigerte sie sich jedoch weiterhin, beiseite zu treten und mir Zugang zum Haus zu gewähren.

»Also würden Sie mich nun bitte hineinlassen?«

So groß die Frau auch war, so konnten dies und

ihr eiskalter Blick nicht verbergen, dass sie von ihrer Statur her weniger wie eine respekteinflößende Hauswächterin wirkte, sondern vielmehr an eine weibliche und zudem völlig ausgehungerte Version von Nosferatu erinnerte.

Schon ironisch, wenn man bedachte, dass solcherlei Kreaturen der Nacht die Erlaubnis eines Hausbewohners brauchen, um über dessen Schwelle zu treten, sie in diesem Moment jedoch diejenige war, die eben dies zu verhindern versuchte.

Ohne groß auf meine wiederholte Nachfrage um Einlass zu reagieren, fanden ihre Augen wieder ihren Weg hinauf, bis sie in die Meinen starrten. Es folgte eine kurze unangenehme Stille, welche ich aus Irritiertheit und sie vermutlich aufgrund mangelnden Interesses an meinem Anliegen nicht durchbrach. Während sie den Anschein machte, mit ihren haselnussbraunen Augen direkt in meine Seele zu stieren ohne auch nur ein einziges Mal dabei zu blinzeln, faltete sie ihre knöchernen Hände und vergrub ihre spitzen Fingernägel in ihrem faltigen Handrücken.

»Ich befürchte, das muss die Herrin des Hauses entscheiden.«

Ihre monotone Stimmlage missfiel mir schon

beim ersten Satz, aber dass sie diese so gekonnt beibehielt, begann nun allmählich etwas in meinem Inneren zum Kochen zu bringen.

»Na dann fragen sie ihre ‚Herrin‘, ich habe hier schließlich eine Wohnung gemietet,« sagte ich, diesmal mit einem leicht trotzigen Unterton, um der grässlich gehobenen Art der Frau zumindest ein wenig Widerstand entgegenzubringen.

»Ich werde erfragen, ob dies auch tatsächlich der Wahrheit entspricht.«

Ihr beinahe von einer seelenlosen Kraft getriebenes Verhalten schien mir am Anfang fast noch unheimlich, doch inzwischen brachte es Erinnerungen aus meiner Schulzeit zurück. Es war fast so, als würde ich all den arroganten Ziegen meiner ehemaligen Klasse gegenüberstehen. Diese Erhabenheit und diese abgehobene Art zu sprechen ekelten mich förmlich an, so als wären all die ganzen privilegierten Miststücke von damals und jede Lehrerin, die ich jemals gehasst habe, zu einer verabscheuungswürdigen Gestalt zusammengeschmolzen.

Bei ihrer äußeren Erscheinung hingegen gedachte ich einer ganz bestimmten Frau, welcher ich immer begegnete, wenn ich Großmutter damals im Altenheim besuchte -

geziert mit dem schönsten Schmuck, gekleidet in den feinsten Kleidern, aber mit einem Auftreten, das an Eitelkeit kaum zu überbieten war. Dieses Weibsstück verkörperte die perfekte oder eher fatale Kombination dieser von mir so unausstehlichen Art von Menschen.

Es war diese Eigenheit, so zu reden, sich zu bewegen und so zu gucken, wie sie eben guckte, fast so, als hielte sie sich für eine dieser überstrengen Gouvernanten oder etwas in der Richtung. Wer weiß, womöglich war sie es auch mal, doch sollte man gewisse Eigenarten im Privatleben ablegen, wenn man sich mit Erwachsenen statt mit zwölfjährigen Gören auseinandersetzte, etwas, was diese Dame scheinbar nicht so ganz begriffen hatte.

»Nun, dürfte ich dann wenigstens solange eintreten, bis wir diese Angelegenheit geklärt haben?«

Mit einem Wimpernschlag, dem wohlbemerkt ersten während ihrer gesamten Unterhaltung mit mir, wandte sie sich schließlich von mir ab.

»Bedaure, der Zugang des Hauses ist lediglich Bewohnern oder deren Gästen gestattet. Ich muss Sie bitten, draußen vor der Türe zu verweilen, bis ich die Angelegenheit mit meiner Herrin geklärt habe. Sie schläft bereits, daher wird es wohl einen kleinen Moment dauern, aber der Nässe ihrer Kleidung nach zu urteilen, dürfte die Dauer Ihres Wartens ohnehin von keinerlei großer Bedeutung mehr sein.«

Gerade, als sie die Tür schließen wollte, drehte sie sich jedoch noch einmal zu mir um und während sie dies tat, hob sie ihre Nase so weit in die Höhe, dass ich beinahe damit rechnete, dass sie jeden Moment nach hinten kippen würde. Wie gerne hätte ich ihr die langen spitzen Nieten meines Armbandes in die Nasenhöhlen gerammt, besonders, da sie mir diese so einladend entgegenhielt.

»Verzeihen Sie bitte vielmals junge Dame, aber dieses Haus hat strikte Regeln und wir können nicht einfach,« sie sah verächtlich an mir hinunter, diesmal etwas schneller, aber immer noch mit demselben kritischen Blick wie vorhin im Gesicht, »jede beliebige Person hier herumstolzieren lassen.«

Für wen hielt sich dieses Weibsbild von einer Haushälterin eigentlich? War ich hier etwa in einem Viertel für die reichsten der Reichen gelandet oder warum wurde man hier als einfacher Bürger wie ein Hund vor der Tür stehen gelassen? Das Kochen in meinem Innern stieg immer weiter empor und ich hatte beinahe das Gefühl, als würde heißer Dampf aus meinen Poren austreten.

Diese Frau, selbst wenn sie die heilige Maria höchstpersönlich gewesen wäre, hatte mir wenigstens ein Mindestmaß an Respekt entgegenzubringen, auch wenn ich nicht ihren gehobenen Standards entsprach und mich eben lieber in schwarzer Lederjacke und Springerstiefeln einkleidete, anstatt ein rosafarbenes Kleid zu tragen, um meiner Rolle als Vorzeigefrau mehr gerecht zu werden.

Keine Ahnung, ob mein eher unkonventionelles Äußeres ein Indikator für ihre Unfreundlichkeit war, aber meiner persönlichen Erfahrung nach zu urteilen war genau dies der Grund, weshalb sie mich als unwürdig für ihr ach so feines Etablissement empfand. Vermutlich hätte sie ein adrettes Mädchen, das geradewegs aus einem vornehmen Internat kam, durchaus mehr respektiert als einen unliebsamen *Gruftie*.

»Ich habe für diese Wohnung bezahlt und ich verlange, dass Sie mir auf der Stelle Zutritt zu diesem Haus gewähren!«

Sie ignorierte mich. Verdammt nochmal, das arrogante Stück würdigte mich nun nicht einmal mehr eines Blickes, während sie langsam die Tür verschloss. Bevor diese jedoch endgültig ins Schloss fiel, stellte ich meine Fußspitze auf die Schwelle und verhinderte somit, dass sie sich vollends schließen konnte.

Sie reagierte nicht. Ob sie meine Dreistigkeit überhaupt bemerkt hatte?

Offensichtlich nicht, denn durch den Türspalt, welcher nun meine Freikarte in dieses Gebäude sein sollte, konnte ich mit meinem Blick genau verfolgen, wie sie die große Treppe hinaufging und das ohne sich auch nur ein einziges Mal nach mir umzusehen. Vielleicht war es ja doch von Vorteil, dass sie so verbissen darauf war mich zu ignorieren, aber trotz meiner leicht zufriedenstellenden List brodelte diese tiefsitzende Wut noch immer in mir.

Mit dem Ziel, mich jedoch nicht großartig weiter über diese Frau zu ärgern schritt ich über die Schwelle ins Innere des Hauses und sah mit einem giftigen Blick die Treppe hinauf, von welcher sie hoffentlich bei ihrer Rückkehr stürzen und sich dabei die verfluchte Visage zertrümmern würde, nicht dass es bei ihr einen großen Unterschied gemacht hätte. Wie sie wohl reagierten würde, wenn sie erblickte, dass ich mich ihrem Befehl widersetzt hatte, dem sie ja wohl deutlich mehr Bedeutsamkeit zuwies, als ich es tat.

Sei es doch drum; selbst wenn ihr das nicht recht wäre, so hatte ich dennoch für die Wohnung gezahlt. Ich hatte ein gutes Recht darauf, dieses Haus zu betreten. Und was wollte sie schon groß tun? Würde sie die Polizei rufen, könnte sie sich vor denen lediglich lächerlich machen.

»Soso, wie ich sehe, hat sich die junge Dame bereits selbstständig Zutritt verschafft,« ertönte plötzlich die krächzige Stimme dieser Vogelscheuche, die nun in Begleitung einer noch deutlich älteren Dame von oberhalb der Treppe auf mich heruntersah und mir ein hämisches und zugleich garstiges Lächeln entgegenbrachte. Zu meiner Zufriedenheit verbarg sich hinter ihrer Häme jedoch ein durchaus missbilligender Ausdruck der Enttäuschung darüber, dass ich ihrer Aufforderung nicht nachgekommen war und obgleich sie sich bemühte es nicht zu zeigen, konnte ich es ihr trotzdem genauestens von der nicht mehr ganz so hochgestreckten Nasenspitze ablesen.

»Da manche Leute ja offenbar die Höflichkeiten beiseitelegen und es nicht als nötig erachten, eine junge Frau, die sich bei der draußen herrschenden Kälte den Tod holt, eintreten zu lassen, obgleich sie dafür sogar auch noch bezahlt hat.«

Das Lächeln verschwand nun vollends aus ihrer eingebildeten Fratze, während ich meine Wundwinkel triumphierend ein gutes Stück höher zog. Eigentlich war es gar nicht meine Art so zu reden oder besser gesagt zu schwafeln, aber ich bekam so das Gefühl, dass ich sie mit dieser Sprechweise noch mehr aus der Fassung brachte als durch den eigentlichen Inhalt.

Die feine Dame neben ihr hingegen schien sich über unseren kleinen Wortwechsel zu amüsieren und kicherte etwas verlegen hinter vorgehaltener Hand, bevor sie sich wieder fasste und zu mir nach unten in die Eingangshalle kam.

»Nun Sie sind also das junge Ding aus Berlin, hab' ich recht?«

Die ältere Frau tastete sich langsam am Geländer vorwärts und ließ sich dabei von ihrer Bediensteten stützen, bis sie mit mir auf einer Augenhöhe war, mich freundlich anlächelte und mir die mit vielerlei Ringen geschmückte Hand reichte.

»Ich bin Vera Bélanger, die Besitzerin dieses Domizils und ihre Ansprechpartnerin, falls sie Probleme mit irgendetwas haben sollten. Sie müssen Fräulein Borkowskia verzeihen, sie reagiert immer überaus misstrauisch auf Fremde wie Sie, was jedoch nur daran liegt, dass sie überaus fürsorglich zu den Bewohnern meines Hauses ist und verhindern will, dass

27

ihnen jegliche Form von Schaden zugefügt wird. Ich bin sicher, Sie werden sie schon recht bald selbst in Ihr Herz geschlossen haben, jetzt wo Sie auch offiziell unter ihren Schutz gestellt sind.«

Sie ging auf die Rezeption zu, die sich links vom Eingang befand, und nahm einen Schlüssel aus einer der Schubladen hinter dem Tresen, um ihn mir zu überreichen.

»Sie haben die Wohnung Nummer 9, sie befindet sich gleich in der ersten Etage. Ich muss Sie darauf hinweisen, dass starke Verschmutzung der Wohnung und des Flures, sowie das mutwillige Zerstören von Wänden, Decken und Böden einen Kündigungsgrund darstellen. Für stark beschädigtes Mobiliar erwartet Sie eine Abmahnung und die Schäden werden Ihnen in Rechnung gestellt werden.

Gäste dürfen Sie empfangen, jedoch beachten Sie, dass um Punkt 10 Uhr die Nachtruhe in diesem Hause in Kraft tritt, weshalb ich Sie darum bitte diese auch einzuhalten. Der Keller ist unter keinen Umständen zu betreten aufgrund einer Ungezieferplage, die bis zu ihrer Beseitigung auch dort unten verbleiben soll.

Wenn Sie irgendwelche Beschwerden haben sollten, so wenden Sie sich entweder an mich oder an Fräulein Borkowskia, falls ich einmal nicht verfügbar sein sollte. Sie sehen also, wenn Sie sich gesittet verhalten und keinen allzu aufbrausenden Lebensstil pflegen, sollten wir hier alle wunderbar miteinander auskommen.

Wenn Sie mit diesen Regeln einverstanden sind, dürfen Sie sich nun gerne auf ihr Zimmer begeben und ich hoffe auf eine gute Nachbarschaft. Herzlich Willkommen.«

Ohne noch ein weiteres Wort zu sagen und lediglich mit einem dankenden Lächeln auf den Lippen, nahm ich den Schlüssel entgegen und ging die Treppe hinauf. Diese Stadt war mir unheimlich und diese Gegend hier war nicht gerade als einladend zu betiteln, doch die Freundlichkeit von Fräulein Bélanger und meine kurze, aber nette Bekanntschaft mit der Kioskdame von gegenüber, machten mir Hoffnung, dass ich hier mit der Zeit doch ganz gut zurechtkommen würde.

Dass jedoch das Böse höchstpersönlich in diesen Mauern ein neues Zuhause gefunden hatte, lange bevor ich über jene unheilvolle Schwelle trat, war mir zu diesem Zeitpunkt noch nicht bewusst gewesen.

Als ich das erste Stockwerk erreicht hatte, spürte ich, wie mich inzwischen die Müdigkeit überkam und meine Augenlider damit begannen schwerer zu werden, während ich langsam durch den Gang schlurfte, meinen Koffer hinter mir herzog und mit angestrengtem Blick die Türen nach der Nummer 9 absuchte. Als ich endlich die richtige Wohnung gefunden hatte und erleichtert den Schlüssel ins Schloss steckte, erblickte ich etwas in meinem Augenwinkel.

Es war eine kurzweilige, fast unscheinbare Bewegung aus der Tiefe des schier endlosen Ganges. Das Gefühl, welches mich überkam, war gleichzusetzen mit dem, das ich erst vor kurzer Zeit auf den Straßen der Stadt verspürt hatte, als ich noch den Blicken all dieser Fremden ausgeliefert war. Jemand beobachtete mich.

Ich wandte langsam meinen Kopf und erblickte eine Frau, welche ein wenig entfernt von mir circa fünf Türen weiter, im Flur stand und mich mit einem völlig starren und leblosen Blick beäugte. Vielleicht war sie einfach etwas griesgrämig oder ebenso misstrauisch wie Fräulein Borkowskia, aber Tatsache war, dass mir dieser stierende Blick ein ganz seltsames Unbehagen bereitete, viel schlimmer als es die Blicke der Passanten außerhalb dieses Hauses taten.

Anmerken ließ ich mir dies zwar nicht,

zumindest hoffte ich, dass ich es gut genug zu verbergen vermochte, doch der Ton meiner Stimme reichte aus, um meine Unsicherheit zu verraten.

»H-Hallo. Ich - bin Nina. Ich wohne ab heute hier. Freut mich Sie kennenzulernen.«

Die Frau sagte nichts. Sie starrte mich einfach nur an, ohne auch nur einen einzigen Ton von sich zu geben.

»Dann, dann auf eine gute Nachbarschaft, würde ich sagen...«

Das anschließende schüchterne Lachen, welches ich als Auflockerung der seltsamen Stimmung an meinen Satz hängen wollte, blieb mir vor lauter Unwohlsein im Halse stecken. Die Frau, die mit Sicherheit schon die 60 überschritten hatte, drehte sich wortlos in Richtung der Tür, vor der sie stand, steckte den Schlüssel ins Schloss und ohne auch nur einmal kurz die Miene zu verziehen, verschwand sie in ihrer Wohnung und ließ mich alleine im schummrigen Licht des Flurs zurück.

Ohne mich groß mit Nachdenken aufzuhalten, öffnete ich nun auch meine Wohnungstür und betrat zum ersten Mal meine neuen vier Wände. Um mich umzugucken, hatte ich jedoch weder die Lust noch war ich wach genug für eine Erkundungstour, weshalb ich mich einfach nur meiner durchnässten Kleidung entledigte, mich ins freundlicherweise bereits bezogene Bett fallen ließ, die Augen schloss und in einen wohlverdienten Schlaf nach einem wahrlich erschöpfenden Tag verfiel.

*

Das Läuten des Telefons riss mich jäh aus meinen Träumen und mit einem von noch immer anhaltender Müdigkeit geprägten Gang, torkelte ich quer durch das Zimmer und nahm den Hörer ab.

»Nina Lehmann, hallo?«

Just in dem Moment fiel mir ein, dass ich mich gar nicht so förmlich hätte melden müssen, da es eh nur eine Person gab, die bisher diese Festnetznummer besaß.

»Nina? Ich bin's, Christopher,« ertönte die Stimme von der anderen Seite und bestätigte damit meine Vermutung.

Meine anfängliche Freude über eine mir bekannte Stimme wurde ziemlich schnell von den negativen Gefühlen überschattet, die mich von gestern im raschen Tempo einzuholen begannen.

»Ah, gut, dass du anrufst, ich hab' ein Hühnchen mit dir zu rupfen.«

»Nee danke, ich hab' schon gegessen.«

»Was...? Egal, jedenfalls hättest du mich ja ruhig mal vorwarnen können, dass ich fortan in einer Stadt lebe, die so dermaßen grauenhaft ist und in der einer Frau schon am ersten Tag davon abgeraten wird, im Alleingang die Straße zu überqueren. Du hast behauptet, das wäre eine der schönsten Städte, von der halt einfach kein Schwein je gehört hat, aber nach dem, was ich hier bisher gesehen habe zu urteilen, kann ich mir gut vorstellen, warum keiner je von ihr gehört hat.«

»Wovon redest du da? So grauenhaft ist die Stadt ja nun wirklich nicht oder hast du schon irgendwelche negativen Erfahrungen gemacht, mal abgesehen von dem Schmutz, von dem ganz nebenbei erwähnt *jede* größere Stadt befallen ist.«

»Ich musste mich stundenlang durch überfüllte Busse, Bahnen und durch ein fürchterliches Gewitter quälen, hab dabei fast meinen Koffer demoliert und wurde auch noch vom Wachhund meiner neuen Vermieterin vor der Tür stehen gelassen und dieser ganze Stress gerade mal am ersten Tag.«

»Äh... Nina. Jetzt wiederhole am besten nochmal alles und denke darüber nach, ob das der Fehler der Stadt war oder ob es an deiner mangelnden Planung lag, dass dein erster Tag hier so beschissen verlaufen ist. Ich meine, du willst doch nicht etwa die Stadt für das Gewitter verantwortlich machen, oder? Und über überfüllte Busse hast du dich in Berlin auch nie beschwert. Ist schon n' bisschen albern, findest du nicht?«

»Wie auch immer. Tatsache ist, dass ich nicht behaupten kann, dass es mir hier gefällt.«

»Hey, ich hab' dir von Anfang an angeboten, bei mir zu wohnen, aber du wolltest ja nicht. Die Menschen hier sind zum größten Teil wirklich nett; ist halt dumm gelaufen, dass du gerade das Haus mit einem der wenigen Biester erwischt hast. Das hättest du alleine dadurch schon mal vermeiden können, wenn du einfach für eine Weile zu mir gekommen wärst und dir die Wohnung in Ruhe und mit etwas mehr Bedacht ausgesucht hättest statt gleich so überstürzt diesen Mietvertrag zu unterschreiben.«

»Hör zu, ich schätze unsere Freundschaft wirklich sehr, aber in Anbetracht dessen was da mal zwischen uns lief, würde ich ungerne eine Wohnung mit dir teilen. Zudem bin ich dann doch etwas zu pedantisch was Hygiene betrifft, um mich mehrere Stunden geschweige denn Wochen in deinem Terrain aufzuhalten.

Vermutlich werde ich alleine davon schwanger, dass ich mich bäuchlings auf die Couch lege.

Danke, nein. Außerdem schlafe ich lieber in einem Wohnhaus mit gruseligen Nachbarn als in einem heruntergekommenen Motel, in dem täglich was weiß ich für Gestalten ein und aus gehen. Nachher werde ich noch am helligten Tage entführt und als Sexsklavin in Rumänien verkauft. Nett von dir, dass du mich bei dir wohnen lassen würdest, aber ich fürchte, ich muss ablehnen.«

»Wie du meinst, es ist ja letztendlich deine Entscheidung. Warst du schon in diesem Hotel?«

Mein Blick fiel hinüber zur Wanduhr, die in der Ecke des Zimmers stand und deren Zifferblatt wie ein riesiges Auge den Raum überwachte. 12:23 Uhr.

»Noch nicht, ich wollte heute Vormittag mal hin und mich vorstellen.«

»Hättest du Lust danach einen Kaffee oder sowas zu trinken?«

Ich kramte den kleinen Notizblock hervor, den ich immer in meiner Jackentasche mit mir trug.

»Klar, warum nicht, dann kannst du mir gleich mal erzählen, wie es dir so geht. Übers Telefon ist sowas ja immer so unpersönlich.«

»Okay. Passt dir 14 Uhr?«

Ich warf einen Blick auf die Seite, deren Kopf das heutige Datum aufzeigte.

»Lieber 15 Uhr, ich weiß ja noch nicht, wie lange es dauert.«

»Alles klar, ich hole dich dann vom Hotel ab, in Ordnung?«

»Super, dann bis später.«

»Bis nachher.«

Ich legte auf und sah mich um. Die Wohnung machte im durch die Fenster fallenden Tageslicht wirklich einen recht schönen Eindruck. Sie wirkte geradezu edel auf mich und das, obwohl die Miete hier gar nicht mal so teuer war. Zwar hatte ich Bilder von der Wohnung erhalten, doch ich war mir sicher, dass die gesamte Innenausstattung, die man mir hier zur Verfügung gestellt hatte, zum Besitz der früheren Eigentümerin zählte und nicht an mich weitergereicht werden sollte.

Nachdem ich den Raum für ein paar Minuten stumm studiert hatte, ging ich ins Bad, wusch mir ein wenig das Gesicht, kämmte meine durch scheinbares hin und her wälzen im Bett zerzausten Haare, kleidete mich schnell um und begab mich dann mit meiner Jacke im Arm in Richtung Tür.

Je mehr ich über das anstehende Wiedersehen mit Christopher nachdachte, desto unwirklicher erschien mir der Gedanke, dass ich mich ausgerechnet von ihm hatte dazu überreden lassen hierherzuziehen. Es war eine relativ kurzfristige Entscheidung und außer ihm hatte ich auch keine wirklichen sozialen Kontakte, die man in die Kategorie Freunde hätte einteilen können – aber, dass ich so schnell auf seinen Vorschlag angesprungen war, verblieb trotz dessen ziemlich bizarr.

Andererseits war es mir lieber in einer neuen Stadt zumindest eine Person zu kennen, als mich gänzlich alleine in einer neuen Umgebung zurechtzufinden. Meine soziale Kompetenz war ohnehin verkümmert genug. Ein Wunder, dass ich überhaupt noch eine Freundschaft zu jemandem pflegte. Das Aufbauen eines Bekanntenkreises war schon von klein auf eine wahre Sisyphusarbeit für mich gewesen - wie ein Kartenhaus, das man versucht fertig zu stellen, welches jedoch bereits schon immer dann zusammenbricht, bevor man überhaupt erst mit dem zweiten Stockwerk beginnen kann.

Genug, dachte ich mir und sperrte meine Vergangenheit wieder in die dafür vorgesehene Schublade, um sie hoffentlich bald für immer dort verrotten lassen zu können. Leider verstauben Erinnerungen deutlich langsamer als Gegenstände. Man muss sich nicht die Mühe machen, sie aus den tiefsten Winkeln des Verstandes hervorzuholen und mit einem kräftigen Luftausstoß von all dem Schmutz der Jahre zu befreien. Es reichte oft ein meist völlig zusammenhanglos wirkender Denkanstoß aus der Gegenwart, um eine Kettenreaktion in Gang zu setzen, welche diese Schatulle voller schlechter Memoiren binnen Sekunden dazu animierte, sich selber zu reinigen und zu öffnen.

Sowie ich auf den Flur trat erwartete mich eine gähnende Leere, zumindest erblickte ich niemanden auf dem langen Gang und auch auf der Treppe kam mir niemand entgegen. Zudem war es erstaunlich still. Hinter den verschlossenen Türen erklang weder das Geräusch von angeregten Konversationen noch das von laufenden Fernsehgeräten.

Als ich anschließend einen Fuß in die ebenfalls menschenleere Eingangshalle setzte, schien es geradezu so, als würden die großen, grünen, aber zeitgleich bitterkalt wirkenden Wände das Widerhallen meiner schneller werdenden Schritte förmlich aufsaugen. Fast so, als hätte das Haus selbst den Plan gefasst verhindern zu wollen, dass die Mittagsruhe gestört würde. Das Gebäude schien mit seiner geisterhaften

Leere wie eine gut erhaltene Ruine. Auf mich wirkte es beinahe seelenlos.

Nervös tastete ich nach meiner Geldbörse, ständig mit der Angst, dass ich sie verlegt haben könnte. Ich konnte abermals von Glück reden, dass die Wohnung trotz ihrer beeindruckenden Ausstattung zu solch einem günstigen Preis angeboten worden war und der Schmutz der Stadt hatte diesen Vorteil sicherlich mit zu verschulden. Immerhin eine gute Sache, die die Hässlichkeit des Ortes nach sich zog. Würden mir nun jedoch auch noch meine letzten Mark abhandenkommen, würde ich wohl kaum mit einem Lächeln und Luftküssen meine Miete bezahlen können, zumal es noch völlig ungewiss war, ob ich überhaupt die Stelle im Hotel sicher hatte.

Sollte die Leitung sich dazu entscheiden mich abzulehnen, säße ich bis zum Hals in der Scheiße. Eine vulgäre Ausdrucksweise und doch passte sie ganz wunderbar zu meiner momentanen Situation. Ungewissheit war das, was ich am allermeisten verabscheute.

Lieber würde ich einen Schlag ins Gesicht bekommen und den daraus resultierenden Schmerz auf meiner Haut verspüren, als mit verbundenen Augen dazuliegen und lediglich erahnen zu können, was ich zu erwarten hätte.

Ein Schlag ist schmerzhafter als keiner, das war eine simple These. Jedoch war ein nur drohender, eventuell nie einsetzender Schmerz dafür umso quälender zu ertragen, wie ein peinvolles Äquivalent zur Vorfreude, die ja als die schönste Freude gilt. Am besten demonstriert wird dieses Gefühl, wie ich finde, durch das Entfernen eines alten Pflasters. Man versucht es zunächst vorsichtig, weil „vorsichtig" ja in der Regel „weniger schmerzhaft" bedeutet. Da man jedoch während des Prozesses bemerkt, dass es dennoch schmerzt, lässt man lieber alles so, wie es ist.

Und dann kommt der gute alte Satz »*Einfach ganz schnell abreißen.*«, was sich in der Theorie zunächst völlig absurd anhört, aber in der Praxis tatsächlich wider den Erwartungen Wirkung zeigt. Nichtsdestotrotz sträubt sich der menschliche Verstand zunächst dennoch vor der Durchführung, selbst wenn man es schon einige Male zuvor ausprobiert hat. Dieses Mal könnte es ja schließlich plötzlich doch weh tun und genau dieser Schmerz, der lediglich zwischen unseren Schläfen existiert, plagt uns mehr als das Abreißen dutzender Pflaster.

Und eben diese Ungewissheit sucht einen ein ganzes Leben lang heim, ob als Kind, als Erwachsener oder eben Frauen meiner Altersgruppe. Wir alle befinden uns im ständigen Konflikt mit unseren eigenen Erwartungen, welche wir unbewusst eigenständig mit schwarzem dickflüssigem Pessimismus tränken.

Ein Grund, wenn nicht sogar der Hauptgrund dafür, dass so viele Menschen ihr Leben lang auf der Stelle gehen. Man vermeidet voller Angst den nächsten Schritt; es könnte ja weh tun, eine falsche Entscheidung sein oder Gott bewahre der letzte sein. Die Menschen fürchten sich so sehr vor dem Tod, dass sie vergessen zu leben und das Risiko eine falsche Entscheidung zu treffen, verdammt sie zu einer permanenten Handlungsunfähigkeit.

All diese schrecklichen Szenarien, welche unser Gehirn uns zur Selbstmanipulation in den Weg legte und dann spann es diese Szenarien noch nicht einmal zu Ende. Stattdessen sahen wir uns stets nur mit einem verwaschenen Schleier konfrontiert, zu undurchsichtig, um die Situation zu erkennen und strategisch nach Lösungen zu suchen, aber durchsichtig genug, um uns einen kleinen schauererweckenden Blick auf eine ansonsten ungewisse Zukunft zu ermöglichen.

Diese Blockade schien eigentlich durchbrochen, als ich Berlin hinter mir gelassen hatte, aber da ich nun abermals trotz meines

Voranschreitens vor demselben verfluchten Schleier stand, überkam mich langsam aber sicher die erschreckende Realisierung, dass er Teil des Lebens war und wieder und wieder durchlaufen werden musste. Heute war der Schleier mein Mangel an Geld, der meinen Blick auf die Zukunft trübte, morgen war es vielleicht schon wieder etwas ganz Anderes, damit musste ich wohl oder übel klarzukommen lernen.

Letztendlich brachte ich es doch fertig, mein Portemonnaie in den tiefsten Tiefen meines Rucksacks zu finden und erleichtert die Eingangstür zu öffnen, um nach draußen zu gelangen. Wer weiß, womöglich entsprach die Stadt am Tage sogar eher der Beschreibung Christophers und besaß ein eher lykanthropisches Wesen.

Als ich die Pforte nach draußen öffnete, schien mein Herz für den Bruchteil einer Sekunde auszusetzen. Keine 20 Zentimeter vor der Tür hatte sich ein großgewachsener, bärtiger Mann aufgebaut. Sein massiger Leib steckte in einem alten, aber doch recht kostspielig aussehenden Anzug. Dazu balancierte er eine kleine Brille auf seiner Nase und es thronte ein dunkelroter Zylinder auf seinem wohl kahlen Haupt. Diese Vermutung bestätigte sich sehr bald als er ihn zur Begrüßung abnahm und vor die geschwellte

Brust hielt, seine nackte Kopfhaut entblößte, um mir anschließend ein freundliches Lächeln entgegenzubringen.

»Hallo Kindchen. Sie müssen die neue Bewohnerin sein, habe ich recht?«, sagte er mit einer tiefen, aber dennoch überaus herzlich klingenden Stimme.

»J-Ja, das ist richtig.«

Eigentlich hatte ich keinerlei Grund nervös zu sein, doch das war das erste Mal, dass jemand in, beziehungsweise in diesem Falle *vor*, diesem Hause wirklich so wirkte, als wäre er mir in jeglicher Hinsicht freundlich gesonnen. Fräulein Bélanger hatte zwar auch eine nette Art an sich, jedoch war ich mir sicher, dass sie auch ziemlich schnell ungemütlich werden konnte, wenn etwas den von ihr aufgestellten Regeln im Wege stand. Zu viel an ihrer Art und Weise trug kleine, aber deutliche Warnzeichen.

»Nun, da in diesem Hause fast ausschließlich alte Schachteln untergebracht sind und ich mir bei jedem Besuch so vorkomme, als besuchte ich meine Mutter im Heim, habe ich nicht mit solch einer jungen Schönheit wie Ihnen gerechnet. Wie ist Ihr Name, Kind?«

»Oh, Dankeschön,« ich begann zu schmunzeln.

»Ich bin Nina, Nina Lehmann.«

»Was für ein entzückender Name für eine entzückende Dame wie Sie. Wohin führt Ihr Weg Sie heute?«

Obgleich ich geschmeichelt war, wurde die zutrauliche Art des Mannes sehr schnell sehr befremdlich.

»Ich habe mir vor Kurzem hier in der Gegend ein Bewerbungsgespräch organisiert und dort wollte ich gerade hin.«

»Das ist wunderbar, Kindchen. Nun, dann wünsche ich Ihnen viel Erfolg bei Ihrem Unterfangen. Auf Wiedersehen, ich bin sicher, wir werden uns noch des Öfteren über den Weg laufen.«

»Da bin ich sicher. Tschüss.«

Auch wenn ich diese Freundlichkeit sehr wertschätzte, so war mir diese überschwängliche Umgangsweise doch ein wenig suspekt. Scheinbar gab es für alle Menschen, die in Verbindung zu diesem Haus standen, nur emotionale Extreme, egal an welche Gefühlslage sie sich banden. Mit einem Lächeln ging ich zielstrebig mit meiner kleinen Karte in der Hand durch die Tür ins Freie und genoss die Sonnenstrahlen, die sich augenblicklich auf meiner Haut festsetzten und sie mit ihrer Wärme durchzogen.

»Ach, und Nina.«

Ich wandte mein Gesicht vom Himmel ab und richtete es zur Tür, wo die Sonnenstrahlen vom strahlenden Lächeln des Mannes reflektiert wurden und seine Worte wie über eine Brücke aus Licht in meine Richtung gleiten ließen.

»Ich hoffe, Sie haben einen Regenschirm dabei. Das Wetter kann hier sehr schnell umschlagen.«

Beinahe in Gelächter ausbrechend, aufgrund der Tatsache, dass ich ja bereits gestern ein eher unschönes Erlebnis mit den hiesigen Wetterbedingungen hatte, aber gleichzeitig dankbar für den fast schon fürsorglichen Hinweis des Fremden, brachte ich ihm ein dankendes Nicken und ein verschmitztes Lächeln entgegen und machte mich auf in Richtung Hotel, das zu meinem Glück nicht allzu weit von meinem jetzigen Wohnsitz entfernt war.

Als ich mich jedoch einige Meter vom Haus entfernt hatte und den letzten Satz des Mannes in meinem Kopf Revue passieren ließ, fragte ich mich, warum er ausgerechnet vor dem Regen gewarnt hatte, obgleich der Himmel völlig klar schien. Ein gut gemeinter Rat, so schien mir, aber irgendetwas störte mich daran, dass er es angesprochen hatte. Ich wusste nicht genau, was es war, aber es beunruhigte mich.

Gut, diesbezüglich hätte man nun erfragen
können, was mich denn zurzeit auch bitteschön
nicht beunruhigen würde, aber bald schon
festigte sich in mir die Vermutung, dass meine
gestrige Ankunft doch nicht so unbeobachtet
verlaufen war, wie ich zunächst angenommen
hatte.

*

Nachdem mein Vorstellungsgespräch im Hotel
beendet war, ich meine Angelegenheiten für
den Tag somit als erledigt ansah und einen, wie
ich fand, soliden ersten Eindruck hinterlassen
hatte, saß ich mit einer Tasse Kaffee in der
Hand und einem Teller Gebäck vor mir an
einem Tisch des *Susie Cafés* in der Nähe des
Julius Platzes.

Christopher hatte Recht behalten. Am Tage
machte die Stadt wahrlich einen deutlich
einladungsfreudigeren Eindruck als im Schutze
der Nacht. Die Sonne schien keinen Zentimeter
der Umgebung auszulassen, der Platz war mit
hinreißenden Grünflächen und zahlreichen
Blumen verschönt worden und auch die
Menschen schienen mit einem Mal deutlich
freundlicher. Eine halbe Stunde saß ich nun
schon hier, ohne auch nur einen der
unfreundlichen Blicke zu ernten, die mir
gestern noch zuhauf förmlich

entgegengeschleudert wurden. Christopher saß mir gegenüber und lächelte mich fragend an.

»Und? Was haben sie nun gesagt?«

Ohne die Frage zunächst wirklich zur Kenntnis zu nehmen, ließ ich den Blick über den Platz schweifen und spielte dabei abwesend an meinem Armband herum. Vielleicht wollte ich den Moment einfach noch für einen kurzen Augenblick länger wirken lassen, aus Angst, es könne sich vielleicht nur um eine Illusion handeln, die verschwinden würde, sobald ich ihr die kalte Schulter zeigte.

»Nina?«

Irritiert und gleichzeitig mit einem um Entschuldigung bittenden Schmunzeln im Gesicht, drehte ich meinen Kopf Richtung Christopher.

»Tut mir leid, was hast du gesagt?«

Als ob ich es nicht verstanden hätte, aber ich habe bereits in der Grundschule gelernt, dass es besser ist, den Leuten weißzumachen, man habe sie nicht verstanden, anstatt zuzugeben, dass man sie mutwillig ignoriert habe.

»Was sie beim Vorstellungsgespräch gesagt haben, wollte ich nur wissen,« sagte er und legte seine gefalteten Hände vor mir auf den Tisch, um sich dann erwartungsvoll zu mir nach vorne zu beugen.

»Nicht viel tatsächlich. Sie meinten nur, dass sie sich innerhalb der nächsten Tage bei mir melden wollen. Aber das ganze Gespräch über waren die drei total nett zu mir, ich glaube, ich hab' tatsächlich ganz gute Chancen, zumal sie anscheinend nicht sonderlich viele andere Bewerber haben.

Die eine Frau hat mich allerdings während die andere mich über so ein paar Grundsachen abgefragt hat, die ganze Zeit mit so 'nem skeptischen Blick gemustert. Kann gar nicht so richtig einordnen, was ich davon jetzt halten sollte. Ich glaube, ihr hat einfach mein Aussehen nicht gepasst, so wie die an mir auf und ab geguckt hat, aber naja. Solange sie überstimmt wird, ist alles gut.«

Wohl wissend, dass Christopher mich bezüglich meiner Unsicherheit aufgrund der besagten Dame verstand, dachte ich über all die Probleme nach, die ich damit gehabt hatte mich unbemerkt in die Gesellschaft einzufügen. Früher war es wirklich schwer, aber inzwischen war ich auch gar nicht mehr willens mein jetziges Ich aufzugeben, um dies zu tun, auch wenn mich Begebenheiten, wie die soeben geschilderte, ärgerten, nicht zuletzt aufgrund ihres häufigen Auftretens.

»Na, das ist doch toll. Gut, der letzte Punkt ist vielleicht etwas, mit dem du noch öfter konfrontiert wirst, aber hey, ist nicht so, als wäre es all die Jahre in Berlin besser gelaufen, oder?«

Ja, er verstand mich, wie zu erwarten. Schließlich ist er auch mal so rumgelaufen wie ich, auch wenn er unter dem äußeren Erwartungsdruck letztlich doch zusammengebrochen ist und sich entschloss, den braven Jungen zu mimen, auch wenn ich besser als jeder sonst wusste, dass dies nicht weniger der Wahrheit entsprechen konnte.

Der einzige Grund, weshalb wir ursprünglich überhaupt zueinander gefunden hatten, war der, dass uns sonst keiner wollte. Wir haben einfach nirgends reingepasst. Das übrig gebliebene Pärchen beim Wählen der Teams im Sportunterricht sozusagen.

»Auch wieder wahr. Trotzdem schade, dass die Leute immer so viel Mist in das Aussehen einer Person interpretieren müssen, die sind schlimmer als jeder Deutschlehrer. Der Autor redet von grauen Fußböden und schon ist er in den Augen der Lehrkraft ein sexuell frustrierter, depressiver und verklemmter Eigenbrötler, der sich nicht binden kann und jeden Moment bereit ist, sich einen Strick zu knüpfen, dabei ist die einzige Grundaussage des Textes, dass die Fußböden grau oder möglicherweise einfach staubig sind.

Und solche Leute tragen diese analytischen Fähigkeiten dann in die Welt hinaus und denken, sie könnten sie an Menschen wie mir zum Besten geben.«

»Steigere dich doch nicht so sehr da rein. Es gibt immer Menschen, die sich für Experten halten, auch wenn sie die Kombinationsgabe einer Kartoffel haben. Regst du dich über das, was sie glauben über dich zu wissen auf, dann haben die gewonnen.«

Wie schon so oft, zeigte er sich auch hier wieder als der Ruhepol von uns beiden. Wie vielen Streits wir dank ihm schon aus dem Weg gegangen sind, ließ sich kaum noch mehr zählen. Dennoch ließ mein ständiger Pessimismus, den ich bis dato nie wirklich zu unterdrücken vermochte und wie ein Schoßhündchen mit mir herumtrug, mich trotz seiner Bemühungen nicht wirklich runterkommen.

»Du hast ja recht und das weiß ich ja eigentlich auch, aber egal wo ich bin, sei es in Berlin, in dem neuen Haus, in das ich gestern gezogen bin oder nun eben hier in der Stadt. Immerzu stoße ich auf diese Leute, die mich für ein rebellisches, unzufriedenes, womöglich sogar aggressives und völlig unausgeglichenes Mädchen halten, das sich nie an Regeln hält und möglichst allen vor den Kopf zu stoßen versucht. Und es sind nicht einmal meine Art oder meine Charakterzüge, an denen sie das festmachen, sondern einfach nur diese unbedeutende Tatsache, dass ich schwarze Klamotten, Lederjacken oder um Himmels Willen Lederstiefel trage... Ich meine, wieso halten sich so viele Menschen für Seelenklempner und meinen anhand meiner Kleidung zu erkennen, wer ich bin. Ich mache es ja nicht einmal, weil es irgendwie *fetzig* oder so ist, sondern weil ich es schön finde. Und nur aufgrund einer bestimmten Ästhetik wird angenommen, dass ich nur darauf warte, mich auf das nächste Neugeborene zu stürzen, um es zu fressen...«

»Nina, ist gut jetzt, ich denke, du hast deinen Standpunkt zweifellos klar gemacht. Außerdem musst du *mir* das nicht klarmachen. Versuch dich nicht zu rechtfertigen für das, was du bist, und sag nicht, dass deine Kleidung kein Indiz für Unzufriedenheit ist, nur um im Anschluss lauter unzufriedene Kommentare von dir zu geben. Wenn du so weiter machst, versenkst du dich nur selber in die Kategorie, in die sie dich stecken wollen.«

Inzwischen begann ich scheinbar auch, seine innere Ruhe ein wenig aus dem Gleichgewicht zu bringen, denn in seiner Stimme klang nun auch ein leicht genervter Unterton mit.

»Ach, ich weiß doch. Ich kann nur diese Heuchelei nicht ertragen, bei der diese Leute annehmen, komplexe Psychologie anzuwenden und sich letztendlich lediglich im primitivsten Schubladendenken zu bewegen.«

»Nina…«

Okay, stopp. Sonst würde er sich in seinem Drang, mich zu seinem Optimismus zu bekehren, noch mehr in Rage reden, als ich es schon die ganze Zeit mit meinem Pessimismus tat.

»Schon gut, schon gut, ich bin ja schon still.«

Er beruhigte sich wieder und auch meine innere Aufregung begann langsam runter zu kochen. Das war ein Talent von ihm, welches ich vermutlich am meisten an ihm zu schätzen wusste.

»Du wirst sehen, du hast dich hier in Nullkommanix eingelebt und in ein paar Tagen hast du die paar Anlaufschwierigkeiten bereits vergessen, glaub mir.«

Er lächelte. Ich tat es ihm gleich.

»Aber sag mal,« begann er plötzlich. »Wie willst du eigentlich deinen Aufenthalt hier bezahlen, bis du dein erstes Monatsgehalt bekommst?«

Na toll. Gerade, als ich mich problembefreit seinen beruhigenden Fittichen unterwarf, sprach er ausgerechnet das Thema Geld an.

»Also, für den Anfang komme ich sicher ein paar Tage mit dem Ersparten, was ich habe, über die Runden, aber es ist leider nicht sonderlich viel und die Wohnung muss ich ja schließlich auch bezahlen, auch wenn sie schon erstaunlich günstig ist. Vielleicht finde ich ja noch diese Woche irgendein Restaurant oder so, in dem ich für ein paar Tage aushelfen kann.«

»Wenn du meinst. Es gibt hier jede Menge Lokale, die immer freie Stellen haben. Ich bin sicher, da findest du recht schnell etwas Passendes.«

»Und was ist mit dir, Chris? Wie geht es dir denn überhaupt so? Arbeitest du noch in dieser Fabrik?«

Sein Blick wich von mir und glitt in die Ferne ab, während er mit der Hand durch sein lockiges Haar strich.

»Nein, schon seit ein paar Monaten nicht mehr. Ich bin inzwischen in einer kleinen Werkstatt tätig, bis ich was Besseres gefunden habe. Der andere Job war irgendwie nichts für mich. Ich hab' ja versucht, mit meinen Bildern ein bisschen Kohle rauszuschlagen, aber der Plan hat bisher auch noch keine Früchte getragen.«

Ich erinnerte mich an seine Bilder. Sie waren verbesserungswürdig, aber auch nicht sonderlich schlecht. Falls er inzwischen besser geworden war, könnte es durchaus bald an der Zeit sein, dass er seine ersten Werke verkaufen könnte.

»Hm, aber da, wo du bist, geht's dir ansonsten gut, ja?«

»Mehr schlecht als recht, aber ich werd's überstehen. Es ist ja auch nur vorübergehend, da kommt bestimmt noch was Besseres. Vielleicht braucht es mit den Bildern ja auch noch etwas Zeit und dann läuft es möglicherweise irgendwann von selbst, wer weiß. Ich hab' mir einfach mehr erhofft, als ich aus Berlin weggezogen bin, weißt du? Das hier – das ist nur ein Zwischenstopp.«

Ganz der Träumer von früher, dachte ich mir. Er hatte keinen festen Plan – er versuchte so gut wie möglich im Hier und Jetzt zu leben, ohne sich von der Vergangenheit oder der Zukunft ablenken zu lassen. Zwar war ich nicht dafür, seine Zukunft zu ignorieren, aber die

Fähigkeit, den Moment wirklich zu leben, fehlte mir manchmal doch sehr. Es schien fast so, als hätte er sich aller Schleier in seinem Leben entledigt oder zumindest gelernt sie zu ignorieren. Beneidenswert.

»Und du dachtest echt, dass du dein Ziel ausgerechnet in dieser Stadt hier erreichen würdest? Wieso hier?«

»Hey, diese Stadt ist weiß Gott nicht so schrecklich, wie du glaubst. Vertrau mir, du wirst irgendwann gefallen an diesem Ort finden.«

Ich sah mich erneut um, doch diesmal schien der anfangs noch schön wirkende Platz mit einem Mal deutlich an Farbe verloren zu haben. Das von mir erwartete Antlitz hatte sein Trugbild von Maske tatsächlich abgelegt, während ich meine Aufmerksamkeit Christopher zuwandte. Vermutlich war es zu Anfang aber auch nur der Kontrast zu meinem ersten Eindruck gewesen, denn diesen konnte die Stadt gewiss nicht mehr unterbieten. Doch jetzt, da ich meine Umgebung genauer musterte, fielen mir wiederum etliche Störfaktoren auf, beziehungsweise Makel, die sich mir beim ersten Blick nicht so aufgedrängt hatten.

Die anfangs noch von mir als schön

wahrgenommenen Grünflächen hatten ein solches Grün überhaupt nicht zu bieten. Der Rasen schien tot, die ‚hübschen' Blumen waren größtenteils verwelkt und das Lächeln der vermeintlich freundlich wirkenden Menschen hatte bei genauerem Hinsehen den bitteren Beigeschmack von Falschheit an sich.

Das ganze Tagesgeschehen um mich herum wirkte wie eine schlechte Fassade, mit welcher der Schein gewahrt werden sollte, dass ich mich nicht am widerlichsten Ort Deutschlands wiederfand. Leider bröckelte diese Fassade an jeder nur erdenklichen Stelle und ich wandte meinen Blick schnell wieder Christopher zu, um mir meine ohnehin schon niedrige Meinung von meiner neuen Heimat nicht zunehmend zu vermiesen.

»Solange ich bis dahin nicht an Altersschwäche gestorben bin, soll mir das recht sein,« sagte ich mit einem Lächeln, welches einen leicht sarkastischen Unterton suggerieren sollte.

Ich konnte mir eine abwertende Antwort nun einmal nicht verkneifen, aber mir war auch nicht danach, weiterhin mit Christopher darüber zu diskutieren, ob die Stadt nun furchtbar war oder nicht. Sollte er doch in dem Glauben bleiben, dass ich bereit war mich einzuleben, auch wenn sich jede Faser meines Körpers dagegen sträubte.

»Ganz so viel Zeit wird es nicht in Anspruch nehmen, das verspreche ich dir,« entgegnete er grinsend.

Gut, immerhin hatte er den Köder geschluckt. Wobei das nichts Gutes für seine zukünftigen Beziehungen verheißen mochte, wenn er sich so leicht hinters Licht führen ließ.

»Na, wenn du meinst.«

Verdammt Nina, dachte ich. Halt endlich die Klappe und hör auf es auszureizen. Vielleicht brauchte ich diese Stadt als Vorlage dafür, wie man einen Schein zu wahren hatte, denn ich konnte es definitiv nicht bewerkstelligen.

Ungläubig suchte ich den Stadtplatz nach einer Stelle ab, die mir einigermaßen gefiel, doch inzwischen konnte ich in ihm einfach nichts anderes als einen kalten, grauen Felsen erkennen.

»Diese Stadt ist im Grunde genauso wie du, Nina.«

Etwas entgeistert wandte ich meinen Blick wieder ihm zu und ein vielleicht etwas *zu* finsterer Blick machte sich auf meinem Gesicht breit.

»Weil ich auch schmuddelig und gefährlich für

Frauen bin?«

»So ein Quatsch.«

Er begann zu lachen.

»Du hast selbst gesagt, dass man nicht vorschnell nach dem Äußeren urteilen sollte. Diese Stadt mag von außen vielleicht ungewöhnlich, kalt oder gar gefährlich auf dich wirken, aber in Wahrheit ist sie warm, aufregend und facettenreicher, als du es für möglich halten magst – eben genauso wie du.«

Einerseits war seine kleine Metapher ja lieb gemeint und vielleicht sogar ein bisschen süß, aber dennoch empfand ich es als absoluten Schwachsinn, was er da von sich gab.

»Ich kann davon zwar noch nichts erkennen, aber wie gesagt – ich gebe dieser Stadt die Chance sich zu beweisen.«

Ob ich dies wirklich zulassen würde, stand zwar noch offen, aber so würde er zumindest vorerst zufrieden sein. Andererseits blieben mir ja auch nicht viele andere Optionen, als mich hier einzuleben, wenn ich so genau darüber nachdachte. Schließlich war diese Stadt auch nur ein weiterer Schleier, den es zu durchdringen galt.

»Sieh doch,« sagte Christopher und deutete mit seinem Finger auf einen Hügel in der Ferne.

»Das ist sowas wie eines der Wahrzeichen dieser Stadt. Jedes Jahr werden dort alle möglichen Feste gefeiert und außerhalb der Feiertage ist es ein total guter Platz zum Picknicken oder so. Wenn du magst, können wir die Tage mal dorthin gehen. Ist fast schon sowas wie das Herz der Stadt. Es ist wirklich wunderschön da oben, vielleicht wird dir der Anblick dort ja deinen Start ein wenig erleichtern. Wenn sich dir dort oben die Schönheit des Ortes nicht offenbart, dann liegt es wahrlich an einer zu widerwilligen Einstellung deinerseits.«

Ich wischte mir eine Strähne aus dem Gesicht und nickte mehr oder weniger zustimmend.

»Und du kommst wirklich klar mit all dem?«

Chris' Gesichtsausdruck war nun ein wenig besorgt. Schließlich war er einer der Wenigen, die über den wahren Grund Bescheid wussten, der mich aus Berlin getrieben hatte.

Er griff über den Tisch nach meiner Hand, doch ich zog sie weg, bevor seine Finger mich streiften. Diese Art von Annäherungsversuchen gefiel mir ganz und gar nicht und eigentlich wusste gerade Christopher das am besten.

»Tut mir leid,« sagte er beschämt und zog seine Hand wieder zurück.

Nervös strich ich über mein Handgelenk und senkte meinen Blick.

»Nein, mir tut es leid. Ich stell mich einfach immer noch so an, obwohl ich doch eigentlich schon längst drüber hinweg sein müsste.«

Ich kam mir so dämlich vor. Christopher hingegen zeigte wieder einmal, dass er mich manchmal besser verstand, als ich es ihm zutraute. Sogar besser als ich mich teilweise selbst verstand.

»Hey, sowas verschwindet nicht einfach so in ein paar Monaten. Lass dir Zeit und mach dir vor allem keinen Stress. Manche Menschen brauchen Jahre, um sowas zu verarbeiten, falls sie es überhaupt jemals schaffen.«

Ich wusste zu schätzen, dass er immer versuchte, mich und meine Gefühlswelt auf Kurs zu halten, aber er schien zu vergessen, dass ich all das letztendlich selbst überwinden musste. Er mochte mir vielleicht dabei helfen können, aber er sprach immer so mit mir, als würde er mit in meiner Haut stecken und das war es, was mir so an seinen Vorträgen missfiel.

»Na, das sind ja ganz glorreiche Aussichten. Ich kann doch nicht die restlichen Jahre meiner Jugend damit verbringen, eine prüde Kuh zu sein, nur weil ich ein kleines Trauma zu verarbeiten habe.«

»Klein? Nina, das war keine Kleinigkeit. Du kannst dir die Taten eines anderen nicht zum Vorwurf machen, wenn es dich gefühlsmäßig nachhaltig beeinträchtigt.«

Das wusste ich doch selber und dennoch wollte ich mich von all dem Gewesenen nicht einsperren lassen. Er hatte mich bereits meiner Vergangenheit beraubt, ich konnte ihm doch nicht erlauben, auch noch meine Zukunft zu stehlen. Es kleinzureden half mir, auch wenn ich wusste, dass es letztendlich eine eher destruktive therapeutische Vorgehensweise war.

»Dessen bin ich mir doch auch bewusst; ich selber weiß es ja wohl am besten, aber was soll ich denn machen?«

Ich legte kurz meinen Kopf in den Nacken und atmete tief durch. Dachte an all die Male, die ich dieses Gespräch bereits geführt hatte, ohne dass im Nachhinein eine nennenswerte Änderung meines Allgemeinzustandes eintrat.

»Ich höre immer von allen Seiten, dass ich nicht an der Vergangenheit festhalten soll, dann kommt wiederum von anderen der Vorschlag, ich solle mich meiner Vergangenheit stellen, aber egal, was ich mache, es nützt nichts und macht alles nur schwerer für mich. Halte ich an der Vergangenheit fest, beginnt sie mich aufzufressen und wenn ich versuche, sie hinter mir zu lassen, krallt sie sich erbarmungslos in meinen Rücken und beißt sich darin fest. Ich weiß einfach nicht, was ich noch versuchen soll...«

Ich spürte wie meine innere Aufregung wieder empor zu brodeln begann und sich in Form von Tränen einen Weg nach draußen bahnte. Oh nein, nicht jetzt. Ich durfte jetzt nicht anfangen vor ihm zu heulen, das würde die gesamte Situation nur noch unangenehmer werden lassen.

»Dann halte ich dir eben den Rücken frei...«

Ich fasse es nicht. Warum sagte er nur sowas und dann auch noch in solch einem verletzlichen Moment? Dankbarkeit war gar kein Ausdruck, für das was ich empfand, aber jedes Mal, wenn ich sie verspürte, lugte augenblicklich dieser kleine Satan hinter meiner Schulter hervor, welcher mir ins Ohr flüsterte, dass ich all diese Unterstützung doch gar nicht verdiente. Es war ein beschissener Teufelskreis, der permanent zwei entgegengesetzte Denkweisen umschloss - zum einen die Suche nach Hilfe und zum anderen die feste Überzeugung, dass ich all dies aus eigener Kraft bewältigen müsste.

Eine Träne folgte der nächsten und plötzlich merkte ich, dass ich inzwischen bitterlich zu weinen begonnen hatte. Christopher kam um den Tisch und nahm mich in den Arm. Ich ließ es zu, wenn auch nur kurz. Er sollte mich halten, ich wollte diesen emotional aufwühlenden Pfad nicht alleine beschreiten; es tat einfach viel zu weh. Aber gleichzeitig wollte ich einfach nie wieder von irgendjemandem angefasst werden. Behutsam, wenn auch bestimmt, schob ich ihn wieder von mir weg und senkte beschämt meinen Kopf.

Das war alles so peinlich. Warum konnte ich nicht einmal die Personen an mich heranlassen, die tatsächlich bei mir geblieben waren, um mir zu helfen? Das menschliche Gehirn mochte vielleicht vielerlei Vorteile mit sich bringen, aber unglücklicherweise brachte es auch den Nachteil mit sich, dass zuweilen eine starke Nebenwirkung namens Zwiespalt Zugang in unseren Denkprozess fand. Ob Insekten, Hunde oder Fische sowas kannten? Eine ambivalente Schlacht, die sich im eigenen Schädel abspielte. Vermutlich eher nicht und wenn, dann wurde sie sicherlich nie so stark ausgetragen, als dass sie zu jahrelangem Kontrollverlust über ihren Verstand führte.

Ich wollte mich doch einfach nicht mehr gefangen in mir selbst fühlen. Dieser Schrecken aus der Vergangenheit hatte sich in Form von spitzen Splittern auf meinem gesamten

Lebensweg verteilt und mit jedem Schritt, den ich in meine Zukunft machte, trat ich in eine dieser Scherben und so brachte mich dieses Ereignis, was bereits so viele Jahre zurücklag, noch heute zum Bluten.

Und Christopher; er versuchte mich hinüber auf meinen Weg zu hieven, wo alles und jeder frei und ausgelassen leben konnte, ohne Schuld, Reue oder Wut. Meine Angst war nur, dass ich ihn zu Fall und schließlich auf meinem Weg aufschlagen lassen würde – das hatte er nicht verdient. Niemand hatte es verdient, in meinem kaputten Haufen von Leben auszubluten.

*

Nach diesem recht ernüchternden Gespräch verabschiedete ich mich von Christopher und folgte seinem Ratschlag, mir einen kleinen Nebenjob in einem der von ihm erwähnten x-beliebigen Lokale zu beschaffen. Schwierig gestaltete sich dies zum Glück nicht. Im Gegenteil, schon beim ersten Restaurant, in welchem ich meine Dienste anbot, wurde ich geradezu mit Kusshand empfangen.

Ein überaus freundlicher Herr nahm sogleich meine Daten auf und meinte, dass ich gleich morgen anfangen dürfe, sofern mir dies gelegen kam. Freudestrahlend akzeptierte ich das Angebot und meine Angst vor einer vorerst schier unausweichlich wirkenden Armut schwand wieder ein kleines bisschen mehr. Zwar zweifelte ich in Anbetracht meines Äußeren an einer überschwänglichen Menge Trinkgeld, aber solange ein kleines Grundeinkommen für mich gesichert war, war dies eine eher nebensächliche Besorgnis.

Nachdem zumindest diese eine große Last von meinen Schultern abgefallen war, führte mein Weg mich wieder in Richtung meines neuen Daheims. Nichtsdestotrotz ließ ich es mir nicht nehmen, einen kleinen Umweg einzuschlagen und der Stadt vorerst noch eine letzte Chance zu geben, mich mit einem bisher vielleicht noch unentdeckten Zauber zu überzeugen.

Was sollte ich sagen; dieses Unterfangen entpuppte sich als ein vergebliches Wohlwollen meinerseits. Beinahe krampfhaft versuchte ich schon bald auch nur in der kleinsten Blume am Wegesrand einen Funken Schönheit zu entdecken, doch sowie ich näher herantrat, fielen mir ihre bereits bräunlich verfärbten Blätter und der hängende Kopf auf.

Die Bäume am Rande der Alleen, welche von Weitem an die Reinheit und Anmut der Natur erinnerten, gaben ihr wahres Antlitz erst preis, wenn man sich ihnen näherte. Kaum sah man genauer hin, konnte man all den Müll, der um sie verstreut wurde, und die von dunklen Flecken der Leere versehrten Baumkronen nicht mehr übersehen.

Egal an welchem Haus ich entlangging, überall stapelten sich Berge aus Abfall, dessen Gestank nie nachzulassen schien, sondern höchstens nur intensiver wurde. In einer kleinen Seitengasse fiel mein Auge auf den Kadaver eines halb verwesten Streuners, dessen faulendes Fleisch sich inmitten des verschmutzten Hundekörpers auftat und mir einen Blick auf mehrere Ratten ermöglichte, die sich in seiner Bauchhöhle förmlich suhlten und begierig an seinen Eingeweiden labten.

Je mehr ich von diesem Ort erblickte, desto häufiger stellte sich mir die Frage, ob seine Bewohner seine Hässlichkeit einfach hinnahmen oder diese durch eine unvorstellbare Oberflächlichkeit einfach nicht bemerkten, weil ihnen das nötige Auge für kleine, jedoch meines Erachtens nach äußerst wichtige, Details zu fehlen schien.

Oder gab es noch einen weiteren Grund?

Womöglich nahmen sie das scheußliche Äußere nicht einfach nur an, sondern wurden geradewegs von diesem angezogen - eine Stadt, mit welcher sie sich verbunden fühlten, im höchstem Maße ungustiös und mit einer

Ästhetik, welche so verdorben war, dass sie perfekt der ihren entsprach. Gleiches zu Gleichem hieß es doch schließlich. Vielleicht bot diese Stadt die Möglichkeit, ganz in der eigenen Widerwärtigkeit aufzugehen, sich dem Elend, das man sein Leben nannte, hinzugeben, da das Umfeld selbst ebenfalls keinen Druck auf einen ausübte und nicht den Anschein erweckte, man müsse sich ihr und irgendwelchen gehobenen Standards anpassen.

Eine Stadt, die einen so schlecht sein ließ, wie man war, sodass man in aller Seelenruhe seinen eigenen Verfall beschönigen konnte. Wie wenn sich ein hässliches Mädchen mit einem noch hässlicheren anfreundet, um neben ihm stets besser auszusehen.

Jedoch brannte schon sehr bald die Frage in mir, ob dies nicht vielleicht auch meine Intention gewesen war. Sicher, ohne Christopher hätte ich nie von diesem Ort gehört, aber die Entscheidung, letztendlich wirklich hierher zu ziehen, kam von mir. Gab es eine Stimme in meinem Inneren, die mich hierherführte, die mich dazu überredete, mich den Armen dieser steinernen Mülldeponie hinzugeben und all das, was meine Seele belastete von mir abfallen zu lassen?

War die Flucht hierher meine Ausrede gewesen,

eine Entschuldigung dafür, mich nicht weiter ändern zu müssen und meinen kaputten Zustand zu akzeptieren? Statt den Scherbenhaufen zusammenzukehren und die einzelnen Teile wieder mühsam zusammenzukleben, war ich den einfachen Weg gegangen und hatte ihn einfach weggeworfen.

Langsam hatte ich den Umweg beschritten und ohne einen trostspendenden Flecken in dieser Ödnis zu finden, begab ich mich enttäuscht in Richtung meiner Wohnung. Der letzte Sonnenstrahl, der vor wenigen Minuten noch als Dämmerung am Horizont zu erblicken war, war inzwischen auch verschwunden und ließ der Dunkelheit die Kontrolle über die grauen Gebäude, die um mich herum aufragten und verächtlich herabzublicken schienen.

Wenigstens hatte ich ein neues Heim erwischt, welches nicht in dieselbe triste Farbe getaucht war wie die anderen Bauwerke, doch als ich über die Straße schritt und hierbei meinen Kopf gen Haus richtete, erschauderte ich bei seinem Anblick geradezu. Dadurch, dass sein Äußeres sich so sehr von den anderen unterschied, hätte man es glatt für den einzigen schönen oder zumindest nicht hässlichen Teil der Stadt halten können; doch so wirkte es ganz und gar nicht.

Es war mehr wie ein Fremdkörper, etwas, das

nicht hierhergehörte. Zwar war es nichts weiter als eine von Menschen errichtete Konstruktion aus Stein, gestützt von vier Wänden und bedeckt von einem Dach, doch es strahlte eine Feindseligkeit aus, die ich noch nicht zu erfassen in der Lage war. Weder Hässlichkeit noch Ekel waren es, die aus jeder Ritze krochen. Stattdessen war es weitaus düsterer und angsteinflößender als das.

Man sagt sich, jeder Mensch habe eine dunkle Seite in sich, welche die Meisten zu verbergen wissen. Vergliche man diese Stadt mit einem Menschen, so kaputt wie seine Bewohner, gebrochen und entstellt, dann war dieses Haus der Kern eben dieser dunklen Seite - die Manifestierung etwas durch und durch Bösartigem.

*

Als ich das Gebäude im strömenden Regen zum ersten Mal erblickte, war es schon recht unheimlich, aber jetzt, da ich mein neues Zuhause, das mit seiner grünlichen Farbe deutlich aus der Masse herausstach, so nachts vor mir sah, ohne dass Regen, Hektik oder Erschöpfung mich dabei ablenkten, flößte es mir noch deutlich mehr Respekt ein. „Bedrohlich" war das Wort, welches den Eindruck wohl am besten zu beschreiben vermochte. Wie eine geradezu feindlich gesonnene Entität kam es mir vor. Nicht, dass ich das Haus selbst für ein bösartiges Wesen hielt; es war viel mehr wie eine grauenvolle Erinnerung, die an ihm haftete und es somit mit seiner Scheußlichkeit infizierte.

So, wie der Name meiner Heimat Berlin mir Unbehagen bereitete aufgrund meiner schmerzhaften Erlebnisse, die ich mit jenem Ort in Verbindung brachte, so weckte auch dieses Gebäude eine furchtbare Erinnerung in mir, obgleich ich gerade frisch eingezogen war. Es war fast so als würde ich schon ewig dort leben, dies allerdings aufgrund einer schweren Amnesie vergessen habe und nurmehr mein Unterbewusstsein dazu in der Lage war, sich des Schreckens zu entsinnen, welcher mich dort heimsuchte.

Um mich jedoch nicht weiterhin mit diesen Spukhausgedanken verrückt zu machen, senkte ich meinen Blick und steuerte geradewegs auf die Eingangstür zu.

Und so wie ich nun wieder mit den Füßen auf den kühlen Fliesen der Eingangshalle stand, schien das Gemäuer abermals jeden einzelnen Ton, den ich aussandte, zu verschlingen. Während ich inzwischen meine Schlüssel aus meiner Tasche hervorkramte, begann ich vorsichtig den Weg in Richtung meiner Wohnungstür zu beschreiten. Warum vorsichtig? Weil einfach alles in diesem Haus jeden einzelnen meiner Schritte zu beobachten schien.

Die Eingangshalle war verlassen, nicht einmal ein Licht brannte noch, als ich mich langsam zur Treppe hinbewegte. Im oberen Stockwerk vernahm ich leise das Tippeln von Absätzen, die sich ihren Weg über den Teppichboden bahnten. Langsam schlich ich die Treppe hinauf, denn auf eine Begegnung mit einem der anderen Bewohner war ich absolut nicht scharf.

Die Schritte begannen zu verstummen und ich atmete auf, als ich das Knarren einer Tür vernahm, die gleich darauf wieder geschlossen wurde. Jedoch änderte sich an meiner schleichenden Fortbewegung nicht sonderlich viel und mir dämmerte allmählich, dass es nicht nur die bizarren Gestalten in diesem Hause waren, denen ich aus dem Weg zu gehen versuchte. Es war das Haus selbst, vor welchem ich unentdeckt bleiben wollte. Ein lächerlicher Gedanke und dennoch entsprach es der Wahrheit.

Wenn mir die Bewohner nicht geheuer waren, was ja ebenfalls zutraf, dann war das eine Sache, aber wenn einem sogar das Gebäude wie eine Konstruktion des Bösen selbst vorkam, dann musste hier doch schließlich etwas faul sein.

Faul – das war genau das Stichwort, denn als ich am oberen Ende der Treppe angelangt war, stieg mir augenblicklich dieser beißende Geruch in die Nase. Etwas durch und durch Ekelerregendes. Als hätte der Gestank der Straße mich verfolgt und würde mich nun oberhalb der Treppe erwarten.

Augenblicklich hielt ich meine Nase zu und wollte weitergehen, als plötzlich hinter einer der Türen mit einem Male ein Laut ertönte, den das Gebäude nicht in sich aufzusaugen vermochte, ein ohrenbetäubendes Geschrei. Gerade, als ich dem unüberhörbaren, schrillen Ton auf den Grund gehen wollte, stieß abrupt jemand die entsprechende Tür des Raumes auf, aus welcher das Kreischen erklang und eine völlig hysterische und in höchstem Maße schockierte Fräulein Bélanger rannte aus diesem heraus. Just als sie mich erblickte fasste sie sich jedoch einigermaßen und deutete mit leicht zittrigen Fingern auf die noch offenstehende Tür, hinter der sich etwas zu verbergen schien, von dem ich mir nicht wirklich sicher war, ob ich es sehen wollte.

»Du liebe Güte, was hab' ich mich erschreckt!

Sowas von abscheulich.«

Nervös warf ich einen Blick in das Zimmer und schaute mich um. Dieser Raum war völlig still wie der Rest des Hauses und es wirkte auch nichts wirklich ungewöhnlich auf mich, bis auf die seltsame Inneneinrichtung, die so kitschig war, dass es mich schüttelte - grell gelbe Gardinen, deren Verfärbungen sicherlich von einem übermäßigem Tabakkonsum herrührte, dessen nachwirkender Geruch als rauchiger Dunst durch das Zimmer schwebte, dazu dunkelgrüne Sessel und ein anthrazitfarbenes Sofa, das seinem Aussehen nach vermutlich schon die Gesäße von mittelalterlichen Adeligen polsterte und dann auch noch lauter Bilder von Kätzchen, Vögelchen und allerlei anderen ‚süßen' Tierchen.

Würde ich die Türe öffnen und meine Wohnung sähe so aus, wäre ich vermutlich auch schreiend hinausgelaufen, aber abgesehen von der Beleidigung meiner modischen Ansichten, befand sich nichts in diesem Zimmer, was Fräulein Bélangers panische Reaktion in irgendeiner Weise rechtfertigen konnte.

Vorsichtig pirschte ich mich vor und suchte den Boden und die Decke nach allem ab, was möglicherweise diese Hysterie zu verantworten hatte. Nichts. So sehr ich auch meine Augen durch den Raum schweifen ließ, sie konnten nichts entdecken, was einem solchen Ausruf des Ekels würdig wäre.

Dann jedoch bemerkte ich es. Es war winzig, geradezu unsichtbar und erst bei ganz genauem Hinsehen zu erkennen. Auf dem Teppich der Wohnung tummelte sich etwas – kleine, dunkle Punkte, die in der Gegend umhersprangen. Jetzt, da ich sie erstmals erblickt hatte, wirkte es so, als wären sie überall. Ihre Zahl schien vor meinen Augen mit rasender Geschwindigkeit zu wachsen und einen wahren Ungeziefersturm zu bilden, der sich unaufhaltsam in der Wohnung auszubreiten begann.

»Oh widerlich! Ich rufe sofort den Kammerjäger!«, kreischte Fräulein Bélanger hinter mir und hastete in aller Eile die Treppe hinab.

Ebenfalls angewidert wich auch ich nun rasch aus dem Zimmer zurück und verschloss die Tür.

»Wie kommen diese Viecher da überhaupt rein?«, fragte ich verwirrt.

Fräulein Bélanger zuckte mit den Schultern und schüttelte sich. Ihr faltiges Gesicht hatte sämtliche Farbe eingebüßt und war nunmehr kreidebleich.

»Es ist mir ebenfalls ein Rätsel. Welch widerwärtiger Natur diese Kreaturen doch sind, so als wären sie nur erschaffen worden, um dem Gefühl von Ekel einen Zweck zukommen zu lassen.«

In der Annahme, dass die Ärmste vermutlich noch etwas zu aufgewühlt war, um ein vernünftiges Telefonat zu tätigen, geleitete ich sie zu einem der Sessel in der Eingangshalle und half dem zittrigen Häufchen Elend, in welches sie sich verwandelt hatte, sich hinzusetzen. Irritieren tat es mich schon, dass eine so gestanden wirkende Frau wie sie nun eine derartige Panik verströmte. Nicht, dass ich mich selber nicht auch geekelt hätte, aber dieser Dame stand ja schon beinahe eine gewisse Todesangst ins Gesicht geschrieben.

»Haben Sie zufällig irgendwo die Nummer von einem Kammerjäger, dann könnte ich ja auch einen benachrichtigen, wenn Sie möchten.«

»Ja... ja, gleich da vorne hinter dem Tresen, Liebes; im Telefonbuch dort müsste irgendwo eine Nummer stehen, vielen Dank,« sagte sie mit dem Ausdruck der Abscheu und Angst im Gesicht, während sie sich immer wieder paranoid umschaute.

Verängstigt sah sie die Treppe empor, so als rechnete sie jeden Moment damit, dass das

Ungeziefer sie verfolgte und sich auch bald hier unten um uns tummeln würde. Ich konnte ihre Abneigung zwar bestens nachvollziehen, ich selber konnte Insekten auch nicht sonderlich viel abgewinnen und ich kannte viele Menschen, die auch beim bloßen Anblick einer Spinne ihr Neugeborenes als Tribut opfern würden, aber wenn ich Fräulein Bélanger so ansah, überlegte ich, ob ich nicht lieber zuerst einen Krankenwagen statt eines Kammerjägers rufen sollte.

Andererseits war es ja auch nicht meine Wohnung gewesen, die von Flöhen befallen war. Zumindest hoffte ich das, als ich diese Überlegung in Gedanken weiter ausführte.

»Garstig. Schlichtweg garstig!«, murmelte sie noch ein letztes Mal vor sich hin, dann nuschelte sie alles Folgende nur noch recht halbherzig in ihre im Schreck zusammengefalteten Hände.

Während Fräulein Bélanger unverständlich weiter über die Flöhe fluchte, suchte ich inzwischen die Nummer des Kammerjägers heraus und hoffte dabei innbrünstig, dass sich diese Widerlinge nicht auch in meiner Wohnung eingenistet hatten. Erst mein zweiter Tag hier und schon hatten es sich hier die ersten Schmarotzer gemütlich gemacht, so als hätten sie nur darauf gewartet, mir die Ankunft zu versauen. Sich hier einzuleben schien immer schwieriger und schwieriger zu werden und das obwohl ich schon vorher nicht sonderlich begeistert von diesem Ort war.

Hoffentlich würde nicht eine der hier hausenden Damen auf die Idee kommen, *ich* hätte diese Plage mit hierhergebracht, so als sei ich sowas wie eine Botin des Unheils. Der Gedanke war absurd, doch den Personen hier würde ich es sicherlich zutrauen, zumindest der finsteren Haushälterin.

Als das Telefonat nach einer kurzen Weile geendet hatte, war auch Fräulein Bélanger ein wenig Farbe ins Gesicht zurückgekehrt.

»Ich danke Ihnen ganz herzlich. Verzeihen Sie, ich muss Sie ja in einen wahnsinnigen Schrecken versetzt haben. Oh, Sie müssen ja so schlecht von mir denken und das wo Sie doch gerade erst so frisch hier eingetroffen sind. Ich kann nur hoffen, dass Sie diesen Zwischenfall nicht als Anlass sehen, uns frühzeitig wieder zu verlassen, auch wenn ich nicht leugnen will, dass ich es nicht nachzuvollziehen wüsste.«

Ich wusste nicht so recht, was genau ich darauf antworten sollte, daher nickte ich nur kurz und begab mich dann, ohne noch groß ein weiteres Wort mit ihr zu wechseln, wieder die Treppe hinauf in den Flur, um in meine Wohnung zu gehen und endlich die langersehnte Ruhe zu finden, die mir nun schon lange genug verwehrt geblieben war. Außerdem machte mich der Gedanke, dass meine Wohnung ebenfalls befallen war, von Sekunde zu Sekunde unruhiger.

Als ich den ersten Blick in mein Zimmer wagte, konnte ich keinen einzigen der Plagegeister entdecken. Nervös suchte ich unter Flutlicht jeden Winkel des Zimmers ab, doch offensichtlich hatte nur das arme Fräulein Bélanger das Vergnügen, Bekanntschaft mit den ungebetenen Gästen zu machen.

Wenig später, nachdem der Kammerjäger eingetroffen war, versammelte die wieder recht fidele Hausherrin nochmals die gesamte Bewohnerschaft des Hauses im Eingangsbereich, die merkwürdigerweise vollzählig daheim gewesen war – trotz der vorher so geisterhaften Stille.

»Wie ihnen bereits zu Ohren gekommen sein mag, wurde ich heute Abend Opfer eines überaus abscheulichen Ereignisses.«

Die Dame hatte wirklich die Ausstrahlung einer Bühnendarstellerin, die Art, wie sie erzählte und dabei gestikulierte. Alles an ihr schrie förmlich das Wort *Schauspielerin*.

»Laut des Kammerjägers, den Fräulein Lehmann freundlicherweise für mich anrief, waren es Flöhe, die sich vor nicht allzu langer Weile ihren Weg in meine Gemächer bahnten. Woher sie kamen, konnte auch er nicht mit Sicherheit feststellen, doch Tatsache ist, dass sie sich binnen weniger Stunden im gesamten Raume verteilten, weshalb ich dazu gezwungen sein werde, für eine kurze Zeit in einem kleinen Zimmer auf dem Dachboden zu verweilen und dort zu nächtigen, bis mit Sicherheit feststeht, dass die Plage in meiner eigenen Wohnung vollständig beseitigt worden ist.

Aus diesem Grund werden einige Möbelstücke meines Besitzes in den Keller zur Aufbewahrung verfrachtet, da sie bei der Ausrottung der Schädlinge hinderlich sein könnten. Ich habe Sie herkommen lassen, um mich bereits im Vorfeld für den eventuell entstehenden Lärm zu entschuldigen und um Ihnen die Angst davor zu nehmen, dass auch Ihre Zimmer kontaminiert sein könnten, was, wie mir der Kammerjäger mitteilte, nicht der Fall sein sollte. Wenn Ihnen doch etwas auffällt, so bitte ich Sie, sich damit an mich zu wenden. Ich wünsche Ihnen noch einen angenehmen Abend und eine gute erholsame Nacht.«

Mit einem leichten Knicks verabschiedete sie sich und die anderen Frauen wandten sich wortlos von ihr ab, um wieder schweigend in ihren Zimmern zu verschwinden. Ehrlich, diese Personen waren in jeglicher Hinsicht einfach nur unheimlich und bereiteten mir weitaus größeres Unbehagen, als diese Flöhe es je könnten. Es war so, als müsse ich mehr Angst davor haben, dass eine dieser Vogelscheuchen unter meinem Bett lauerte als irgendwelche blutgierenden Insekten.

*

Wenig später stand ich, mit einem Handtuch um die nassen Haare gewickelt, im Badezimmer und ließ meine Gedanken kreisen. Tausende Fragen schwirrten durch meinen Kopf. Wie könnte ich mich Christopher mehr öffnen? Was waren das nur für gruselige Vetteln hier im Haus? Was dachten wohl all die Menschen aus Berlin, bei denen ich mich nicht verabschiedet hatte? War Fräulein Bélanger früher vielleicht tatsächlich Schauspielerin gewesen? Bin ich schön?

Besonders die letzte Frage blieb in meinem Schädel verankert und drängte sich mir weiter auf, je mehr ich damit begann, mein Spiegelbild zu mustern. Als wirklich hübsch empfand ich mich selbst noch nie, auch wenn es mir immer wieder gesagt wurde.

»Du bist mein kleines Schneewittchen,« hatte er

immer gesagt, mir dann durch die pechschwarzen Haare gefasst und meine blassen Wangen gestreichelt.

Ein frostiger Schauer erfasste mich und ließ mich zitternd zusammenzucken.

Dieses Haus war mir unheimlich, seine Bewohner ließen es mir eiskalt den Rücken hinunterlaufen, aber im Vergleich zu meinem alten Leben, meiner alten Heimat, fühlte es sich wie das Paradies an. Überall war es besser als dort.

»Meine bildschöne Prinzessin,« hallte es durch meine Ohren. *»Alles ist in Ordnung, du musst dich nicht schämen.«*

Die Finger meiner linken Hand wanderten langsam über meine Brüste und berührten dabei die kleine, aber noch immer schmerzende Narbe. So wie sie aussah, hätte man wohl kaum erkennen können, dass es sich um einen verheilten Biss handelte, aber ich wusste es nur allzu gut, so sehr ich die Erinnerung an dessen Entstehung auch zu verdrängen versuchte.

Hab keine Angst, Süße. Das bedeutet nur, dass du langsam eine Frau wirst. Dein Körper verändert sich, das ist vollkommen natürlich - und du wirst von Tag zu Tag hübscher werden.

Ich spürte kalte Küsse auf meinem Körper und

bedeckte mich mit einem zweiten Handtuch, doch auch das hielt meinen Körper nicht davon ab, unkontrolliert zu zittern und das Vergangene wieder und wieder zu durchleben.

Ich weiß schon, warum du Nein sagst, aber glaub mir, das liegt nur daran, weil du verwirrt bist. Ist ja auch eine völlig neue Erfahrung für dich. Aber keine Sorge, ich werde dir helfen, diese Veränderungen mit dir zu erforschen.

»Bitte nicht,« flüsterte ich leise, so als könnte es jetzt noch etwas an dem Geschehenen ändern.

Hör einfach auf deinen Körper, mein süßes Schneewittchen. ,Hör auf dein Herz' sagen sie in den Liebesfilmen doch immer, nicht wahr? Das liegt daran, dass letztendlich nur dein Körper weiß, was gut für dich ist. Der Verstand ist bei solchen Dingen letztendlich nur im Weg, Süße. Lass dich einfach fallen und entspann dich. Dein Körper sagt Ja, also solltest du das auch tun.

Meine Kehle schnürte sich mir zu; ich konnte mit einem Mal kaum noch atmen. Ich spürte seine kalte Hand an meiner Gurgel und wie sie langsam meinen Hals zuzudrücken begann.

»Lass mich los!«, schrie ich und warf mich hinterrücks gegen die Badezimmerwand, an welcher ich nun langsam und heulend zusammensackte.

Langsam kroch ich auf allen Vieren über die Türschwelle, mit der Angst, mein Spiegelbild zu erblicken, wenn ich aufsähe. Als ich mich auf meinen Armen langsam abstützte, um mich aufzurichten, kam ich nicht umhin, die weiteren Narben zu erblicken, die sich über diese zogen. Manchmal vergaß ich, dass sie überhaupt da waren. Vielleicht lag das daran, dass nicht *er* sie mir zugefügt hatte.

Nachdem ich den Kleiderschrank erreicht hatte, entschied ich mich gegen den kurzen Weg ins Bett, schnappte mir ein Bündel Klamotten und beschloss mich noch einmal vor die Tür zu begeben. Ich brauchte frische Luft und zwar auf der Stelle.

Dass es ja für mich zu unsicher wäre, um diese Uhrzeit auf der Straße hier unterwegs zu sein, war mir in diesem Moment vollkommen egal. Die Menschen draußen konnten auch nicht gruseliger sein als jene, die hier lebten. Außerdem wollte ich momentan überall sein, nur nicht hier alleine, eingesperrt mit meinen Erinnerungen, denn diese waren zurzeit die größte Bedrohung für mich.

Als ich den Flur betrat, spürte ich sofort, dass etwas anders war. Die Stille – sie war fort. Die Wände, welche sonst sämtliche Töne augenblicklich verschluckten, ließen es nun zu, dass das ewige Schweigen zwischen ihnen gebrochen wurde.

Ich hörte einige recht ungewöhnliche Laute, die aus einem der Zimmer drangen. Was genau es sein könnte, konnte ich nicht mit Sicherheit sagen, doch es klang nach Gesang. Langsam wandelte ich durch den Flur und schaute mich scheu um, so als rechnete ich damit, dass jeden Augenblick eine der Zimmertüren aufschwingen und geifernde Klauen mich in den Schlund eines der Räume befördern würden.

Unter einer jener Türen schien ein flackerndes Licht hervor, das wohl von einer oder mehreren Kerzen herrührte. Dem Gesang nach zu urteilen handelte es sich vermutlich um eine Art Abendandacht. Zwar konnte ich daran absolut nichts Verwerfliches erkennen, doch aus einem mir unerfindlichen Grund musste ich auch diesmal wieder einen Kloß hinunterschlucken, der sich in meiner Kehle formte und diese somit zu blockieren begann.

Diese Damen wirkten zwar in vielerlei Hinsicht wie die typischen spießigen Schachteln aus Berlin, doch diese hatten, wenn auch ungemein nervtötend, zu keinem Zeitpunkt unheimlich auf mich gewirkt.

Schnell wandte ich meinen Blick wieder von der Türschwelle ab und ging weiter den Flur entlang. Damit wollte ich mich gar nicht länger auseinandersetzen. Nachher tanzten die da drinnen noch um einen Altar und stopften sich gegenseitig mit dem Blute Jesu beschmierte Kruzifixe in den Hals.

Sicherlich war diese These etwas mehr als nur überzogen, aber alleine darüber nachzudenken, was sich in dieser Wohnung wohl abspielte, regte meine abermals zu intensiv ausartende Fantasie wieder an. Eiligen Schrittes ging ich weiter und verließ innerhalb weniger Sekunden fast schon fluchtartig das Haus, um die summenden Klänge von den Straßengeräuschen vor der Tür fortspülen zu lassen.

Der zunehmende Mond ließ sein Licht über mir erleuchten und brachte zumindest einen Hauch von Helligkeit in die ansonsten rabenschwarze Nacht. Nicht einmal die Läden und Häuser, die sich im näheren Umfeld ausmachen ließen, schienen Lichter oder auch nur eine einzige Kerze zu besitzen. So, als wäre das grünliche Fachwerkhaus das einzige Gebäude, das hier von Menschen bewohnt wurde. Nachdem ich ein paar Schritte gegangen war, schlug mir der kalte Wind seinen scheußlichen Atem ins Gesicht und ließ mich zitternd zusammenzucken.

Ein Blick hinüber zum Kiosk, wo ich hoffte, eventuell der freundlichen Dame wieder zu begegnen, die mich so wärmstens in dieser Stadt willkommen geheißen hatte, brachte mir allerdings leider ein enttäuschendes Ergebnis.

Unglücklicherweise war in ihrem bescheidenen Häuschen nicht eine einzige kleine Lichtquelle auszumachen, was mich in Anbetracht der Kälte letztendlich dazu veranlasste, nach diesem doch recht kurzen Aufenthalt im Freien wieder in das warme Gebäude zurückzukehren, von dem man von außen gesehen ebenso wenig sagen konnte, ob es bewohnt war oder leer stand.

Mit zittrigen Gliedern stand ich nun erneut mutterseelenallein in der Eingangshalle und versuchte, meinen Körper wieder einigermaßen aufzuwärmen. So wie die Wände dieses Hauses jedoch Töne aufzusaugen vermochten, schienen sie wohl auch mit Wärme zu verfahren. Denn hier im Innern, obwohl der Wind mir nicht hatte folgen können, herrschte eine Kälte, wie sie draußen nicht frostiger hätte sein können.

»Fräulein Lehmann.«

Ein keuchender Atem, als hätte der Tod selbst meinen Namen ausgehaucht, geisterte durch die Luft und schien mich geradezu im Genick zu packen. Erschrocken drehte ich mich um und suchte die Eingangshalle nach demjenigen ab, der mich gerufen hatte, bis ich sie am oberen Ende der Treppe stehen sah. Fräulein Borkowskia… ich hatte sie kaum erblickt und schon schüttelte es mich mehr vor Ekel, als es diese Flöhe vorhin noch taten.

»Ja bitte?«

Ich versuchte höflich zu klingen, merkte jedoch, dass mir das ganz und gar nicht gelang und das spiegelte sich auch in ihrem entnervten Blick wider. Am besten hätte ich ihr gar nicht erst antworten sollen, doch selbst dann wäre es mir schwergefallen, meine Abneigung ihr gegenüber zu verbergen.

»Eine Nachricht wurde heute Nachmittag für Sie hinterlassen. Sie liegt in ihrer Wohnung. Ich war so frei, sie unter Ihrer Tür hindurchzuschieben.«

Mit einem eher dahin genuschelten statt aufrichtigem ‚Danke‘ wandte ich mein Gesicht wieder von ihr ab, in der Hoffnung, dass sie so schnell wie möglich wieder abziehen würde und die eiligen Schritte, die ich keine Sekunde später vernahm, verrieten mir, dass meine Hoffnung sich bestätigt zu haben schien.

Ein Glück, denn in Anbetracht dessen, dass ich so wenig Kontakt mit dieser Frau haben wollte wie nur irgend möglich, widerstrebte es mir ungemein, mich am oberen Ende der Treppe an ihr vorbei zu drängen, mit der Befürchtung, sie könnte mich jederzeit aus purer Abscheu von dieser hinunterstoßen. Zwar erinnerte ich mich an Fräulein Bélangers Worte, die besagten, dass die Borkowskia den Hausbewohnern freundlich gesonnen war, doch ich war mir ziemlich sicher, dass sie mich noch längst nicht als solch einen akzeptiert hatte, ganz egal ob ich einen Mietvertrag unterschrieben hatte oder nicht.

Die kühle Luft, welche mir noch immer über den Rücken glitt, verhärtete sich mit einem Mal für den Bruchteil einer Sekunde zu Eis, als ein lautes, polterndes Klopfen die Tür hinter mir beinahe aufzubrechen schien. Mein linker Fuß, der sich bereits auf der ersten Stufe der Treppe befand, rutschte von dieser hinab, was mich geradewegs in Richtung Boden beförderte, was ich mit einem schnellen Ergreifen des Geländers noch zu verhindern wusste.

Wer um alles in der Welt würde um diese Zeit die Nachtruhe stören und dann auch noch in einem Haus voller alter Tanten deren Prinzipien einem solchen Verhalten ganz und gar widerstrebten? Und warum würde man zudem auch noch so anklopfen, als versuche man das gesamte Haus zum Einsturz zu bringen? Waren sich manche Leute nicht darüber im Klaren, dass es inzwischen etwas gab, was sich

Haustürklingel nannte?

Langsam richtete ich mich wieder auf und schwankte in Richtung Tür, wobei ich mich etwas hektischer als nötig fortbewegte, in der Befürchtung, die Person könnte sich eventuell dazu motiviert fühlen, ein weiteres Mal so lauthals drauflos zu hämmern.

»Wer ist da?«, fragte ich nervös und malte mir indessen schon wieder unnötig beängstigende Szenarien aus, in denen die momentane Situation enden könnte.

Vielleicht waren es ja Einbrecher. Quatsch, die würden keinen Lärm machen, nicht einmal, wenn die Damen hier alle taub wären. Aber wenn es stattdessen irgendwelche Bekannte wären, warum klingelten sie nicht einfach? Und warum erschienen sie mitten in der Nacht und das innerhalb der Woche? War das Haus hier etwa Schauplatz illegaler Geschäfte? Aber auch dann würde man ja heimlich operieren und mit seinem Gepolter nicht die gesamte Nachbarschaft daran teilhaben lassen.

»Wer sind Sie? Sind Sie neu? Bitte lassen Sie mich rein, ich werde erwartet,« ertönte es von der anderen Seite.

Die Stimme war gedämpft und dennoch schien sie nicht nur durch das Holz der Pforte, sondern durch das gesamte dahinter befindliche

Gebäude zu dröhnen.

»Okay, aber bitte gehen Sie ein Stück von der Tür weg, in Ordnung?«

War es klug, was ich tat? Mein Besuch war es sicherlich nicht und bei all den bizarren Gestalten, die in diesem Haus kursierten, war es sicherlich nicht in meinem Sinne, eine weitere unter ihnen zu wissen. Andererseits war mein jetziger Ruf unter den Bewohnern ohnehin schon nicht allzu rosig und er würde sich sicher nicht dadurch aufbessern lassen, indem ich ihre Bekannten draußen in der Kälte stehen lassen würde.

Wenn Fräulein Borkowskia das tat, wurde das zwar offenbar von jedermann toleriert, aber täte ich etwas Derartiges, würden sie mich vermutlich alle gemeinsam in dem Zimmer mit den Flöhen einsperren, bis mein gesamter Körper zerstochen wäre.

Am besten wäre es gewesen, ich hätte gar nicht erst geantwortet und ihn einfach so lange klopfen lassen, bis Fräulein Borkowskia oder sonst irgendjemand die Tür geöffnet oder er das mit seinen wuchtigen Schlägen selbst erledigt hätte.

Der Mann antwortete nicht, jedoch vernahm ich Schritte auf der anderen Seite, demnach, so hoffte ich, war er meinem Wunsch wohl nachgekommen. Langsam öffnete ich die Tür einen Spalt und spähte hindurch.

Auf der anderen Seite der Pforte erwartete mich ein großgewachsener Mann mit Zylinder und Anzug. Ich hätte ihn glatt mit dem Herren verwechseln können, der schon gestern dieses Gebäude aufgesucht hatte, doch dieser Mann war ein anderer.

»Gelobt sei der Pri...!«, begann er mit heiterer Stimme, als die Tür aufschwang. Als er jedoch in mein verwundertes Gesicht blickte, stoppte er mitten im Satz und das Lächeln auf seinen Lippen nahm eher verschmitzte und leicht beschämte Züge an.

»Verzeihung?«, fragte ich irritiert und sah sogleich wie seine Miene nun auch noch den Rest jenes Lächelns verlor.

»Oh, ich war der Ansicht Sie... naja, dies ist nun wohl nicht von Bedeutung. Ich nehme an Sie sind dann wohl neu hier, hab' ich nicht recht?«

»J-Ja,« stotterte ich, immer noch ziemlich verwirrt.

Der Mann wirkte recht verunsichert, auch wenn man ihm anmerkte, dass er es so gut es ging zu verbergen versuchte.

»Nun dann, äh, wenn sie nichts dagegen haben,

würde ich gerne eintreten und mich nach oben begeben. Ich werde ja wie bereits erwähnt schon erwartet, habe mich allerdings etwas verspätet.«

Besaß ich die nötige Autorität, ihn einfach so passieren zu lassen? Ich konnte höchstens abwägen. Sollte er sich tatsächlich als ein Mann mit unmoralischen Absichten entpuppen, konnte ich mich entweder dumm stellen und die anderen Bewohner in dem Glauben lassen, ich wäre ein kleines Naivchen, dem die Existenz von bösartigen Menschen völlig unbekannt sei oder ich würde es gar nicht erst zu einer solchen potentiellen Enthüllung kommen und ihn direkt draußen in der Kälte stehen lassen, um mich im Nachhinein damit zu rechtfertigen, dass ich schließlich nicht hätte wissen können, ob seine Aussage der Wahrheit entspräche.

Andererseits ging ich letztendlich stark davon aus, dass ein solch ‚heroischer‘ Akt meinerseits von den anderen Damen nicht gerade gewürdigt werden würde, sollte sich der Herr doch als ein Freund des Hauses herausstellen und so beschloss ich schließlich, ihn passieren zu lassen.

Als hätte er meine Gedankengänge genauestens mitverfolgt und meine Schlussfolgerung

augenblicklich erkannt, trat er ein und hängte
seinen Hut an die Garderobe neben der Tür.

»Danke, dass sie mir geöffnet haben.«

Mit diesen Worten schritt der schon etwas in
die Jahre gekommene Herr eiligen Schrittes die
Treppe hinauf, ohne mir noch groß weiterhin
Beachtung zu schenken. Verdutzt blieb ich
unten stehen und sah ihm nach, bis ich hörte
wie sich eine der Türen oben öffnete und
wieder schloss.

Eine seltsame Gemeinschaft, dachte ich mir,
aber wer weiß, vielleicht waren es einfach alte
Freunde, die ihre ganz eigenen Partyrituale
hatten, auch wenn sie mir suspekt erschienen.

Ich war nur froh, dass ich offensichtlich richtig
gehandelt hatte und mir kein unnötiger Ärger
drohte. Erleichtert und zugleich erschöpft
begab nun auch ich mich die Treppe hinauf, um
einfach nur noch auf schnellstem Wege im Bett
zu landen. Angesichts der bedenklichen
Geschehnisse des Tages konnte ich nur darauf
hoffen, dass mir zumindest meine Traumwelt
ein paar schöne Augenblicke bescherte. Ich
hatte gerade erst die fünfte Stufe erreicht, als
ich plötzlich innehielt.

Trotz ihrer physikalisch faszinierenden Macht
Laute zu verschlucken, schienen die Wände
sehr dünn zu sein und so hörte ich nun sogar

schon von hier unten den gemeinsamen Gesang. War mir dies vorhin schon möglich gewesen und hatten mich das Klopfen sowie das anschließende Gespräch nur davon abgehalten, es zu bemerken? Oder begann das zunächst so verschlossene Haus mir allmählich zu vertrauen, um seine Geheimnisse preiszugeben?

Ich lauschte genauer, noch etwas anderes war den geräuschefressenden Wänden entronnen - etwas zunächst völlig Unscheinbares, jedoch präsent genug, um sich deutlich von dem summenden Gesang der Hausbewohner abzuheben.

Es war ein dumpfes, fast schon heiser klingendes Fiepen, das tief aus den steinernen Eingeweiden des Gebäudes erklang, so als würde es von Schmerzen geplagt vor sich hin winseln.

Mit einem Ohr an die Wand gedrückt, versuchte ich zu zentrieren, von wo diese seltsamen Laute herrührten und meine nur kurz andauernde Suche führte mich zu einer der Türen in der hintersten Ecke der Eingangshalle. Ich war mir nicht sicher, aber mir war so, als wäre es diese Tür gewesen, auf welche Fräulein Bélanger gedeutet hatte, als sie ihre Liste an Regeln aufgezählt hatte.

Diese fiependen Geräusche ertönten aus den Tiefen des Kellergewölbes.

So groß meine Neugierde jedoch auch war, ich war nicht sehr erpicht darauf, den Ursprung dieser Töne näher zu ergründen. Mit einem unangenehmen Gefühl und der Gewissheit, dass mir hier vom weiteren Rumstehen wohl nie warm werden würde, ging ich die Treppe hinauf, um einfach nur noch Schutz in meinen eigenen, sicheren vier Wänden zu suchen. Obgleich ich meiner Wohnung damit vielleicht doch deutlich mehr Sicherheit zusprach, als ich sie tatsächlich verspürte.

Sowie ich die Tür öffnete fiel mir sofort der kleine Briefumschlag ins Auge, der mit einem kleinen Siegel versehen war. An mich adressiert – aber kein Absender. Nachdem ich ihn geöffnet hatte und den Inhalt, einen kleinen Zettel, in der Hand hielt und las, wagte ich es gar nicht mehr, mich ruhig irgendwo niederzulegen oder gar die Augen zu schließen.

Denn obgleich bereits viele Dinge geschehen waren, die mein Misstrauen erregt hatten, so war dieser einzige kleine Text der Vorbote des Tropfens, der das Fass endgültig zum Überlaufen bringen sollte. Es schien ein harmloser Text zu sein, doch je öfter ich die Worte in meinem Kopf umherkreisen ließ, umso größer wurden das Misstrauen sowie der Schauer, der langsam meinen Nacken hinunterglitt.

Komm morgen zu der Frau, die raucht und lasse nicht zu, dass sie dich sehen.

*

Am nächsten Morgen war die Stimmung im Hause noch immer von einer orphischen Atmosphäre geprägt. Schon als ich meine Wohnungstür öffnete und einen kurzen Blick in den Flur warf, spürte ich dies nun deutlicher als je zuvor, ließ es mir allerdings nicht anmerken. Vermutlich würden die Leute im Haus noch merkwürdiger zu mir sein, wenn sie herausfanden, dass ich von ihren nächtlichen Aktivitäten Wind bekommen hatte, auch wenn ihr Verhalten auch ohne dies nicht schon sonderbarer hätte sein können.

Mein Gang durch das Gebäude in Richtung Ausgang führte mich an all den Wohnungstüren vorbei, die auf mich inzwischen wie Pforten zur Hölle wirkten. Die winzigen Spione inmitten des dunklen Holzes ließen nur erahnen, welch neugierige und bösartige Blicke sich hinter ihnen verbargen und jeden meiner von den Wänden wiederhallenden Schritte genauestens beobachteten.

Ich war nervös. Obgleich ich nur selten einen der Hausbewohner zu Gesicht bekam, so schien ich dennoch jede einzelne Sekunde ihre Präsenz um mich herum zu spüren. Ich war zwar nie in der DDR gewesen, aber ich konnte mir gut vorstellen, dass man sich dort ähnlich fühlen musste.

Als ich endlich durch die Eingangstür nach draußen gelangt war, ging ich zielstrebig auf den kleinen gegenüberliegenden Kiosk zu.

Ich wollte nicht länger in diesem Haus oder in seiner Nähe verweilen als es nötig war. Zwar würde ich nicht direkt sagen, dass ich Angst gehabt hätte, aber mir war unwohl – beinahe, als würde ich eine mehr als lästige Krankheit ausbrüten. Trotzdem war es obgleich der seltsamen Ereignisse und der Warnung der Frau noch nicht so schrecklich, als dass ich meine Sachen gepackt hätte und geflohen wäre.

Preislich war es das Beste, was sich hier in der Stadt finden ließ und meine Geldprobleme würden durch einen plötzlichen Umzug auch nicht auf magische Weise verschwinden. Und Christopher? Vielleicht könnte ich tagsüber in seiner Unterkunft ein wenig Zeit totschlagen, aber übernachten wollte ich sicherlich nicht bei ihm. Es wäre einfach zu eigenartig, auch wenn er ein Freund war. Seine wohnlichen Umstände wie auch sein überfürsorgliches Wesen gaben mir nicht gerade ein Gefühl von Sicherheit.

Vielleicht war es unfair; ja ich war mir sogar ziemlich sicher, dass meine Entscheidung ungerechte Züge annahm, aber aufgrund des Haushaltes in welchem ich heranwuchs hatte ich überaus schnell eine starke Abneigung gegen unhygienische Zustände entwickelt und wegen *seines* Verhaltens war es mir beinahe gänzlich unmöglich, einem Mann ohne jedwede Distanz zu begegnen oder gottbewahre gar mit ihm zusammenzuwohnen. Zwar sprachen sie alle über die Freundlichkeit mancher Männer, aber am freundlichsten waren jene, die ihre bösartige Natur dahinter verbergen wollten; so war zumindest meine Erfahrung.

Und was war schon dabei, wenn das Haus anders war als andere Häuser? Was war auch schon falsch daran, dass die Hausbewohnerinnen etwas sonderbar waren? Hat nicht jeder Mensch irgendeinen komischen Nachbarn?

Die verrückte Katzenfrau, den Spießer, der alles perfekt haben will oder die griesgrämige alte Schabracke im Haus gegenüber, die über alles und jeden schimpft und bei jeder Gelegenheit die Polizei ruft? Zieht man wegen solcher

Leute gleich aus seinem Haus aus? Ich muss sie
ja nicht mögen, ich muss sie nur ertragen.
Toleranz unterschied sich schon immer stark
von Akzeptanz, auch wenn viele dies nicht
wahrhaben wollten.

Vielleicht redete ich mir das Ganze auch
einfach schöner als es tatsächlich war, aber
wenn ich wirklich genauer über die
Gesamtsituation nachdachte, kam ich jedes Mal
unweigerlich zu dem Schluss, dass weder etwas
Schlimmes geschehen war und sich auch bis
dato noch keinerlei besorgniserregende
Ereignisse angebahnt hatten. Es war einfach
nur ein Haus, nicht gerade eins wie jedes
andere, aber immer noch ein Haus und genau
als solches hätte ich es von Anfang an sehen
sollen.

Diese Hirngespinste hatten mich schon beinahe
um den Verstand gebracht, aber es war Zeit,
diesen Spuk hinter mir zu lassen und mich auf
die wichtigen Dinge zu konzentrieren. Dazu
gehörte in erster Linie Fuß in dieser Stadt zu
fassen. Langsam bekam ich das Gefühl, dass
ich gar nicht erst hier ankommen wollte, so
sehr wie ich nach Ausreden suchte, mich
dagegen zu sträuben. Eine innere Blockade in
mir verwehrte mir offenbar jeglichen Blick auf
das Positive, das sich direkt vor mir befand.

Die ältere Dame, die mich schon an meinem ersten Abend in dieser Stadt so liebevoll in ihr Haus eingelassen hatte, wartete wohl schon eine ganze Weile auf mich, denn gerade als ich den ersten Schritt von der Straße auf den Bürgersteig gesetzt hatte, riss sie freudestrahlend die Tür auf und winkte mich hinein.

»Da bist du ja! Ich habe mich schon gefragt, wann du das nächste Mal vorbeikommen würdest. Komm doch rein, hier draußen ist es so ungemütlich.«

Mit einem leichten Lächeln auf den Lippen, froh über ihr scheinbar so unbeschwertes Verhalten und die mehr als erfrischende Herzlichkeit, trat ich ein und setzte mich an einen kleinen Tisch, den sie inmitten ihres kleinen Ständchens aufgebaut hatte. Ich begann in meiner Jackentasche zu kramen und wühlte mein Portemonnaie hervor.

Eigentlich achtete ich jetzt schon beim Kauf für Lebensmittel mehr als genau auf das, was ich ausgab, aber die Ablenkung war dringend nötig und das war mir momentan auch diese kleine Verschwendung wert. Ich reichte ihre einen Geldschein.

»Könnte ich vielleicht eine Schachtel von ihren *Krebsstängeln* bekommen?«, fragte ich zaghaft und versuchte das Lächeln auf meinen Lippen nicht zu verlieren.

»Äh... natürlich. Kleinen Moment.«

Ein wenig verdutzt, aber mit einem Blick, der mir verriet, dass sie mich verstand, ging die Frau hinüber zum Regal.

»Ich dachte, du hättest aufgehört, Liebes,« sagte sie und reichte mir eine Schachtel.

»Ja, aber... ich weiß auch nicht, seitdem ich hier bin, ist mir irgendwie ganz komisch zumute und mir geht es auch nicht ganz so gut, wie es sein sollte und... keine Ahnung, aber ich habe die Hoffnung, dass mich das ein wenig entspannen könnte. Hier, das Geld.«

Sie winkte ab.

»Dein Geld kannst du behalten. Der Preis wird sowieso bald auf 3 DM hochgesetzt. Wucher, ich weiß, aber somit hab' ich das Geld für das ein oder andere Kippengeschenk im Nu wieder drin. Erzähl mir lieber was dir auf dem Herzen liegt.«

»Nun ja, dieses Haus. Es ist...«

Ich starrte an die Decke, während ich mir eine Zigarette in den Mund steckte und nach einem passenden Wort suchte.

»Merkwürdig? Seltsam?«

Sie beugte sich zu mir rüber und gab mir Feuer.

»Bizarr?«

Anschließend zündete sie sich ebenfalls eine Zigarette an und zuckte wohlwissend mit den Schultern.

»Das wundert mich nicht. Ich habe damit gerechnet, dass es dir relativ früh auffallen würde. Die Weibsbilder in diesem Gemäuer haben weiß Gott nicht mehr alle Tassen im Schrank. Ich bin dort ein einziges Mal gewesen, um eine Freundin zu besuchen. Die Leute waren allesamt von so einer fremdartigen Aura umgeben, so als hätten sie das Gebäude noch nie verlassen. Als sie mich im Vorbeigehen musterten, schien es fast so, als hätten sie in ihrem bisherigen Leben noch keinen einzigen anderen Menschen zu Gesicht bekommen. Bizarr eben.«

Sie zog nachdenklich an ihrer Zigarette und beinahe schien es so, als verfiele sie in eine tiefe Trance.

»Sie starrten mich alle an, so als wäre ich irgendein Fremdkörper, der nichts in ihrem Hause zu suchen hatte. Meine Freundin, Anna, beklagte sich irgendwann beinahe ebenfalls jeden Tag darüber, dass ihr die Menschen, mit denen sie zusammenwohnte, überaus suspekt erschienen.«

Sie nahm einen weiteren Zug, sah zu mir herüber und ihr Blick hatte das anfängliche Glänzen gegen einen matten, kalten Schimmer getauscht.

»Und? Wie lange hat es gedauert, bis sie ausgezogen ist?«, fragte ich, während ich eine kräftige Rauchwolke aus meinem Mund blies. Meinen Tonfall wählte ich beinahe scherzhaft, so als wolle ich die Stimmung ein wenig auflockern, bevor ich die Antwort auf jene unheilvolle Frage erhielt.

»Das ist es ja.« Sie hielt für einen Augenblick inne und starrte gedankenverloren an mir vorbei ins Leere. »Ich weiß es nicht.«

»Wie kann es sein, dass Sie das nicht wissen?«

Innerlich dachte ich nur daran, dass ich die Antwort auf diese Frage vermutlich gar nicht wissen wollen würde, doch die Worte waren bereits über meine Lippen gekommen und es gab kein Zurück mehr.

»Der Kontakt ebbte allmählich ab. Sie wirkte stets müde, stand regelmäßig völlig zerzaust mit ungewaschenen Haaren und dem Oberteil von vor drei Tagen hier im Laden und erzählte was von Ungeziefer - von einer Plage, die sie heimsuche. Ich habe letztlich nie verstanden, warum sie das so aus der Fassung brachte.«

Ihr Blick wanderte aus der Leere heraus und fiel aus dem Fenster die Straße hinüber auf das besagte Gebäude des vergangenen Unheils.

»Danach habe ich sie nur noch einige Male auf der anderen Straßenseite stehen sehen. Manchmal winkte sie mir zu, manchmal sah sie sich nur verstohlen um. Aber nie wieder suchte sie mich auf. Ich hatte schon allmählich die Befürchtung, dass die alten Damen sie mit in ihr furchtbares Kollektiv mit eingebunden hatten und sie ebenfalls zu einer solchen widerlichen Furie mutieren würde.«

Ich sah die Trauer in ihren glasigen Augen und ich verstand genau, wie sie sich fühlen musste. Es ist ein furchtbares Gefühl, eine gute Freundin zu verlieren, sie langsam aus den eigenen Armen entgleiten zu sehen und Zeuge dessen zu sein, wie sie sich immer weiter entfernten, bis man sie gänzlich aus den Augen verloren hat.

Da jedoch setzte ein Wandel in ihrem Blick ein, ein Blick, welcher die anfängliche Traurigkeit gegen ein offenbar viel stärkeres Gefühl austauschte.

»Wenn es tatsächlich dazu gekommen wäre… mein Gott – ich wäre heute um so vieles glücklicher. Zu wissen, dass sie sich bloß verändert hatte.«

Angst war es, was sich in ihren wässrigen Augen an die Oberfläche drängte.

»Eines Nachts, als ich gerade den Laden schließen wollte, hatte es furchtbar geregnet, doch obwohl draußen die Sintflut tobte, hörte ich ihre Schreie von der anderen Straßenseite.

Ich weiß noch wie ich nach draußen lief, aber alles wozu ich imstande war, war es gerade so ihre Silhouette zu erkennen. Also lief ich nur für ein paar Sekunden nochmal ins Haus hinein, um eine Taschenlampe zu holen. Als ich wieder hinauslief, war sie weg. Nachdem ich die Polizei verständigt hatte, hat man wochenlang nach ihr gesucht und das ganze Gebäude auf den Kopf gestellt, aber gefunden haben sie Anna nie.

30 Jahre ist das nun schon her und jeden Tag starre ich auf dieses grässliche Gebäude da draußen und hoffe, dass sie eines Tages wie gewohnt herausspaziert, als sei nichts gewesen, doch stattdessen sehe ich immer nur diese Hexen. Ihre Gesichter haben sich in all den Jahren zwar verändert, manche sehe ich schon lange nicht mehr, ab und zu kommen neue Visagen hinzu, aber sie haben allesamt diese grauenerregende Ausstrahlung wie damals. Es sind Teufelinnen – alle gemeinsam und ich hatte mir seither fest vorgenommen es eines

Tages beweisen zu können. Ich wusste nur nie wie.«

Jetzt steigerte sich meine ohnehin schon hohe Nervosität umso mehr. Ich nahm einen letzten kräftigen Zug von meiner Zigarette und drückte sie in den vor mir stehenden Aschenbecher.

»Und Sie glauben ganz sicher, dass ihr Verschwinden in irgendeinem Zusammenhang mit den Leuten aus dem Gebäude steht?«

Klar war es offensichtlich. Ihre bisherige Erzählung hatte keinen Zweifel daran gelassen, dass sie sie für schuldig hielt, doch klammerte ich mich verzweifelt an der Hoffnung fest, dass es ihr gelang, irgendwie eine beruhigende Wendung in diese Schreckensgeschichte einzubauen, um mich von dieser quälenden Angst zu befreien.

»Glauben? Ha! Ich weiß es mit absoluter Sicherheit. Ich kannte Anna ganze 23 Jahre und sie war immer eine lebensfrohe und aufgeschlossene Person gewesen, aber von dem Tag an, an dem sie dieses Haus betreten hatte, merkte ich wie ihr all das mehr und mehr entzogen wurde. Ich hoffe, dass es ihr gelungen war zu entkommen und sie lediglich sämtliche Spuren, die sie in dieser Welt hinterließ, verwischt hatte, um der Schlinge, die diese Schlangen um sie gelegt haben, zu entkommen, aber ich fürchte, dass das ein viel zu optimistisches Wunschdenken ist.«

»Verzeihen Sie die Frage, aber... was glauben Sie ist passiert, wenn es nun nicht so verlaufen ist, wie Sie es sich erhoffen?«

Ihre Augen wandten sich wieder der Leere zu und obgleich ihr Blick vollkommene Stille ausstrahlte, schien er zugleich in einer ohrenbetäubenden Lautstärke zu schreien, als würde eine Welle aus Trauer und Hass durch ihren Körper hindurchströmen.

»Ich weiß es nicht, aber falls es anders verlaufen ist, dann ist ihr mit Sicherheit etwas im höchsten Maße Furchtbares zugestoßen.«

Sie drückte ihre Zigarette im Aschenbecher neben meiner aus und sah zu, wie der letzte blaue Dunst in der Luft verschwamm.

»Aber da war noch etwas Anderes in jener Nacht, ebenso unerklärlich wie Annas plötzliches Verschwinden.«

Ihre Fingernägel kratzten über das alte Holz des Tisches und verursachten ein unangenehmes Knarzen.

»Es erscheint mir so unwirklich, wenn ich daran zurückdenke. Als ich ihre Silhouette so von Weitem sah, konnte ich, wie gesagt, nicht sonderlich viel erkennen – aber...«

Sie wühlte in ihrer Schachtel und steckte sich eine weitere Zigarette an. Ihre bebenden Lippen ließen den glimmenden Tabak auf und ab tanzen, während sie den ersten Zug energisch inhalierte.

»…während sie so dastand, zappelte und kreischte, da konnte ich sehen, dass irgendetwas auf ihrem Rücken saß.«

Den Schrecken in meinen Knochen spürend bemerkte ich, wie meine erkalteten Hände langsam zu zittern begannen. Handelte es sich bei der Freundin dieser Frau nur um ein Opfer unglücklicher Zusammenhänge, die sie zur Flucht zwangen oder wurde sie zur Leidtragenden eines schockierenden Ereignisses, das noch immer unentdeckt in den Wänden meines neuen Heimes ruhte?

Mein Blick fiel hinauf zur Uhr. Mist, ich kam zu spät. Bevor mein erster Tag als Kellnerin anfing, wollte ich mich eigentlich noch mit Christopher treffen, aber das würde ich wohl kaum alles unter einen Hut bekommen, wenn ich mich jetzt nicht sputen würde.

»Nun… danke für die Zigaretten, wirklich, aber ich denke, ich muss mich verabschieden. Ich wollte noch zu einem Treffen mit einem Freund und…«

Etwas schuldig fühlend dafür, dass ich mich

ausgerechnet in diesem Moment verabschieden musste, versuchte ich mich langsam von dem Tisch zu erheben, doch noch in der Bewegung fiel mir meine Gesprächspartnerin ins Wort.

»Du musst dich nicht rechtfertigen. Geh nur, Liebes. Es war schön dich wiederzusehen und ich hoffe, dass ich dich bald wieder hier willkommen heißen kann.«

Mit einem gequälten Lächeln stand ich auf und ging zur Tür hinaus. Ein schwerer Schlag für meinen erst so frisch gewonnenen Optimismus. Andererseits, was kümmerte mich die Geschichte von einer Frau, die vor Jahrzehnten mal dort gewohnt hatte und dann verschwunden war? Ist ja nicht so, dass das in der Geschichte irgendeiner beliebigen Stadt noch nie vorgekommen wäre. Wer weiß, vielleicht wollte sie die Kioskdame auch ein für alle Mal loswerden und war deshalb unangekündigt abgereist.

Wer würde gleich annehmen, dass ein Haufen unheimlicher, alter Schachteln an ihrem Verschwinden beteiligt war, nur weil sich besagte Verschwundene über ihr Verhalten echauffiert hatte und psychisch etwas angeknackst war? Menschen verschwanden schließlich jeden Tag und das auch in seltsameren Gegenden, die daraufhin nicht direkt stigmatisiert wurden. Zumal der Vorfall 30 Jahre zurücklag…

Eigentlich war das eine ziemlich gute Quote in einem offenbar so verruchten Stadtviertel. Außerdem war es ja wohl auch keine der alten Damen, die der Unglückseligen auf dem Rücken saß.

»Hör zu,« rief die Frau mir nach und riss mich aus meinen Gedanken.

»Ja?«, fragte ich und drehte mich nochmal zu ihr um.

»Pass bitte, *bitte* auf dich auf. Ich weiß, dass mein Gerede wie das einer Wahnsinnigen für dich klingen muss, aber glaube mir, wenn ich dir sage, dass seltsame Dinge in diesem Haus vor sich gehen und man weiß nicht immer sofort, wann etwas Seltsames zu einer Gefahr zu werden droht.«

Ich nickte lächelnd und innerlich hoffte ich weiterhin, dass ihre Sorge unbegründet war, aber irgendetwas in mir schrie, dass es das Beste wäre, wenn ich so schnell wie möglich nach Berlin zurückkehren würde. Denn nichts in meiner alten Heimat hätte so schlimm sein können, wie das was sich hier bedrohlich schnell zusammenzubrauen begann.

*

Eiligen Schrittes ging ich wieder zurück ins Haus, um Christopher anzurufen. Mit großem Unwohlsein stieg ich über die Schwelle, aber ich durfte es mir nicht anmerken lassen. Hinter jeder Ecke vermutete ich in diesem Augenblick eine der Frauen. Das Misstrauen war gestiegen und die Paranoia wand sich um mich wie ein hungriger Python.

Mein ohnehin schon stetig wankender Enthusiasmus begann sich nun endgültig zu verflüchtigen, aber davon wollte ich mich dennoch nicht unterkriegen lassen. Ich konnte schließlich nicht alles hinschmeißen, was ich mir die letzten Monate erkämpft hatte und das nur aufgrund dessen, was sich hier abspielte. Ich musste positiv bleiben – um jeden Preis. Ich konnte nicht zurück und auch wenn ich das Glück jagen und mühselig erbeuten müsste, so war dies doch zwingend vonnöten.

Klar war jedenfalls, dass ich, würde ich heimkehren, mein Leben aufgeben würde und auch wenn sich in mir vielerlei Zweifel regten, so stand es völlig außer Frage, dass ich mich diesem Schicksal ergeben würde.

»Ja hallo?«, erklang es verschlafen von der anderen Seite des Hörers.

»Chris? Ich bin's Nina.«

»Nina? Was'n los?«, fragte er, mit der

Müdigkeit kämpfend, aber diesmal etwas aufmerksamer.

»Ich wollte nur fragen, ob du was dagegen hättest, wenn wir den Kaffee heute verschieben und ich dich erst nach meiner ersten Schicht im Restaurant besuchen kommen würde.«

Scheinbar klang ich immer noch zu besorgt, selbst für meine Verhältnisse, denn nun merkte Christopher auch, dass sich meine Stimmung seit unserem letzten Treffen deutlich verschlechtert hatte.

»Was ist denn los mit dir? Warum bist du denn so niedergeschlagen? Du klingst fast, als wärst du überfallen worden oder so.«

»Quatsch,« ich dämpfte meine Negativität ein wenig, zumindest gab ich mein Bestes. »Ich bin nur gerade einfach nicht gut drauf und ich wollte dich einfach fragen, ob du vielleicht Zeit hättest, um mir deine Schulter und ein offenes Ohr hinzuhalten und das lieber an einem etwas vertraulicheren Ort.«

»Na, du machst es ja spannend, aber klar, das ist überhaupt kein Problem. Sofern du damit leben kannst, dass ich meine Wohnung nicht gänzlich auf Vordermann gebracht habe.«

Normalerweise bereitete mir der Gedanke an Christophers Sinn für Ordnung ein schreckliches Unbehagen, aber zum ersten Mal war es mir völlig egal. Eigentlich passte es sogar ziemlich gut zu meiner ebenfalls unordentlichen und zerrütteten Stimmungslage.

»Ganz ehrlich, wie es bei dir momentan aussieht, ist mir völlig egal. Tausend Dank, wirklich. Ich bin dann in etwa gegen 20:30 Uhr bei dir. Bis dann.«

Ohne eine Antwort von ihm abzuwarten legte ich den Hörer wieder auf, griff meine Jacke und stürmte regelrecht nach unten. Beinahe ein wenig verzweifelt versuchte ich mich von sämtlichen schlechten Gedanken zu befreien. Bei genauerer Überlegung wurde mir zudem klar, dass dies doch auch gar nicht allzu schwer sein sollte.

Es lief doch alles super für mich. Ich hatte meine Vergangenheit weitestgehend hinter mir gelassen, Fuß in einer neuen Stadt gefasst, ich hatte einen guten Freund, der mich unterstützte und jetzt sogar einen Job. Und was stand dem im Weg?

Ein Haufen alter Frauen, die sich nicht wie der Durchschnittsbürger verhielten und ein 30 Jahre zurückliegender Vermisstenfall, dessen Einzelheiten ich ohnehin aus nur einer einzigen Quelle kannte. Obgleich man noch nicht einmal von wirklich relevanten Details sprechen konnte, lediglich von Annahmen, die sich nicht gerade auf einen Haufen von Beweisen stützen ließen. Ich hatte einfach eine nicht gerade sympathische Nachbarschaft – wie viele Leute hatten das schon und führten dennoch ein unbeschwertes Leben?

Alles würde gut werden, sagte ich mir. Jetzt müsste alles gut werden.

*

Dadurch, dass ich das Treffen mit Christopher verschoben hatte, fiel es mir nicht sonderlich schwer, rechtzeitig im Restaurant anzukommen. Statt prustend und schwitzend stand ich mit einem breiten, jedoch gänzlich aufgesetzten Lächeln und nur halbwegs besorgniserregenden Augenringen in einem recht unaufgeräumten Hinterzimmer des Etablissements, wo ich sogleich eine Dienstschürze sowie die Anordnung erhielt, mich mit einem kleinen Schreibblock unter die Gäste zu begeben und Bestellungen aufzunehmen.

Das Begleichen von ausstehenden Zahlungen war mir jedoch bis auf Weiteres untersagt, was mir damit erklärt wurde, dass die ausgeschriebenen Stellenanzeigen oftmals von Leuten ausgenutzt wurden, die einen gewissen Betrag der Rechnungen in der eigenen Tasche behielten. Da ich hier jedoch zum ersten Mal eine gewisse Atmosphäre von Normalität verspürte, widerstand ich meinem Drang, solcherlei Verdächtigungen gegen mich empört zu bestreiten.

Angesichts meiner Kleidung und den zahlreichen Ohrringen erweckte ich ohnehin für die meisten Menschen kein sonderliches Vertrauen. Ein Glück hatte ich, wie kurz vor meinem Vorstellungsgespräch, den Ring aus meinem linken Nasenflügel herausgenommen und meine Tätowierung am Bauch bedeckt, sonst wäre ich vermutlich gar nicht erst zu dieser Stelle gekommen.

Gäste gab es nicht sehr viele und so war ich an meinem ersten Tag auch nicht überfordert, was mir gerade noch gefehlt hätte. Die paar Personen, die ich bediente, machten sogar einen äußerst freundlichen Eindruck, lächelten mich an und scherzten zwischenzeitlich. Langsam gewann ich den Eindruck, als befände ich mich doch in einer ganz gewöhnlichen Stadt. Umso mehr verärgerte mich der Gedanke, dass ich somit scheinbar die größte oder vielleicht sogar einzige wirkliche Niete an Wohngelegenheiten gezogen hatte.

»Nina?«

Heinrich, der die meiste Zeit der Schicht hinter dem Tresen gestanden und Gläser gespült hatte, wies mich mit einer kurzen Handbewegung in die hinterste Ecke des Restaurants, wo sich zwei ältere Damen jeweils eine Tasse Kaffee genehmigten.

Als ich näherkam, merkte ich bereits, dass sie mich im Augenwinkel bereits beobachteten, auch wenn sie ihr Bestes taten, um dies unbemerkt zu tun.

»Schönen guten Tag. Darf es für die Damen noch etwas sein?«

Sie sahen zu mir auf, langsam und bedacht, so als hätten sie Angst, ich könnte erschrocken die Flucht ergreifen, sollten sie sich zu ruckartig bewegen. Über ihre vorerst noch kalten und maskenhaften Gesichter zog sich anschließend in einem unangenehm langsamen Tempo ein breites sowie Unwohlsein erweckendes Lächeln, nachdem sie mich mit ihren leblos wirkenden Augen beinahe eine ganze Minute gemustert hatten.

»Aber mit größter Freude, Kleines. Könnten Sie jeder von uns womöglich noch eine Tasse Kaffee bringen?«

Offenbar hatten sie schon so lange geschwiegen, dass mich ihre Antwort aus einem kurzzeitigen Tagtraum weckte. Wie aus einer Trance gerissen, sortierte ich Stift und Block in meinen Händen und konnte nur hoffen, dass ich einen nicht allzu unfähigen Eindruck dadurch hinterließ.

»Ähm… Milch oder Zucker dazu?«

»Nein danke, wir trinken ihn gerne schwarz.«

»Wie die Seele«, entgegnete die andere Frau und kicherte kratzig vor sich hin.

Offenbar hatte diese Aussage die andere Dame dezent verärgert, denn diese verlor sogleich das Grinsen von ihren Lippen.

»Nun hör aber auf, Hildegard. Was soll dieses nette Mädchen denn von uns denken? Die wird noch davon ausgehen, dass in dieser Stadt nur Verrückte hausen.«

Die Angesprochene konnte jedoch angesichts dieser doch recht harschen Kritik, das unkontrollierbare Kichern nicht unterbinden.

»Ach was. Ich bin sicher, es sollte jedermann klar sein, dass das eine doch recht friedliche kleine Stadt ist.« Sie wandte sich zu mir. »Seien sie unbesorgt, Kleines, man erzählt sich zwar allerlei Schabernack über diesen Ort, aber er ist weiß Gott nicht so furchtbar, wie es immer alle behaupten.«

Etwas perplex stand ich da und versuchte das Gesagte mit einem zaghaften Lächeln zu beantworten, mehr wusste ich jedoch nicht zu erwidern.

»Ich bringe Ihnen gleich Ihren Kaffee.«

Ich drehte mich schnell in Richtung Tresen um.
Heinrich blickte mich erwartungsvoll von der
anderen Seite dessen an.

»Nochmal zwei Kaffee schwarz,« sagte ich
zaghaft und schielte unauffällig hinter mich.

Irgendetwas stimmte nicht. Klar, die Dame am
Kiosk hatte ja auch gemerkt, dass ich neu in der
Stadt war, aber war es tatsächlich so
offensichtlich, dass die beiden Frauen es
sogleich annahmen? Heinrich wandte sich
derweilen um und schenkte zwei neue Tassen
nach.

»Dass die mir ja keinen Herzinfarkt erleiden;
die sitzen schon den ganzen Tag hier und
trinken Kaffee. Kann nicht einmal verstehen,
warum, die Plörre, die ich hier serviere, biete
ich eigentlich nur an, damit die Speisekarte
etwas ergiebiger aussieht, aber ich hätte nicht
erwartet, dass jemand das Zeug tatsächlich
mehr als einmal bestellen würde.«

Ich nahm die zwei Tassen entgegen und begab
mich wieder in Richtung des Platzes, an dem
die zwei Frauen angeregt miteinander redeten,
bis sie mich wieder bemerkten und ihr
Gespräch abrupt abbrachen.

»Ach, das ging ja schnell. Vielen Dank, Kleines.«

Kaum hatten sie sich mir zugewandt, stand ihnen wieder dieses ungewöhnlich breite Grinsen im Gesicht.

»Darf es sonst noch etwas sein?«

»Nein, vielen Dank,« sagten beide fast zeitgleich, während sich dieses breite Lächeln immer weiter über ihre runzligen Gesichter ausbreitete.

Ich verließ den Tisch und ging wieder zum Tresen zurück, diesmal jedoch hielt ich für einen kurzen Moment inne, als ich hörte, wie eine der beiden plötzlich ein wenig zu laut ihre Stimme hob.

»Flöhe?«

»Pscht!«, zischte die andere böse, doch mit geweckter Neugier horchte ich nun genauer hin und konnte teilweise auch das Flüstern verstehen, was sie anschließend von sich gab.

»Fräulein... musste ins Dachgeschoss umziehen... alles verseucht... Umzug... abends gegen 9. ...widerlich... bald soweit... vertraut auf uns... im Gewölbe... all das Ungeziefer...«

Ungeziefer. Sobald dieses Wort fiel, fiel auch

ich sogleich wieder zurück in meinen Sumpf aus negativen Gefühlen und bösartigen Vorahnungen. Warum? Ungeziefer trat ja in der Stadt sicherlich häufiger auf, kein Grund also, um diese zwei Damen direkt der Spionage zu verdächtigen, aber kombiniert mit ihrem merkwürdigen Verhalten… womöglich war ich paranoid, das wollte ich gar nicht leugnen.

Eigentlich war ich mir sogar ziemlich sicher, dass ich es war. Worüber ich jedoch nach wie vor im Unklaren war, war, ob diese Paranoia nicht vielleicht doch ihre Daseinsberechtigung hatte.

»Nina?«, ertönte plötzlich Heinrichs Stimme hinter mir.

Etwas ertappt fuhr ich herum.

»Ja, Heinrich?«

Er deutete auf die Wanduhr in der Ecke.

»Du kannst heim gehen. Danke für deine Hilfe, wir sehen uns dann morgen. In Ordnung?«

»Ist in Ordnung. Schönen Feierabend dir noch.«

Ich ging ins Hinterzimmer, legte die Schürze zusammen und griff nach meiner Tasche. Als ich aus der Vordertür verschwand und mich noch ein letztes Mal umdrehte, sah ich nur noch zwei leerstehende Stühle, wo gerade eben noch die alten Damen gesessen hatten.

Ein Zufall? Vermutlich, doch angesichts meiner momentanen Verfassung ein äußerst wirksamer Nährboden für meine offenbaren Wahnvorstellungen. Ob es nun Einbildung war oder nicht, ich wollte schnell hier weg, bevor ich diese Vetteln noch bei Christopher bemerkte. Würde mich nicht wundern, wenn selbst dort am Rande der Stadt alte Frauen auf der Lauer liegen würden.

Ich wollte schnell auf die andere Straßenseite zur Bushaltestelle eilen, doch sowie ich auf den Bürgersteig trat, erhaschte ich noch einen letzten Blick auf die zwei Frauen, wie sie langsam in einer Seitenstraße verschwanden. Unsere Blicke trafen nur für den Bruchteil einer Sekunde aufeinander, doch das reichte, um mir darüber bewusst zu werden, dass sie mich selbst hier draußen noch beobachtet hatten.

Allmählich kam mir der Gedanke, dass diese Stadt von zwielichtigen Omas geführt wurde, so seltsam wie meine Begegnungen mit diesen bisher waren. Wie ein geriatrischer Mafiaring. Je mehr ich über meine Situation nachzudenken begann, desto mehr geriet ich in einen Zwiespalt mit mir selber und meinen Ängsten.

Zwar hatte ich durch die ganzen anderen Gäste

hier einen Hauch von Normalität gekostet, doch dass ich mich bereits durch etwas so Unschuldiges wie zwei seltsamen alte Frauen derartig verunsichern ließ, brachte mich zum Nachdenken. Vielleicht war es sogar dieser abrupte Wechsel zwischen Normalität und dieser beklemmenden Sphäre, in die ich jäh geschleudert wurde, was letztere nur noch mehr zum Vorschein brachte.

Daheim war es selbstverständlich nicht viel besser gewesen, um nicht zu sagen um Einiges schlimmer, aber das hier... Hier nahm der Horror, den ich von Zuhause gewohnt war, eine völlig andere und erschreckendere Dimension an.

Bei ihm hatte ich Angst, ich hatte auch allen Grund dazu, aber jetzt, da ich daran zurückdachte, erschien es mir beinahe weniger furchtbar, dass ich damals genau wusste, welche Untaten ich jeden Tag zu erwarten hatte. So schrecklich die Dinge auch waren, die ich erleiden musste, die Tatsache, dass ich sie voraussah, vermittelte mir eine ganz spezielle, beinahe groteske Form von *Sicherheit*.

Hier war ich zwar geschützt und es drohte mir auch keine unmittelbare Gefahr, doch so vieles um mich herum erweckte in mir die Ahnung, dass eine solche bevorstand und das war es, was mich beinahe an den Rand des Wahnsinns driften ließ.

Diese Angst vor etwas, das mich noch nicht ereilt hatte, zehrte mehr an meinem Verstand als jede Quälerei, die er mir damals zugefügt hatte.

Sachte strich ich über meinen Bauch und die Tätowierung, die unter diesem prangte und weitestgehend von meinem Hosenbund verdeckt wurde.

Was hast du nur getan?! Du hast deinen wunderschönen Körper ruiniert, Nina! Wie konntest du das nur tun?!

Es waren die wohltuendsten Worte, die ich je von ihm vernommen hatte. Ganze drei darauffolgende Monate hatte er mich nicht mehr angefasst. Dann verfiel unsere Beziehung wieder in altbekannte Muster, aber ich wusste nun, dass ich die Möglichkeit hatte, dem Leiden entgegenzuwirken, Mittel und Wege zu finden, um die sich anbahnende und vor allem erkenntliche Bedrohung abzuwehren oder zumindest zu hemmen.

Und auch wenn meine Taktik im Endeffekt dem Leiden nur eine Pause gab, so hatte ich dennoch Mut gefasst, denn ich konnte Veränderungen für mich selbst beschließen, den Ursprung der Angst ergründen und entsprechend darauf reagieren.

Aber hier wusste ich nicht einmal genau, wovor ich mich fürchtete. Zwar ahnte ich, dass es einen Grund für die Beklemmung gab, doch finden tat ich ihn nicht. Ergo wusste ich auch nicht, wie ich darauf reagieren konnte. Vielleicht hätte ich nicht einmal einen vernünftigen Weg gefunden, um mich selbst zu schützen, aber zumindest hätte ich es mithilfe von diversen Anhaltspunkten versuchen können. Doch so wie es zurzeit war, fühlte ich mich gefangen von diesem Unwohlsein, das mich umgab.

Je mehr ich darüber nachdachte, während sich meine Augen durch die Fenster des Busses in den Weiten der Stadt verloren, umso mehr wurde mir klar, dass dieser Zustand nichts war, was ich noch viel länger auszuhalten imstande war.

Irgendetwas musste ich tun können und die einzige Lösung hierfür war nicht das Entgegenwirken, sondern das Vermeiden und hierfür gab es nur eine logische Schlussfolgerung. Immer mehr versuchte ich meinen gebrochenen Geist aufzurichten, doch jeder Tropfen Wahnsinn, den mir die kürzlichen Ereignisse in den Verstand träufelten, näherten diesen einen Gedanken, der wie ein stark wucherndes Unkraut unaufhaltsam wuchs und infolgedessen immer häufiger und durchdringender zum Vorschein kam, egal wie sehr ich ihn zu missachten versuchte.

Du musst die Stadt verlassen.

*

Nur etwa eine halbe Stunde später betrat ich Christophers Zimmer im 'Annie Motel', das nahe der Landstraße lag und noch verkommener aussah als die Gegend, in der ich es zurzeit aushielt, auch wenn ich nicht geglaubt hätte, dass sich dies überhaupt im Bereich des Möglichen befand. Alles hier schrie förmlich nach Renovierung und nicht einmal das brachte es auf den Punkt. Das Gebäude schien geradezu zu betteln, als ich mich dem bemitleidenswerten Bauwerk näherte. Nicht einmal Norman Bates hätte Gefallen an dieser Bruchbude gefunden.

Und ich dachte schon, dass ich unter unheimlichen Verhältnissen leben musste. Hier hingegen musste man ja pausenlos damit rechnen, ein Opfer von Organhändlern zu werden. Alleine dieser Anblick sandte mich augenblicklich zurück in jenes Haus, das ich gerade mal vor kurzer Zeit hinter mir gelassen hatte. In meinen Erinnerungen hatte es durch all den Wahn schon beinahe wieder die Gestalt eines trauten Daheims angenommen, doch der Anblick der vor mir liegenden Ruine vermochte es, dieses Trugbild sogleich wieder in seine wahre boshafte Gestalt zurück zu verwandeln.

Aber hatte ich unrecht? War dieser Ort hier wirklich so viel schlimmer als jener, wo ich nun wohnte? Immerzu hatte ich über Christophers Heim und seine Art zu leben hergezogen, aber war sein Lebensstil wirklich so viel erbärmlicher als der meine? Klar, wahrscheinlich trieben auch hier sämtliche seltsamen Gestalten ihr Unwesen und gewiss war auch die ein oder andere Person schon hier verschwunden, aber auch in meiner Gegend wurde ich davor gewarnt, des Nachts die Straße zu überqueren und das schon an meinem ersten Abend in der Stadt.

Vielleicht war mein vorheriges Gerede ungerechtfertigt. Möglicherweise hatte ich mir die gesamte Situation tatsächlich schöngeredet und es gab allen Grund dazu misstrauisch gegenüber meiner neuen Heimat zu sein. Meine Gegend war letztlich auch nur eine aufgehübschte Version von dem, was sich mir hier lediglich offensichtlicher präsentierte. Sicherer fühlte ich mich dadurch jedoch noch lange nicht; im Gegenteil, es bestätigte mir nur, dass diese ganze Stadt von diesem unheimlichen Flair umschlungen war, völlig gleichgültig, ob man sich nun im *guten* oder *schlechten* Teil aufhielt.

Nein! zwängte ich mir verzweifelt in den schon wieder rauchenden Schädel. Bleib' zur Abwechslung positiv und mach' diese ganze Situation nicht noch schlimmer, als sie ohnehin schon ist. Christopher nun beichten zu müssen, dass nach all den Strapazen eventuell nun doch Schluss mit meiner Flucht sein würde, war ein grässlicher Gedanke. Ich fühlte mich wie vor einem Gerichtstermin und ich hatte kein stichhaltiges Plädoyer vorzulegen, mit dem ich auf logischer Basis vermitteln könnte, was mich aus der Stadt trieb.

Es war zwar nicht so, dass ich Christopher Rechenschaft schuldig war, schließlich war ich ein freier Mensch, aber ich war noch nie gut darin gewesen Leute zu enttäuschen, auch wenn ich noch so sehr an meinen Prinzipien und Vorstellungen des eigenen Wohlergehens festzuhalten versuchte.

So oft wie ich inzwischen schon gezweifelt hatte, glaubte ich beinahe selber, dass ich längst nicht mehr Herr meiner Sinne und völlig unzurechnungsfähig war, was meine Entscheidungen betraf.

»Nina!«

Ich wandte mich um und sah Christopher an

einem der oberen Fenster des Motels.

»Komm schon hoch. Es sieht hier drinnen nicht annährend so schlimm aus, wie es von außen den Anschein macht.«

Lüge! Es war schlimm. Ganz gewaltig sogar. Das Bett war unordentlich und voller Krümel von Chips und Flecken, die vermutlich von Kaffee oder Cola herrührten und ich vermutete stark, dass das nicht die einzigen Rückstände von Flüssigkeiten waren, die sich in die Matratze als auch die hölzernen Wände dieses abscheulichen Zimmers gefressen hatten.

Ich konnte nur erahnen, wie viele Menschen hier lebten und starben, mordeten und ermordet wurden oder auch vergewaltigten und vergewaltigt wurden. So wie der Raum aussah, gab es von all diesen potentiellen Vorfällen Dutzende – jeweils.

Und abermals kam mir der Gedanke daran, dass all das hier, dieses Motel, mein neues Heim, jeder andere Ort in dieser verdammten Stadt, sich nicht so fremd waren, wie ich zu Anfang dachte. Je mehr ich mich umsah, je mehr Schmutz und Staub ich entdeckte, je mehr Fäulnis und Schimmel ich im Material der Wände zu finden vermochte, desto mehr wurde mir klar, dass ich mir etwas vorgemacht hatte – ich war von einem Drecksloch in das Nächste gesprungen… Und somit verschwamm meine positive Energie, an die ich mich mit letzter Kraft festzuklammern versuchte wie eine feine Böe aus Zigarettenrauch in der Luft.

»Keine Sorge, du wirst dir hier schon nichts einfangen, auch wenn es nicht gerade schön anzusehen ist.«

Eine Aussage, die einen starken Zweifel geradezu herausforderte.

»Du? Christopher?«

Ich setzte mich zu ihm ans Bett.

»Was ist denn mit dir los, Nina? Du bist ja kreidebleich im Gesicht.«

»Mir geht es überhaupt nicht gut und ich… ich…«

»Was ist denn? Sag's mir schon.«

Ich sah tief in mich hinein, durchforstete jeden einzelnen Winkel meiner Seele und zerrte die Antwort, die mich quasi überfiel, direkt aus dem Innersten meines Herzens heraus.

»Ich habe überlegt, ob es nicht vielleicht klüger wäre, wieder zurück nach Berlin zu fahren…«

Für einen kurzen Moment herrschte Stille, doch kam es mir wie eine Ewigkeit vor, so als hätte etwas die Uhr auf ein Zehntel heruntergeschraubt und alles auf

Zeitlupentempo gesetzt. Er sah mich ungläubig an und diesen Blick konnte ich nachvollziehen, denn sowie die Worte meinen Mund verließen, konnte ich selber nicht recht fassen, was ich soeben von mir gegeben hatte.

»Klüger?!«

Er sprang völlig verwirrt und fast schon wild auf und jagte mir einen Heidenschrecken damit ein.

»Das wäre nicht *klüger*, Nina, im Gegenteil. Zurück nach Berlin zu fahren ist das Dümmste, was du zurzeit tun könntest. Selbst eine Nilkreuzfahrt würde momentan mehr Sinn ergeben als diese vollkommen absurde Idee!«

Er schrie schon förmlich und ich bekam allmählich Angst. Gleichzeitig nahm ich es als Weckruf auf, ein Weckruf, der mir verklickern sollte, dass das, was ich vor wenigen Sekunden gesagt hatte, völlig bescheuert war und eigentlich wusste ich das auch selber am besten. War ich es nicht, die vor einer Stunde noch versucht hatte, das ganze Schlamassel in ein Paradies umzuwandeln? Na gut, Paradies war weit übertrieben, aber zumindest hatte ich mich davon abgehalten blitzartig abzuhauen. Hatte er recht? War die Idee wirklich *absurd*? Ziel war es ja eher, dem Absurden, welches hier lauerte, zu entfliehen ehe es in Wahnsinn überzulaufen begann.

»Hör zu. Ich weiß, dass in Berlin einige unangenehme Dinge auf meine Rückkehr warten, aber...«

Er fiel mir ins Wort, beinahe schon manisch.

»Nein! Du bist dem entkommen, weil du stark genug warst! Du hast es hinter dir gelassen, weißt du noch?! Du kannst jetzt nicht aufgeben und all das, was du dir erkämpft hast, in den Staub werfen! Und was heißt bitteschön *unangenehm*? Das sind keine unangenehmen Dinge, die auf dich warten, sondern ein verdammtes Trauma!«

Er hatte recht, aber zeitgleich konnte er doch überhaupt nicht nachvollziehen, wie ich mich in diesem Moment fühlte. Er hatte nicht einmal gefragt, was mich zu dieser Entscheidung getrieben hatte.

»Christopher, du hast nicht gesehen, was ich gesehen habe. Irgendetwas geht vor in dieser Stadt, in diesem Haus... irgendetwas Grauenhaftes hat sich dort eingenistet; ich kann es jede Sekunde, die ich mich dort befinde, spüren. Ich weiß, dass mich in Berlin lauter schreckliche Dinge aus meiner Vergangenheit erwarten würden und vielleicht wird es mich sogar verschlingen, aber all das, selbst mein Vater, all das ist besser als das, was sich in diesem Haus befindet.«

Was war denn nur los? Konnte ich denn gar nicht mehr unterscheiden, was richtig und was falsch war - was Gefahr und was harmlos bedeutete? Erst war es nur ein gewöhnliches Haus, jetzt war es wieder das Zentrum des Bösen... Dieser Wechsel der Gefühle, der sich in meinem Kopf abspielte, entwickelte sich zu einem wahren Kampf der Emotionen.

Übertrieb ich oder tat er es? War mir die Gegenwart meines Vaters lieber als das hier... was immer es auch war? Ich suchte die offensichtliche Gefahr auf, um der potentiellen zu entrinnen - wie ein Kind das in die Arme eines Mörders rennt, weil es eine zu große Angst davor hat, dass im Schrank, in welchem es sich hätte verstecken können, ein Monster lauert.

»Wovon zur Hölle redest du da eigentlich?! Bist du verrückt?! Fühlst du dich krank? Was ist es, Nina? Was soll denn so Schreckliches in diesem Haus sein?«

»Ich weiß es nicht...«

Ich wusste es tatsächlich nicht. Schließlich hatte ich keine festen Beweise, die meine These untermauern würden, dass etwas hier nicht mit rechten Dingen zuging, nicht wahr? Andererseits könnte mein Plan, den unheimlichen Dingen, die sich in den letzten Tagen abgespielt hatten, einfach aus dem Weg zu gehen, ein Zeichen von purer Naivität oder gar gefährlicher Dummheit sein. Was, wenn ich alles vorschnell abgetan hätte, ohne an die eventuellen Konsequenzen zu denken? Was, wenn diese Anna nicht die einzige Person war, die vermisst wurde?

Möglicherweise gab es Dutzende von Leuten, die innerhalb der letzten 30 Jahre verschwunden waren. Ha, vielleicht war meine Wohnung ja auch nur deswegen frei geworden. Nachher war es sogar der Grund für den spottbilligen Preis, den ich zu zahlen hatte, weil niemand, der nicht unbedingt knapp bei Kasse war, närrisch genug gewesen wäre, diese Wohnung zu mieten.

»Du wirfst all das hier weg, ohne einen triftigen Grund nennen zu können?!«

»Ich habe meine Gründe, okay? Ich kann sie nur noch nicht präzise erfassen, falls das einen Sinn für dich ergeben sollte.«

Ich spürte es einfach, eine unheilvolle Aura. Es war wie ein unsichtbarer Galgen, der sich langsam um meinen Hals legte, um dann ruckartig zugezogen zu werden, während sich unter mir der Boden auftat.

»Und du bist sicher, dass deine weibliche

Intuition dir da keinen Streich spielt? Denn, tut mir leid, aber es ergibt absolut keinen Sinn für mich. Dort in Berlin warten echte Probleme auf dich, die du zurückgelassen hast. Erfinde hier vor Ort doch keine neuen, um sie als Ausrede dafür zu nehmen, wieder zu den alten Schwierigkeiten zurückzukehren.«

»Ich bin mir vollkommen sicher und schieb das alles ja nicht auf meine weibliche Intuition. Ich habe emotional zu viel durchgemacht, um meine Gefühlswelt auf so eine sexistische Annahme reduzieren zu lassen.«

War ich mir wirklich sicher? Klar, Christophers veralteter Unsinn über das emotional fremdgesteuerte Weib war natürlich absolut rückständiger Blödsinn, aber möglicherweise waren meine Empfindungen momentan tatsächlich ein Faktor, der meinen gesunden Menschenverstand vernebelte.

»Und das machst du woran fest? An einem unguten Gefühl? Ich meine, du scheinst dir wirklich gar nicht mehr im Klaren darüber zu sein, dass du, wenn du nach Berlin zurückziehst, wieder mit all den Problemen konfrontiert wirst, vor denen du geflohen bist. *Reale* Probleme, nicht einfach nur ein ungutes Gefühl.«

Er wickelte mich in seiner Logik ein. Und das

Schlimmste war, dass es funktionierte.

»Es ist doch nicht nur ein Gefühl. Es sind Menschen in diesem Haus verschwunden!«

Mein letzter Trumpf, um ihn von meinem Vorhaben zu überzeugen. Doch war es wirklich ein Trumpf oder einfach nur eine lausige Karte, die er ebenfalls in der Luft zu zerreißen bereit war?

»Was meinst du? Wann bitte sind denn in diesem Gebäude Menschen verschwunden? Das hätte doch irgendwann in der Zeitung oder so gestanden.«

Verzweifelt versuchte ich das Ruder noch herumzureißen, doch wusste ich inzwischen schon nicht mehr, ob ich gegen seine Argumentation auch nur den Hauch einer Chance hatte. Ich stand auf verlorenem Posten. Keinerlei nachvollziehbare Schlüsse hatte ich aufzuweisen. Meine ganze Panikmache war, wie er schon sagte, auf einem unguten Gefühl begründet.

»Die alte Dame im Kiosk gegenüber dem Haus hat mir von ihrer langjährigen Freundin erzählt, die einmal in diesem Haus gewohnt hat und dann spurlos verschwunden ist! Soll ich tatsächlich riskieren, dass ich genauso enden werde?!«

Jetzt kam ich ihm schon mit Schuld. Es war ein Zeichen für mich, dass ich endlich aufhören sollte, aber irgendetwas in mir drängte mich förmlich dazu weiter zu machen - wie ein Hilfeschrei meiner Seele, die um Rettung flehte.

»Na und? Dann ist halt mal jemand von dort verschwunden. Du weißt doch nichts über diese Menschen, weder über die im Haus noch über diese Frau vom Kiosk und über ihre Freundin weißt du sicher auch nichts. Tut mir leid, wenn ich mich mit dieser Behauptung zu weit aus dem Fenster lehne, aber du bist gerade mal den dritten Tag hier und um sich eine Meinung über die Menschen hier zu bilden, die dich zur sofortigen Flucht drängt, ist es doch in Anbetracht deiner Vergangenheit noch reichlich früh, findest du nicht?«

Seine Kette der Vernunft hielt mich mehr und mehr gefangen, verwehrte es mir, mich weiter zu rechtfertigen.

»Aber was, wenn du dich irrst, Christopher?! Was, wenn du völlig falsch liegst?!«

»Und wie wahrscheinlich ist das wohl, hm? Für wie wahrscheinlich hältst du es denn, dass diese Frau, wer auch immer sie gewesen sein mag, Teil von irgendetwas Größerem war, was dich nun ebenfalls betreffen könnte? Weißt du von irgendwelchen anderen Menschen, die in diesem Haus gewohnt haben und verschwunden sind?«

Seine Logik. Seine verdammte Logik.

»Nein, aber… nein…«

»Und warum überrascht mich das nicht. Hör zu, ich weiß ja, dass du manchmal etwas impulsiv bist und auch mal dazu neigst, irrationale Handlungen zu vollziehen, aber *das* hier – das ist Wahnsinn, hörst du, was ich dir sagen will? Wahn-sinn!«

Jetzt war es nicht nur die Logik. Er versuchte, mich an meinem Verstand zweifeln zu lassen. Er hielt mich für verrückt, aber das war gar nicht das Schreckliche an der Situation. Das Schreckliche war, dass ich ihm innerlich beizupflichten begann.

»Wie lange ist es denn her, dass diese Frau verschwunden ist?«

Ich zögerte. Seine Schlinge hatte sich nun gänzlich zugezogen.

»… 30 Jahre.«

Jetzt war alles vorbei. Nun hatte ich auch den kleinsten Funken Glaubwürdigkeit ihm gegenüber eingebüßt, falls ich überhaupt je einen besessen hatte. Nun hatte Christopher auch nichts mehr zu sagen. Alles, was ich von ihm erhielt, war ein ungläubiger Blick, der wohl nochmal unterstreichen sollte, dass ich mich mit meiner letzten Aussage endgültig schachmatt gesetzt hatte.

Und da stellte ich mir die Frage, ob ich diese Diskussion begonnen hatte, um ihn tatsächlich davon zu überzeugen, dass dies kein Ort für mich war oder ob ich innerlich gehofft hatte, dass *er* es war, der *mich* davon überzeugen würde, hier zu bleiben - mich quasi vor mir selber und meiner überstürzten Entscheidung zu retten, die mich geradewegs zurück in die Arme eines Monsters geführt hätte.

»Nina, du hast so viel aufgegeben, um hier zu sein. Du kannst eine Lehre beginnen, vielleicht auch studieren, dein Leben neu beginnen und es endlich auskosten, so wie du immer erzählt hast. Du kannst all das nachholen, was er dir verwehrt hat und was dich so lange Zeit zu seiner Gefangenen gemacht hat! Wirf das nicht einfach so weg, bitte!«

»Es tut mir leid,« brachte ich kaum hörbar heraus, da ich inzwischen zu schluchzen begonnen hatte und mich abwandte, um den Raum wieder zu verlassen.

Es war ein Fehler hierher zu kommen. Es war ein Fehler gewesen, mit ihm zu reden.

Vielleicht war diese Anna deshalb damals ohne ein Wort verschwunden. Vielleicht hätte ihre Freundin sie niemals gehen lassen, so wie auch Chris mich jetzt nicht fortlassen wollte. Ich musste hier raus.

Als ich jedoch die Tür öffnete, schlug Christopher sie mir wieder vor der Nase zu.

»Lass – mich – sofort – hier raus,« sagte ich mit gedämpftem Zorn und ballte meine Fäuste, bis meine Fingerknöchel weiß hervortraten.

»Nein,« sagte er und sah auf mich hinunter.

»Ich lasse dich nicht gehen, damit du dein Leben weiterhin versaust.«

Wie er auf mich herabblickte. Vielleicht versuchte er einschüchternd oder autoritär zu wirken, doch stattdessen sah es abfällig aus.

»Ganz richtig – MEIN Leben.«

Ich versuchte, die Tür abermals zu öffnen, doch Christopher stemmte sich erneut gegen sie und hielt sie fest verschlossen.

»Was? Willst du mich als Geisel festhalten? So wie er das getan hat? Willst du, um mich vor ihm zu beschützen, so wie er werden und die gleichen grauenvolle Dinge tun, mich verletzen, mir weh tun? Ist es das, was du willst, Christopher?!«

Warum sagte ich nur solche furchtbaren Dinge? Das hatte er nicht verdient und doch sprudelten diese verletzenden Vorwürfe aus mir hervor. Dabei meinte ich nicht einmal das, was ich sagte. Meine Irrationalität war einfach in einer hasserfüllten Defensive gemündet, die ich Christopher nun ins Gesicht schlug.

Nun war es mit mir vorbei. Aus dem anfänglichen Schluchzen war nun ein bitterliches Weinen geworden und ich stützte mich gegen die Tür, versuchte nicht mehr, meine Kraft dafür zu verschwenden sie auf zu bekommen. Es nützte ja doch nichts, gegen Christophers Stärke kam ich so oder so nicht an.

Plötzlich nahm er seine Hand von der Tür und wich einen Meter zur Seite.

»Deine Vergangenheit wird nie ruhen, wenn du dorthin zurückkehrst.«

Ich sah zu ihm auf und öffnete die Tür.

»Aber wenn ich sie zu verdrängen versuche, frisst sie mich weiterhin auf. Ich kann sie weder ändern noch auslöschen. Aber ich kann mit ihr abschließen und das habe ich sicherlich nicht getan, indem ich weggelaufen bin wie eine feige Ratte. Ich habe versucht vor dem, was geschehen ist, zu fliehen, aber ich habe nicht daran gedacht, dass all diese Dinge ein Teil von mir sind, Teil dessen, was mich geprägt hat über all die Jahre und mich zu der Person gemacht hat, die ich heute bin, auch wenn das Meiste hiervon negative Nachwirkungen sind.

Meine Vergangenheit wird in mir weiterleben und wenn ich sie verdränge, dann zerstöre ich mich im Grunde nur selbst. Ich muss mit diesem Teil von mir zu leben lernen, auch wenn es anfangs weh tun wird, aber wenn ich mit der ganzen Sache abschließen kann, dann werde ich mich vielleicht endlich vollkommen fühlen. Und ich kann nicht mit ihr abschließen, wenn ich mich vor ihr verstecke, so unlogisch das auch für dich oder andere klingen mag.«

Ich trat über die Schwelle und ging hinüber zur Treppe, die nach unten führte und mich geradewegs in Richtung der Bushaltestelle leitete. Als ich meinen Fuß auf die erste Stufe gesetzt hatte, hielt ich inne und drehte mich leicht zu Christopher.

»In diesem Haus lebt etwas Böses. Ich will nicht hierbleiben und darauf warten, bis es sich mir offenbart.«

Ohne, dass er noch etwas sagte, sah Christopher mir nach wie ich in den bereits wartenden Bus stieg und wieder ins Innere der Stadt fuhr. Ich wollte ihm glauben, ich wollte, dass er recht hatte, aber das leidende Selbst in meinem Innern widersprach jedem seiner Worte. Und auch, wenn mein Kopf seinen Worten zustimmte, so krampfte mein Leib jedes Mal sowie ein weiterer Satz über seine Lippen gekommen war. Manch einer hätte gesagt, dass es letztlich eine bittere aber notwendige Pille war, die ich einfach zu schlucken hatte, aber so wie es mich quälte, handelte es sich weniger um übelschmeckende Medizin und viel mehr um letales Gift, das er mir einträufelte.

Als sich der Bus einer Kurve näherte, wandte ich mich um und sah zu, wie das Motel verschwand, während ich innerlich den festen Entschluss fasste, nie wieder hierher zurückzukehren.

*

Ich war so verwirrt. Womöglich beging ich gerade den größten Fehler meines Lebens und höchstwahrscheinlich war es wirklich meine emotionale Art, die mich zu diesem Fehler verleitete. So musste es ja sein; schließlich wechselte ich seit meiner Ankunft gefühlt alle fünfzehn Minuten meine Meinung über mein neues Leben hier. Ob es allen so ging, die umzogen? Vermutlich nicht, die Welt würde im Chaos versinken, so instabil wie dann jedermann sein würde.

Stundenlang fuhr ich orientierungslos durch die

Stadt, stoppte hier und dort mal, aß ein Eis, trank einen Kaffee und fuhr dann weiter durch die Straßen, bis der Sonnenschein hinter den Häusern zu verschwinden begann und stattdessen das Licht des Mondes auf mich herabfiel. Ich hatte solche Angst davor, wieder in dieses unheimliche Haus zurückzukehren.

Wer konnte schon wissen, ob diese alten Damen mich nicht schon mit Masken und rituellen Dolchen hinter der Tür stehend erwarteten. Andererseits würde ich wohl früher oder später wieder über die Schwelle des Hauses treten müssen, wenn ich nicht all mein Hab und Gut dort zurücklassen wollte, auch wenn das nicht besonders viel war.

Das war eine andere Sache, die mir Sorgen bereitete, sollte ich tatsächlich nach Berlin zurückkehren. Womit wollte ich diese Rückfahrt überhaupt finanzieren? Ich hatte ja schließlich nichts. Das kleine Bisschen, das ich besaß, kam mir bereits bei meiner Flucht abhanden. Die paar Aufenthalte im Motel, die Tickets für den Bus und der Reiseproviant gingen nach einer Weile echt ins Geld und ich hatte ja schließlich keine Einnahmequelle. Alles, was ich hatte, waren meine geringfügigen Ersparnisse und der Wunsch abzuhauen, die Konsequenzen waren mir zu der Zeit völlig egal. Jetzt stand ich mittellos und verängstigt da und wusste nicht wohin. Dabei war das Glück doch inzwischen mehr oder weniger auf meiner Seite.

Ich verdiente nun Geld, wenn auch nicht viel, aber genug, um davon leben zu können. Eine Wohnung hatte ich auch, schön und günstig dazu. Ich war nicht alleine in der großen Stadt, sondern hatte noch einen Freund, der mich unterstützte, und es würde sicherlich nicht lange dauern, bis ich neue Bekanntschaften geschlossen hatte.

Und all das wollte ich nun wieder aufgeben und gegen etwas tauschen, das mich beinahe vernichtet hätte. Alles nur wegen dieses kleinen, unguten Gefühls, das mir im Nacken saß und mich nicht mehr loszulassen gedachte.

Reiß dich zusammen, Nina! sagte ich mir immer wieder und wieder selbst. Es war nur ein Haus, ein gruseliges, das räumte ich ein, aber dennoch ein Haus. Das Schlimmste, was solch ein Gebäude anrichten konnte, war über mir zusammenzustürzen, was zwar auch keineswegs eine angenehme Vorstellung war, aber zumindest würden damit all die alten Krähen mit mir begraben werden. Außerdem war das ein Risiko, das man wohl mit jedem Haus einging.

Nachdem ich meine Odyssee durch die Straßen

der Stadt beendet hatte, entschloss ich mich dazu, in mein verhasstes Heim zurückzukehren, auch wenn ich diesen Moment, gerne noch etwas herausgezögert hätte. Jedoch waren mir die Straßen und die schmalen, dunklen Gassen schon tagsüber suspekt, daher würde sich für mich ohnehin ein Risiko ergeben, egal wo ich mich entschied zu verbleiben.

Eine halbe Stunde später, als es bereits finsterste Nacht war, stand ich wieder in der kleinen Eingangshalle. Noch bevor ich mich groß umsah und die Ecken des Raumes, sowie die Treppe nach neugierigen Bewohnern absuchte, führte es mich auf der Stelle zum Telefon, das hinter der Rezeption stand.

Ich brauchte jemanden, dem ich alles erzählen konnte. Nicht Christopher, er war dafür nicht der Richtige. Ich brauchte jemanden, der mir einfach nur zuhörte. Die Auswahl war nicht sonderlich groß, aber umso härter war es, die Wahl zu treffen. Die meisten Leute waren aus den Augen und sogleich auch aus dem Sinn, doch dies traf auf eine ganz bestimmte Person leider nicht zu. Ich musste sie anrufen, so schwer es mir auch fallen möge.

Sie war eigentlich die einzige Person aus Berlin, bei der es mir wahrhaftig schwer fiel sie zurückzulassen und an die ich trotz meiner

Todesangst immer wieder denken musste, als ich die Stadt verließ. Seit wir damals anfingen im Kindergarten miteinander zu spielen, waren wir nicht mehr voneinander getrennt gewesen, naja, zumindest für die längste Zeit meines Lebens.

Wenn ich so an unseren Werdegang dachte, kam mir sogleich wieder die Erzählung der Kioskdame in den Sinn - dieses Entgleiten einer geliebten Person, bis sie irgendwann verschwunden ist. Nur hoffte ich, dass der Faden zwischen mir und Nicole, so sehr er auch in den letzten Jahren strapaziert wurde, noch nicht vollends gerissen war. Ihr konnte ich immer zuhören und an sie konnte ich mich auch immer wenden, wenn ich wieder an meinem untersten Punkt angelangt war, was in den letzten Monaten vor meiner Abreise sehr häufig der Fall war.

Ich fühlte mich schuldig. Nicole war immer für mich dagewesen und ich hatte sie einfach im Stich gelassen. Zumindest hätte ich ihr doch sagen können, was ich vorhatte, aber nach all den Jahren des Zusammenhaltes brachte ich es nicht einmal fertig, mich von ihr zu verabschieden. Und das, obwohl ich wusste, dass auch sie einen sehr überschaubaren Freundeskreis besaß. Ich wusste nicht einmal mit Sicherheit, ob es neben mir überhaupt andere Menschen in ihrem Leben gab, an die sie sich hätte wenden können.

Nur aufgrund meiner eigenen Belange hatte ich sie ganz alleine gelassen. Jemand wie Christopher würde nun vermutlich sagen, dass ich mich um mich selbst zu kümmern hatte und dass ich nicht allzu hart mit mir ins Gericht gehen sollte, aber zeichnete sich eine Freundschaft nicht dadurch aus, dass man sich selbst in schweren Zeiten nicht gegenseitig fallen ließ und gemeinsam kämpfte? Wer konnte schon wissen, wie Nicole das sah. Ja, möglicherweise war sie verletzt, womöglich sogar unfassbar wütend auf mich und meine Entscheidungen, aber vielleicht hatte sie genauso gut Verständnis für meine Situation und all die Umstände, die zu meinen Entscheidungen führten. Schließlich wusste sie aus erster Hand, wie mein Leben in Berlin aussah, zumal sie selber auch aus keinem einfachen Haushalt stammte.

Wenn ich mich recht erinnerte hatte sie mir damals sogar geraten, die Stadt baldmöglich zu verlassen. Wir waren zelten, draußen am See, wo ihre Eltern ein kleines Haus besaßen. Dort konnte ich mich fallen lassen und die Sorgen von zuhause zumindest ein bisschen unter all der Ruhe und Schönheit begraben. Jetzt, da ich jedoch über diesen Abend und Nicoles Satz nachdachte, klang er eher wie eine Bitte als ein Vorschlag. Fast so, als wolle sie mich indirekt anflehen sie mitzunehmen, wenn es soweit sein sollte.

Angesichts meiner damaligen Verfassung schien ich diesen Hilferuf von ihrer Seite aus allerdings völlig missverstanden zu haben. Die Besorgnis, dass sie sich von mir verraten fühlte und den Hörer sofort wieder auflegte, sowie sie den Klang meiner Stimme erkannte, wuchs weiter in mir heran und brachte mich beinahe dazu mich wieder von dem Telefon vor mir abzuwenden. Diesem sich anbahnenden Drang konnte ich dann aber doch widerstehen.

Als ich den Hörer abnahm und ihre Nummer wählte, lief mir eine Träne über die Wange. Eine Träne, von der ich nicht sicher sagen konnte, ob sie mit Schuld, Nervosität oder Trauer gefüllt war. Ich begann zu zittern, hatte Angst, dass Nicole entweder sofort auflegen oder mir schlimmstenfalls sogar Schuldzuweisungen entgegenbrüllen würde.

...

...

Nichts - das Telefon war tot.

Nun war ich endgültig mit den Nerven am Ende. Die wahnwitzigen Ideen strömten ungebremst durch meinen Schädel, spülten jegliche Gedanken an Nicole hinfort und gossen meine offenbar endlos dürstende Paranoia erneut. Angsterfüllt ließ ich den Hörer fallen, der vom Tisch der Rezeption baumelte wie ein Gehängter am Galgen und stürmte die Treppe hinauf, um mich so schnell wie möglich in mein Zimmer zu begeben.

Ich wollte nicht Hals über Kopf meine Sachen packen und aus dem Haus stürmen, aber ich wollte nicht wie auf dem Präsentierteller weiter in der Eingangshalle verweilen.

Bei den hiesigen Bewohnern konnte ich ja nicht eine Sekunde lang sicher sein, dass sie mich nicht beobachteten. Telefone versagten immer wieder, möglicherweise war es noch weitaus harmloser und das Telefon wurde ab einer gewissen Zeit einfach ausgestellt, um die vom Haus vorgeschriebene Nachtruhe einzuhalten. So würde es mir zumindest eine rational denkende Person in diesem Moment zu erklären versuchen, aber nach all den Strapazen und Ereignissen der letzten Tage war ich kaum oder gar nicht mehr in der Lage rational zu denken. Aber egal welchen Grund dem toten Telefon zugrunde lagen, so stand doch eines mit absoluter Sicherheit fest:

Ich hatte mich in meinem ganzen Leben noch

nie so alleine gefühlt.

Gerade als ich meinen Fuß auf die erste Stufe gesetzt hatte, ertönte jedoch wieder jenes unscheinbare Geräusch. Leise, kaum hörbar, aber immer noch laut genug, um sich vor der Stille des Hauses abzuheben, welche sonst jeglichen Ton unweigerlich verschlang. Das Fiepen, das ich schon letzte Nacht vernommen hatte. Jetzt wo ich wieder wusste, um welche Art von Laut es sich handelte, wurde er mit jeder Sekunde die ich ihm länger zuhörte deutlicher und deutlicher.

Ein Fiepen. Ein grässlicher hoher Ton, der aus einer der Wände drang und so klang als würde irgendetwas höllische Qualen erleiden müssen.

Mein Blick suchte die Eingangshalle ab, um eben diese Wand ausfindig zu machen und letztendlich verharrte er auf jener Tür, hinter der ich den Ton bereits das letzte Mal ausgemacht hatte, einer Tür, die wie ich glaubte zu dem von Fräulein Bélanger verbotenen Kellergewölbe führte, dessen Zutritt mir unter allen Umständen verwehrt bleiben sollte.

Dass Fräulein Bélanger die Tür nicht richtig versperrt hatte, wunderte mich daher direkt. Allerdings konnte mich nach all den Dingen, die sich in diesem Haus trotz meiner kurzen Anwesenheit bisher zugetragen hatten, ein kleiner Abstecher in den Keller unmöglich in noch größere Schwierigkeiten bringen.

Sowie ich die Tür jedoch öffnete, ertönte ein Knarren, welches so laut war, dass es durch das gesamte Haus zu hallen schien und mich blitzartig zusammenfahren ließ.

»Verdammt,« murmelte ich leise vor mich hin, öffnete die Tür vollständig, was zu meinem Glück kein weiteres Knarren verursachte, und verschwand unbemerkt im Dunkeln des Raumes jenseits der Schwelle.

Kaum hatte ich die Kellertür jedoch wieder verschlossen, ertönten Schritte von der Treppe. Leise Stimmen begannen langsam die anfängliche Stille in der Eingangshalle zu unterbrechen und immer lauter zu werden, bis sie und die Schritte nur noch wenige Meter von mir entfernt waren und schließlich an Ort und Stelle stoppten. Ängstlich hielt ich mir die Hand vor den Mund, um jegliche Geräusche meinerseits bereits im Keim zu ersticken.

Trotz dessen ich zuvor noch närrisch angenommen hatte, dass meine Lage sich mit Betreten des Kellers ja nicht noch weiter verschlimmern könnte, musste ich nun leider der Tatsache ins Auge sehen, dass ich nicht nur irrational dachte und handelte, sondern offensichtlich auch unfassbar dämlich geworden war. Wer konnte schon ahnen, was für Konsequenzen ich mir hiermit eingebrockt hatte. Als wenn mich nicht ohnehin schon genügend Zweifel bezüglich meines momentanen Lebensabschnitts beschlichen.

Jedoch drängte sich mir im Angesicht meiner jetzigen Situation noch ein weiterer Gedanke auf. Vielleicht hatte das Knarren es verscheucht, doch die Quelle der seltsam fiependen Laute schien versiegt zu sein.

Dafür ertönten nun andere, viel beunruhigendere Geräusche und zwar diesmal von der anderen Seite der Tür. Während ich nun wie ein Tier in einer Lebendfalle eingesperrt war, vernahm ich den Klang energischer Schritte, die von der Treppe hinabkamen und ausgerechnet direkt vor dem Kellereingang zum Stehen kamen. Den Schritten nach zu urteilen mussten es mindestens zwei Leute sein, die drauf und dran waren, mich auf frischer Tat zu ertappen.

Vorsichtig lugte ich durch das Schlüsselloch, fest damit rechnend, dass die beiden Personen hier waren, um in den Keller zu gehen und mich nun jeden Augenblick in meinem Versteck entdecken würden. Konzentriert lauschte ich ihren geflüsterten Worten und versuchte so leise wie möglich zu sein, während ich inbrünstig hoffte, dass die Tür, hinter der ich mich versteckte und die meine einzige Tarnung vor diesen Leuten war, geschlossen bleiben würde.

»Wie konnten sie nur so unfassbar nachsichtig sein?!«, fragte eine zornige Stimme von der anderen Seite.

»Verzeihen sie bitte vielmals, Fräulein, doch...«, stammelte die andere nervös vor sich hin, bevor sie sogleich wieder von der anderen Stimme unterbrochen wurde, welche zweifellos Fräulein Bélanger gehörte, auch wenn ich sie fast nicht erkannt hätte.

Das sonst so zarte Säuseln war gänzlich erstickt worden und nicht einmal ihr von Angst und Ekel erfüllter Ausstoß von Worten, als die Flöhe ihre Wohnung besetzten, ließ auch nur den Hauch einer Vermutung zu, dass sie zu solch einer grässlichen und diabolischen Stimmlage überhaupt befähigt war.

»Ach, erzählen sie mir doch nichts, zum Teufel nochmal! Sie hatten die ehrenwürdige Aufgabe darauf acht zu geben und was tun sie?! Sie wagen es sein heiligstes Relikt zu verschludern und haben nicht einmal eine vernünftige Erklärung dafür parat?! Mit ihrem Leben hätten sie es verteidigen sollen und darüber hinaus!«

Ihr Zorn war gedämpft, doch in ihren Worten steckte so viel Hass, dass ich schon alleine vom

Zuhören das Gefühl bekam, als würden diese mir schmerzendes Gift in meine Venen injizieren.

»Obgleich sie neu bei uns sind, war ihnen der Wert genauso bekannt wie jenen von uns, die dieser Sache den Großteil ihres Lebens gewidmet haben. Wie konnten sie es überhaupt verlieren? Es war doch schließlich extra in einer Vitrine eingeschlossen. Wollten Sie sich etwa für irgendwen auftakeln oder was?«

Sie schwieg kurz und wartete auf eine Antwort, die der Frau wohl im Halse stecken geblieben war, denn sie schluckte nur kurz und brachte keinen Ton heraus.

»Ach, sagen sie es mir nicht, es macht sowieso keinen Unterschied wie sie es verloren haben. Alleine, dass es geschehen ist, ist Grund genug, um sie der Höchststrafe zu unterziehen, da sind die Einzelheiten ihres Scheiterns völlig irrelevant – für *ihn* sind sie es allemal.«

»Bitte... es tut mir so unfassbar leid...«

Die Frau klang panisch, vollends verzweifelt und Fräulein Bélanger wirkte fest entschlossen, sie auf ewig in diesem Gemütszustand ausharren zu lassen. Ihre vorher noch halbwegs untergrabene Wut wandelte sich nun zu einem bedrohlichen Flüstern, das mehr dem Zischen einer Schlange glich.

»Es wird ihnen noch leidtun. Es wird ihnen sogar noch sehr leidtun. Ich werde ihn über ihr Versagen in Kenntnis setzen. Hoffen sie lieber, dass sie oder wir es rechtzeitig wiederfinden und dass er ihrer Seele gnädig sein möge. Auf Letzteres würde ich jedoch nicht allzu sehr bauen.«

Mit diesen Worten schritt Fräulein Bélanger, wutentbrannt vor sich her flüsternd von dannen und das Klackern ihrer hochhackigen Schuhe verstummte nach wenigen Sekunden hinter der geschlossenen Tür eines der oberen Zimmer, während die andere Person sich verzweifelt schluchzend aus der Eingangspforte begab.

Erleichtert darüber, nicht entdeckt worden zu sein, atmete ich aus und nahm die Hand von meinem Mund. Was waren das nur für Leute? Wer war *er*? Und von was für einem Relikt hatte Fräulein Bélanger da gesprochen? Inzwischen spürte ich immer deutlicher, wie die Angst und Besorgnis um das hier Vorgehende mir die Luft abschnürte.

Gezeichnet von dem, was ich erlebt und gehört hatte, ging ich rückwärts die Treppe hinunter, die Augen starr auf die noch geschlossene Tür gerichtet, ständig mit der Angst, dass sie noch immer jede Sekunde aufschwingen und mich enttarnen könnte. Es hätte mich weiß Gott nicht gewundert, wenn eine dritte alte Dame mit von der Partie gewesen wäre und nur für diesen Schockmoment hinter der Tür gewartet hätte.

Vermutlich würde ich vor Schreck ohnmächtig werden und der darauffolgende Sturz von der Treppe hätte mir den Hals gebrochen – Thema erledigt. Wer weiß, vielleicht überlebte ich den Fall sogar, jedoch nur, weil ich von den sterblichen Überresten von Anna und zahlreichen weiteren Treppenopfern abgefedert werden würde. Der Gedanke ließ mich erschaudern und auch, wenn ich in der Dunkelheit nichts erkennen konnte, sah ich über meine rechte Schulter die Stufen hinab, in einer nicht mehr allzu tief schlummernden Befürchtung, dass meine mehr oder weniger im morbiden Scherz entstandenen Annahmen tatsächlich der Wahrheit entsprechen könnten.

Ich wandte mich um und mein Blick glitt langsam hinab zu meinen Füßen, um zumindest erahnen zu können, wohin ich trat, damit mir ein solcher Sturz, der mich sowohl schwer verletzen als auch verraten könnte, erspart bliebe. Unter der Türschwelle schien lediglich ein schwacher Lichtstrahl hindurch, der kaum mit dem Schimmer einer einzelnen Kerze hätte mithalten können, doch es reichte zu meinem Glück aus, um zumindest die einzelnen Stufen ausmachen zu können, die ich vorsichtig eine nach der anderen hinabstieg – tiefer und tiefer in das stockdunkle Kellergewölbe, das sich vor mir auftat, wie das Maul eines gefräßigen Krokodils.

Langsam ging ich immer weiter in Richtung jener verschlingenden Finsternis, immer weiter vorwärts die hölzernen Stufen der Treppe hinab, als ich plötzlich sah, wie sich das Licht ganz schwach auf einer Stufe zu sammeln schien. Ein Loch... das wenige Licht, das ich erkannte, sammelte sich um ein kleines Loch, das mitten in der Stufe klaffte.

Vorsichtig trat ich näher an die besagte Stelle heran, verkrampfte beinahe meine Hand, als ich das knarrende Geländer noch fester umschloss als zuvor. Sowie ich einen Fuß auf die erwähnte Stufe setzte, um zu kontrollieren, ob sie nachgab, antwortete diese mit einem Knarren, das dem, mit welchem die Tür mich vorhin beinahe verraten hatte, alle Ehre machte.

Nein, bis hierhin und nicht weiter. Schließlich musste ich einsehen, dass ich mich, obwohl ich eigentlich glaubte zu wissen, dass hier etwas ganz und gar nicht stimmte, immer weiter und weiter in dieses Schlamassel hab hineinziehen lassen. Wozu?

Scheiß drauf. Ich drehte mich um und tat endlich das, was ich schon von Anfang an hätte tun sollen, meine instinktive Neugierde und Emotionalität begraben und einfach mal vernünftig handeln – versuchen, mich nicht stetig in misslichen Lagen wie dieser wiederzufinden, was höchstwahrscheinlich meine größte Hürde zum Überwinden werden würde.

Wenn ich so genau darüber nachdachte, war vielleicht genau dieses Talent, in Schwierigkeiten zu geraten das was es mir so schwer gemacht hatte, mich hier vernünftig zu etablieren. Am Ende hatte ich genauso wie dieses Haus diese unsichtbare aber dennoch präsente Eigenschaft, die Probleme förmlich zu prophezeien. Könnte es vielleicht sogar sein, dass mich all diese Menschen deshalb so zu überwachen schienen? Empfanden sie für mich womöglich, wie ich für sie empfand? War *ich* diejenige, von welcher eine ungewisse Bedrohung ausging, die meinem Umfeld nicht behagte und ihnen Angst bereitete?

Ich meine, die Tatsache, dass ich mich gerne ungewöhnlich kleide, hatte schon viele Leute vorher verunsichert. Nur versuchten sonst all jene, denen mein Äußeres nicht passte, mich entweder zu ignorieren oder mir deutlich mit unmissverständlichen Blicken zu suggerieren, dass ich in ihrer Gegenwart weder erwünscht war, noch geduldet werden würde. Meine zeitweilige Vermutung, dass auch dies hier der Fall sein könnte, zerbrach jedoch an der Tatsache, dass ich nicht ignoriert oder missbilligt, sondern eher im Auge behalten wurde.

Weniger ein krebsartiges Geschwür in der Gesellschaft, das herausgeschnitten werden musste und vielmehr etwas Unbekanntes, das es nicht zu beseitigen, sondern eher nicht zu unterschätzen galt. Viele Menschen urteilten vorschnell. Sie sahen mich und hatten sich ihre Meinung über meine Person sofort gebildet. Andere wiederum sahen in mir etwas Neues, etwas Interessantes, das es zu studieren galt und wieder anderen hingegen gefiel meine außergewöhnliche Erscheinung, weshalb sie mich verehrten als sei ich die Anführerin einer Untergrundrebellion.

Die vierte Fraktion ließ mich über das, was sie von mir dachten, im Ungewissen und begegnete mir gewöhnlich bis höflich, ohne mir ihre wahren Gedanken über mich vorschnell zu offenbaren.

Bis sich gewisse Menschen dazu entschieden, mich näher kennenzulernen und wirklich auf mein Innerstes zu blicken statt auf Äußerlichkeiten hängen zu bleiben, gehörten sie alle diesen vier Gruppierungen an. Die

Menschen hier taten das nicht, fast so, als wären sie nicht dazu befähigt, sich einen ersten Eindruck über eine Person zu bilden. Stattdessen schienen sie einfach still im Hintergrund auszuharren und mich auszuspionieren, bis ich etwas sagte oder besser noch tat, dass ihnen die Entscheidung, mich in eine passende Schublade zu stecken, erleichtern würde.

Schließlich hatte ich bisher noch keine Handlung begangen, die ihr Missfallen erregt haben könnte. Andererseits strömte ich wohl zeitgleich etwas aus, was den Verdacht in ihnen weckte, dass ich eben solch eine Fehlhandlung in naher Zukunft zu begehen imstande wäre. Nun saßen sie alle ruhig im Schatten und warteten darauf, ob oder wann eben dies eintreten würde – wie ein Rudel Hyänen, das einer Herde Herbivoren auflauerte, um den richtigen Moment abzupassen, in dem eines der Tiere aus der Reihe tanzte und sich zum Fraß anbot.

War es das gewesen? War dies der einzige Grund, weshalb mir die Bewohner dieser Unterkunft suspekt erschienen? Einfach weil sie mich so völlig anders behandelten, als ich es von anderen gewohnt war, positive sowie negative Erfahrungen eingeschlossen?

Ich sollte mich in Zukunft einfach, wie nun geplant, zusammenreißen und den Mietern nicht noch mehr Anlass geben mir zu misstrauen. Vielleicht konnte ich sie sogar von mir überzeugen, indem ich jedem von ihnen eine Kleinigkeit vor die Tür stellte oder es für sie vorne am Tresen hinterlegen ließ. Klar war ich zurzeit knapp bei Kasse, aber wenn ich nicht zu viel Geld verprasste, weiter an meiner Kellnerarbeit festhielt und beim Essen vorerst auf etwas günstigere Alternativen auswich, hatte ich zumindest die Chance, endlich die Stimmung hier im Haus angenehmer zu gestalten, was trotz meines kurzen bisherigen Aufenthaltes hier längst überfällig war.

Scheinbar musste ich erst in meine bisher misslichste Lage fallen, um mit geballter Energie und endlich der positiven Einstellung, die mir schon die ganze Zeit über gefehlt hatte, wieder emporzusteigen, wodurch sich mir schlussendlich doch noch die Möglichkeit bot, in meinem neuen Leben aufzublühen.

Ich schritt die Treppe wieder bis nach oben hinauf, spähte durchs Schlüsselloch und als ich mich schließlich auch noch mit einem kurzen Horchen an der Tür vergewissert hatte, wieder ganz alleine zu sein, drückte ich sanft die Klinke nach unten und versuchte jenes Stück morschen Holzes nun noch behutsamer zu öffnen, um ein weiteres Knarren nach bestem Gewissen zu vermeiden. Es wirkte.

Die Eingangshalle war wieder menschenleer wie sonst auch und bis ich schließlich die obere Etage erreichte und wieder den weichen Teppich meiner Wohnung unter mir spürte, lief mir auch keine weitere Person über den Weg.

Ich war müde. Ohne mich noch lange damit aufzuhalten mir die Zähne zu putzen, zu duschen oder noch was zu essen, ging ich schnurstracks ins Schlafzimmer, um mich nach einem anstrengenden, aber vielmehr noch erleuchtenden Tag in meine Decke zu wickeln und in einen wohlverdienten Schlaf zu fallen. Es war der erste gute Schlaf, den ich hoffentlich in dieser Stadt haben und dem in Zukunft nie wieder eine schlechte Nacht voller Angst und Unwohlsein folgen würde.

Gerade als ich jedoch mein Schlafzimmer betrat, schreckte ich auf und meine Müdigkeit verflüchtigte sich für einen ruckartigen Augenblick beinahe vollständig. Ein für wenige Sekunden andauernder Schmerz zog durch meine Fußsohle und auf der Suche nach dem, was diesen Schmerz verursacht hatte, suchte ich den Boden ab und entdeckte etwas auf dem Teppich liegend. Wenn es im Licht der Deckenlampe nicht geglitzert hätte, wäre es mir wohl gar nicht aufgefallen, da die Teppichfasern es wie wucherndes Gras umwachsen hatten.

Es war ein Ring und ein wunderschöner noch dazu, weniger herausstechend durch seine schwarze Farbe und vielmehr ansprechend durch den großen glänzenden Rubin, der auf ihm prangte. Er war definitiv nicht aus Plastik, das konnte ich zumindest feststellen, aber ob er tatsächlich echt und von Wert war, musste wohl immer noch ein Experte bestimmen. Die größere Frage, die ich mir im Moment stellte, betraf allerdings eher die Herkunft dieses Schmuckstücks. Was Edelsteine betraf, war mein Wissen doch etwas begrenzt, aber dass sie nicht einfach so aus Teppichen wuchsen, dessen war ich mir doch recht sicher.

Mein Blick richtete sich hinauf zur Decke. Ein kleines Loch, kaum der Rede wert, klaffte in dieser, wenige Zentimeter über der Stelle, an der ich den Ring gefunden hatte. Im Keller ein Loch in der Treppe zu haben war eine Sache, aber nun bekam ich langsam das Gefühl, dass eine ordentliche Renovierung hier wohl etwas überfällig war. Ich meine, wenn hier einfach wertvolle Gegenstände ohne Beihilfe ihrer Besitzer den Raum wechselten, dann sollte einem das doch zu denken geben oder nicht?

Nur wem könnte der Ring gehören? Über mir waren keine Wohnungen mehr, soweit es mir bekannt war. Zumindest gab es neben der großen Treppe in der Eingangshalle keine weitere mehr, die ich hätte sehen können.

Der Dachboden – das war der einzige Raum, an den ich denken konnte, der sich über mir hätte befinden können. Und auf diesen Dachboden plante doch Fräulein Bélanger zu ziehen, nachdem dieses Ungeziefer in ihrer eigentlichen Herberge Einzug hielt.

Ich musste nicht lange nachdenken. Dieser Ring konnte letztlich ja wohl nur der verschollene Gegenstand sein, dessen Verschwinden seine Besitzerin vor wenigen Minuten so in Rage versetzt hatte? Und gehören tat er allem Anschein nach jemand anderem, der ihn bald zurückzufordern gedachte. Schließlich sprach sie von einem Herrn, der die Abwesenheit des Rings besonders missbilligen würde.

Eigentlich war es sonnenklar, dass sie von diesem Ring gesprochen haben musste, denn welcher Verlust hätte sie sonst zu einem solchen erzürnten Ausbruch veranlassen sollen? Je länger ich den Ring betrachtete umso wertvoller erschien er mir.

Könnte Fräulein Bélangers Aufregung sogar

der Beweis sein, den ich brauchte, um die Echtheit des Rings festzustellen? Zu behaupten, dass ich ein Laie auf diesem Themengebiet war, wäre stark untertrieben gewesen, also blieb dies doch letztlich mein einziger Anhaltspunkt, auf den ich meine Annahme stützen konnte. Etwas anderes blieb mir ja wohl kaum übrig.

Immerhin würde es ziemliches Aufsehen erregen, wenn ein einfaches Mädchen wie ich zu einem Juwelier käme, um ihm ein Schmuckstück wie dieses zu präsentieren. Selbst wenn ich anmerken würde, dass es ein Erbstück wäre, müsste ich das vermutlich nachweisen können und spätestens daran würde es dann ja wohl scheitern.

Eigentlich hätte ich den Ring nehmen und sofort seine Besitzerin aufsuchen müssen, um ihn ihr schnellstmöglich wieder auszuhändigen, doch... hier war sie nun – die Lösung sämtlicher finanzieller Probleme, die ich hatte. Es war eine Möglichkeit, ein neues Leben mit einem Streich zu bezahlen, mir vorerst, vielleicht für immer, nie wieder Sorgen wegen des Geldes zu machen und um mich nicht mehr zwischen Berlin und hier entscheiden zu müssen, sondern die Gelegenheit beim Schopfe zu packen, mich ganz woanders hinzubegeben.

Vielleicht Hamburg oder München; womöglich

könnte ich mit dem Geld, das dieses kleine Ding wert war, sogar Deutschland komplett verlassen und nach Italien oder Skandinavien auswandern. Sprich, ein perfekter Einstieg in mein neues Leben und das Zurücklassen all der Sorgen, die ich bisher hatte. Es war unrecht, natürlich war es das, aber solange es nicht auf mich zurückfiel...

Jeder Außenstehende würde mich nun wohl für ein selbstsüchtiges Monster halten. Aber war dem wirklich so? Vielleicht waren meine Absichten ignorant. Vielleicht? Nein, *definitiv* traf es wohl besser. Aber es war schließlich keine Geldgier oder der einfache Wunsch nach Reichtum und Luxus, nein. Es war eine totsichere Möglichkeit, nie wieder zurück nach Berlin, nie wieder zu *ihm* zurückkehren zu müssen und endlich frei zu sein - keine Last mehr und ohne die ständige Angst, dass mein Leben jeden Moment wie ein instabiles Kartenhaus zusammenbrechen könnte.

Die Moral hält schließlich nur solange wie man den Schmerz erträgt.

Ich schloss meine Finger fest um meinen kleinen, neuen Schatz und ging ins Badezimmer. Ich hätte nicht gedacht, dass ich meinen Verbandkasten in naher Zukunft gebrauchen könnte, doch nun kam er mir recht gelegen. Es wäre mir nicht gerade recht gewesen, den Ring irgendwo in meiner Wohnung zu verstecken, zumal ich weder einen Tresor noch eine Geldkassette besaß. Außerdem hatte Fräulein Bélanger ziemlich sicher einen Zweitschlüssel für meine Wohnung und wenn ich nicht eines Tages ein völlig verwüstetes, durchsuchtes und vor allem ringfreies Heim betreten wollte, um mich im Anschluss gar mit der Polizei konfrontiert zu sehen, blieb mir eigentlich nur eine Möglichkeit.

Den Augenblick fast schon ehrfürchtig genießend legte ich ihn an, packte ein Pflaster und zwei Mullbinden aus und verband meinen neu geschmückten Finger, auf dass niemand entdecken möge, dass ich etwas bei mir trug, was mich aus dem tiefen Loch, in dem ich mich befand, endgültig hinaushievte.

Glücklich, zufrieden und überzeugt davon, dass ich endlich den einen Pfad gefunden hatte, diesen hässlichen Ort in etwas Wunderschönes verwandeln zu können, legte ich mich ins Bett, platzierte meine nun im Wert sehr gestiegene Hand unter meinem Kopfkissen und fiel wie erwartet in meinen ersten wirklich erholsamen Schlaf, den ich in meinen bisherigen Nächten hier nie hatte – und den gleichzeitig letzten guten Schlaf, den ich für den Rest meines Daseins haben sollte...

Der nächste Morgen begann für mich früh. Ich wollte aus diesem Haus noch bevor die erste der anderen Mieterinnen ihren morgendlichen Kaffee brühte und dabei einen neuen Tag der Spionage plante. Bis ich diesen verdammten Rubin verkauft hatte, sollte es für keine dieser Frauen mehr die Möglichkeit geben, mich groß zu beschatten. Die einzigen Zeiten, die ihnen noch blieben, um mich mit ihren Blicken zu durchbohren waren die, wenn ich morgens über den Flur die Treppe hinunter und zur Tür hinaus ging und die, wenn ich abends denselben Weg in die andere Richtung einschlug.

Den Tag über sollten sie von mir überhaupt nichts mehr sehen. Nichts, das ihnen mehr über mich verriet, nichts anhand dessen sie sich selbst irgendwelche falschen Gedanken über mich machen konnten und erst recht sollten sie nicht entdecken, dass ich etwas in meinen Besitz gebracht hatte, was ich gewiss nicht gewillt war ihnen zu überlassen.

Zwar wollte ich nicht jeden Tag bei Christopher verbringen, aber es gab ja auch andere Möglichkeiten, ein Zurückkehren in meine Wohnung noch ein wenig hinauszuzögern. Im Moment fühlte ich mich jedoch in Christophers

Gegenwart am sichersten, weshalb ich mich innerhalb der nächsten halben Stunde unangekündigt vor seinem Motelzimmer wiederfand. Er wirkte überrascht, als er die Tür öffnete, natürlich war er es. Immerhin war ich fest entschlossen, nie mehr wieder hier aufzukreuzen und auch wenn ich dies nicht mit Worten verdeutlicht hatte, so hatte mein Abgang ihn zweifellos zu dieser Annahme geführt. Nichtsdestotrotz wirkte er sichtlich froh über meinen Besuch.

»Hi, nette Überraschung. Ähm… willst du reinkommen oder wolltest du irgendwo hin?«

Ich dachte kurz nach.

»Weißt du, wie wäre es denn, wenn wir auf diesen Hügel gehen, den du mir letztens noch so schmackhaft gemacht hast?«

»Meinst du?«

Christopher wirkte wenig angetan von meiner Idee und sah skeptisch über meine Schulter in den Himmel.

»Sieht nicht gerade nach dem schönsten Wetter aus. Außerdem ist es etwas kühl, meinst du nicht auch?«

Entgeistert sah ich ihn an. Wir hatten es vielleicht 15 Grad, also nicht gerade Winterbeginn, und bisher hatte ich noch nie gehört, dass Christopher sich zu irgendeinem Zeitpunkt unserer Freundschaft über Dinge wie das Wetter echauffiert hatte.

»Es gibt kein schlechtes Wetter. Christopher…,« begann ich, als er mich wie einstudiert unterbrach.

»…nur schlechte Bekleidung, jaja.«

»Ganz genau,« entgegnete ich neunmalklug und grinste ihn hämisch an.

»Also komm. Du wirst doch sicherlich eine etwas dickere Jacke bei dir da drinnen haben oder etwa nicht?«

»Pff…,« stieß er nur kurz aus und drehte sich wackelig, frei von jeglicher Spannung im Körper, wieder durch die Tür in sein Zimmer hinein.

Ohne weitere Widerworte und gefangen durch meine tadellosen Überredungskünste ging Christopher etwas lustlos zu seinem Kleiderschrank, kramte eine Jacke hervor und kam dann zu mir nach draußen.

»Aber ein Picknick gibt's nicht. Nicht, dass du jetzt nämlich noch auf die Idee kommst sowas zu praktizieren. Ich habe gerade gegessen.«

Grinsend gab ich ihm einen leichten Knuff gegen die Schulter.

»Ach du scheiße, Nina, was hast du denn gemacht?!«

Verdammt, die Hand. Ich hatte vor lauter Träumen völlig ignoriert, dass ich ihm den sanften Schlag mit meiner *verletzten* Hand verpasst hatte. Zum Glück war ich nicht allzu grob dabei gewesen, sonst wäre ich mangels einer überzeugenden Schmerzreaktion sofort aufgeflogen.

»Hab mir gestern Abend ziemlich schlimm in den Finger geschnitten. Hat geblutet wie Sau, deshalb hab' ich ihn jetzt auch so stark einbandagiert.«

Vorsichtig nahm er meine Hand und begutachtete sie.

»Tut das denn nicht weh, wenn du damit irgendwo gegenstößt?«

Natürlich musste er das jetzt fragen. Gott sei Dank hatte ich mir die Lüge mit dem Schnitt einfallen lassen und nicht gesagt, er wäre gebrochen; so war es doch noch etwas leichter sich rauszureden.

»Naja, es ist ja nur ein Schnitt. Außerdem hatte ich noch ein paar Schmerztabletten in meiner Kulturtasche rumfliegen, also nicht der Rede wert.«

Behutsam ließ er meine Hand wieder los und

zuckte mit den Schultern.

»Dann ist ja alles gut. Aber bandagiert ist ja auch kein Ausdruck mehr, du hast den Finger ja geradezu mumifiziert. Ich dachte schon, du hättest sonst was angestellt.«

»Was? Glaubst du, ich gehe nachts raus und prügle mich durch die hiesigen Kneipen?«, fragte ich amüsiert, um seiner Besorgnis so gut es ging den Wind aus den Segeln zu nehmen.

»Nicht unbedingt. Hättest ja auch die Treppe runtergefallen sein können, aber die Tatsache, dass du gleich mit solchen Thesen um die Ecke kommst, macht mich dann schon ein wenig nervös, weißt du?«

»Tjaja, pass nur auf du,« sagte ich mit einem diabolischen Lächeln im Gesicht. »Das hab' ich auch nur gesagt, damit du eine Ahnung davon hast, was dir bevorsteht, wenn du das nächste Mal nach Ausreden suchst, wenn ich dich zu einem kleinen Ausflug einladen will.«

»Na, du kannst gemeinsame Spaziergänge ja wirklich unterhaltsam gestalten. Bei solchen Äußerungen kann ich es gar nicht erwarten, wenn du mich zu unserer ersten Nachtwanderung einlädst. Absolut nicht gruselig oder so.«

Lachend gingen wir weiter. Der Hügel lag

sogar gar nicht allzu weit vom Annie Motel entfernt, obwohl es mir auch recht gewesen wäre, wenn wir einige Stunden dorthin gebraucht hätten, schließlich hatte ich es nicht besonders eilig, pünktlich wieder zuhause zu erscheinen. Am liebsten wäre es mir sogar gewesen, wenn ich zu so später Stunde heimkäme, dass alle anderen schon im Bett waren und schliefen und da alte Frauen ja dafür bekannt waren, sich besonders früh ins Bett zu begeben, schätzte ich meine Chancen diesbezüglich relativ hoch ein.

Zumindest würde ich mit Christopher einiges an Zeit totschlagen können, völlig egal wie lange unser Spaziergang oder unser Aufenthalt am Hügel werden würde.

Als wir unser Ziel erreicht hatten und die Stadt in ihrer vollen Pracht bewundern konnten, war es mir erstmals möglich, ihre Schönheit anzuerkennen. So weit abgelegen von dem, was sich auf ihren Straßen abspielte, wirkte sie sogar ungemein friedlich. Sie machte beinahe einen beruhigenden Eindruck auf mich.

»Und?«, fragte Christopher und sah mich dabei erwartungsvoll an. »Hatte ich recht oder hatte ich recht?«

»Oh Mann,« seufzte ich leise hervor, stellte mich breitbeinig hin, richtete mein Gesicht auf die erst vor Kurzem noch so verhasste Stadt und streckte die Arme nach vorne, als wolle ich sie umarmen.

»Ich entschuldige mich, ehrwürdige Stadt. Vergib mir meine Verfehlung, dich als abscheulich und widerlich bezeichnet zu haben, was beides Synonyme voneinander sind, aber der einzige Weg waren, um meinem Ekel gegenüber deiner Existenz genügend Ausdruck zu verleihen.«

Christopher sah mich skeptisch an.

»Hm… nee da fehlt noch was. Du wirkst auf mich nicht so, als wäre es dir ernst. Nochmal von vorne bitte, aber mit etwas mehr Ernst dahinter und sag vielleicht noch dazu, wie unwürdig du bist und dass es einer Gotteslästerung gleichkommt, dass du die Großartigkeit deiner neuen Heimat so in den Schmutz gezogen hast.«

Ich sah ihn an, streckte ihm die Zunge entgegen und wandte mich dann wieder der Stadt zu.

»Alsdann hör' zu du gute, oh großartige, ja unvergleichlich außergewöhnliche Stadt. Um mich von meinen Sünden reinzuwaschen und dir meine ewige, bedingungslose Liebe zu offenbaren, zolle ich dir mit diesem Jungen an meiner Seite einen Tribut. Mögest du dich an seinem Körper laben, auch wenn nicht viel an ihm dran sein mag, zehre von seinem Blut mit hochprozentiger Note und möglicherweise bitterem Beigeschmack und bitte liebe Stadt genieße die schmackhaften Fleischfasern seiner über alles geliebten Zunge, auf dass er sie mehr gebrauchen möge, um mit seinem Blödsinn diese Welt zu infizieren.

Nimm ihn hin, ich brauche ihn hier nicht mehr länger. Mache ihn zu deiner Geisel, auf dass seine Seele, nachdem du ihren Leib verschlungen hast, ruhelos und immerwährend deine Straßen durchwandle, ständig auf der Suche nach deinen verkommensten Schnapsläden, aber ohne den sanften Kuss der Erlösung, welcher sonst mit dem Rausch einherzukommen pflegt.«

Nachdem ich meinen doch etwas zu theatralisch inszenierten Vortrag beendet hatte, begann Christopher hinter mir zu klatschen, stoppte dann jedoch und begann herzhaft zu lachen.

»Das gefällt dir, nicht wahr?«, sagte ich und begann ebenfalls zu lachen, während ich mich neben ihn ins Gras setzte, in das er soeben vor Lachen gefallen war.

»Zum Totlachen, wirklich. Frag mich nur, warum du keine Schauspielerin geworden bist. Dem Theater bleibt ohne dich wirklich ein großartiges Talent vorenthalten. Überleg es dir doch mal, bevor du dich voll und ganz in deine geplante Ausbildung reinhängst.«

»Ach weißt du, das wäre nun wirklich nicht mein Ding. Nur weil ich laut und schwammig reden kann, heißt das noch lange nicht, dass ich als jemand anderes sehr überzeugend wirken würde, oder?«

»Stimmt wohl, aber dennoch ein ausgesprochen gelungener Auftritt, wenn auch mit einem kleinen Schönheitsfehler.«

Ich war etwas verwirrt, hatte ich doch angenommen, dass meine Darbietung absolut fehlerfrei vonstattengegangen war.

»Naja, die Sache ist die: Ich bin schon längst ein Sklave dieser Stadt. Ich wandere jeden Tag beinahe seelenlos durch die Straßen, falls ich mich überhaupt dazu aufraffe, das Motel aus anderen Gründen als der Arbeit zu verlassen. Tut mir sehr leid, Nina, aber ich fürchte, durch die leeren Versprechungen, die du der Stadt soeben aufgetischt hast, hast du dich mehr oder weniger selbst geopfert.«

Er grinste. Etwas, das ich nur schwerlich erwidern konnte, denn mich beschlich sogleich ein seltsames Gefühl. Es ließ sich nicht genau definieren, aber es beunruhigte mich und ich hoffte inbrünstig, niemals herausfinden zu müssen, was der Grund dafür war, doch ich wusste inzwischen, dass Wünsche zu äußern hier nicht immer von Erfolg gekrönt war. Dabei dachte ich in erster Linie an meinen Wunsch, ohne Schwierigkeiten hier anzukommen, was ja schon nicht wahr geworden war und zum anderen hatte ich mir einen reibungslosen Übergang in mein neues Heim gewünscht – auch eine Bitte, die mir verwehrt wurde.

Mein letzter Wunsch, und der hatte sich bisher zum Glück gehalten, betraf mein Anliegen dafür, mich von den Strapazen aus Berlin zu erholen und nie wieder in derartige Situationen zu geraten. Es war der Wunsch, dessen Erfolg mir am allerwichtigsten war. Nun konnte ich nur noch warten und hoffen, dass es ausgereicht hatte.

»Herzlich willkommen, Nina.«

Christopher erhob sich aus dem Gras und nahm eine Pose ein, ähnlich derer, die ich vorhin erst eingenommen hatte. Im Hintergrund erhoben sich all die großen und kleinen Häuser und mit Christophers ausgebreiteten Armen im Hintergrund schienen sie mich aufzunehmen, reckten und streckten sich nach mir und ich konnte abermals nur darauf hoffen, dass sie mich umarmten und sich nicht zum Angriff aufbäumten, um sich wie hungrige Wölfe auf mich zu stürzen.

»Nun bist du wohl vollständig im sagenumwobenen Runan angekommen und diesem Bann kannst du nie mehr entkommen.«

*

Nachdem ich mich gegen Abend von Christopher verabschiedet hatte und es noch ein wenig Zeit war, die ich vertrödeln konnte, beschloss ich, einen kurzen Abstecher zum Kiosk zu machen, bevor ich mich wieder auf den Weg in meine Wohnung machte. Die Lichter waren erloschen, doch just während ich klopfte, bemerkte ich, dass die Tür lediglich angelehnt worden war. Als ich allerdings den kleinen Laden betrat und mich umsah, konnte ich trotzdem niemanden entdecken. In mir bahnte sich ein ungutes Gefühl an, dennoch wollte ich mich nicht zu sehr auf dieses versteifen.

Es erschien mir hinwieder mehr als unwahrscheinlich, dass man vergaß, die Ladentür, die auch noch auf die offene Straße führte, zu verschließen oder es gar versäumte, sie richtig zuzumachen. Gerade der Frau, welche mich als allererste Person in der Stadt vor eben dieser gewarnt hatte, würde das doch nicht passieren oder?

Ich tastete nach dem Lichtschalter, doch

obwohl ich ihn fand und betätigte, blieb die Dunkelheit um mich herum bestehen. Beide Hände vor mich haltend tastete ich mich weiter vorwärts, bis ich die Theke und dahinter eine Schachtel Streichhölzer erfühlte. Eine schnelle Bewegung mit dem Zündkopf über die Reibefläche und die Finsternis begann ein kleines Stück zu weichen.

Allerdings verriet mir das Licht ebenso wenig wie die Düsternis, die sich langsam um die kleine Flamme zwischen meinen Fingern schloss und ihr binnen weniger Sekunden wieder den Garaus machte, ob ich alleine war oder der Raum die Hauseigentümerin und mich gemeinsam beherbergte.

Ich zündete ein weiteres Hölzchen an und diesmal sah ich im Schein des Feuers etwas auf der Erde liegen. Es war wie ein grauer Wurm, so klein, dass ich beinahe draufgetreten wäre. Eine einzelne Zigarette – scheinbar ohne einen einzigen vorher getätigten Zug - heruntergebrannt. Die kläglichen Überreste des von der Glut verzehrten Tabaks waren alles, was ich auszumachen imstande war. Hatte sie sie fallen lassen und vergessen sie aufzuheben? So musste es ja gewesen sein. Klar, der Gedanke, dass sie nicht mehr in der Lage gewesen sein könnte, um sie aufzuheben und die Kioskdame sie viel eher zurückgelassen als vergessen hatte, kam mir selbstverständlich auch, aber nichts in dem Raum deutete auf ein Handgemenge oder Derartiges hin.

Jedenfalls hoffte ich, dass ich es fertigbrachte, diese Möglichkeit auszuschließen, sicher sein konnte ich wiederum nicht. Und während ich so darüber nachdachte, was hier wohl geschehen war, brannte das Streichholz in meiner Hand ebenso aus wie die Zigarette es vor einiger Zeit hier auf dem Boden zu meinen Füßen tat und schickte mich abermals in die Dunkelheit zurück.

Plötzlich erklang ein zunächst kaum hörbares aber recht vertrautes Geräusch. Ein recht kurzweiliger Funke, welcher keine zwei Meter vor mir aufleuchtete bestätigte, dass es sich um das wirkungslose Klicken eines Feuerzeuges handelte. Dem zweiten Klicken jedoch folgte die zu erzielende Flamme, welche ihr Licht auf ein Gesicht in der Finsternis warf. Ein Gesicht, welches mir jedoch vollkommen fremd war und mich sogleich wieder in Angst zu versetzen begann.

Der gelblich orangene Schimmer wanderte über eine aschfahle Haut, welche von Falten überzogen war, die so tief waren, dass sie trotz der nahen Lichtquelle weiterhin im Dunkeln verharrten. Ich tat leicht erschrocken einen

Schritt zurück.

Das Feuer ergriff die Spitze einer Zigarette und nachdem diese durch einen kräftigen Atemzug der Frau zu glühen anfing, erlosch sein Schein sogleich wieder. In den drei Sekunden, die das Feuerzeug brannte, hatte sie mich angestarrt, zumindest mit einem ihrer Augen, dem eisblauen um genau zu sein. Das andere hingegen schien in die Leere zu starren und der glasige Ausdruck in ihm als auch die Tatsache, dass es weiß wie ein Tennisball war, ließ mich erahnen, weshalb das so war.

»Nanu. So spät noch auf?«, sagte die Frau mit einer unfassbar krächzenden Stimme bevor sie den nächsten Zug nahm.

»Ähm…,« begann ich zaghaft. »Ich wollte eigentlich nur…«

»Wenn du hier bist, um mit Andrea zu sprechen, dann muss ich dich enttäuschen, Püppchen. Die Gute ist vor über 15 Minuten die Treppe hinaufgehastet, um sich an der Elektrik zu schaffen zu machen. Ich befürchte, du musst dich bis morgen gedulden, denn so schnell wird sie da oben sicherlich nicht fertig werden.«

Der Tresen, hinter dem sie stand, knarrte und ihre schattige Silhouette, die ich inzwischen ganz leicht erkennen konnte, beugte sich mir entgegen.

»Es ist bald Neumond, kein Mondlicht, das nachts unsere Straßen erhellt und die baufälligen Laternen sind auch nicht mehr das, was sie mal waren.«

Sie setzte sich langsam in Bewegung, schritt um die Theke herum und kam auf mich zu, bis sie genau vor meiner Nase zum Stehen kam. Ich konnte den Rauch in ihrem Atem riechen und als sie den Dunst der Zigarette ausblies, wehte mir eine ihrer Haarsträhnen ins Gesicht. Ich tat einen Schritt rückwärts und obgleich es so finster war, so konnte ich dennoch schwach das gelblich angehauchte Weiß ihrer Zähne erkennen, die sie mir mit einem breiten Grinsen präsentierte.

»Lauf lieber schnell nach Hause, Püppchen. Nicht, dass du dich in einer ähnlich panischen Situation wie Andrea wiederfindest.«

Ohne ihr Lächeln einzubüßen, ließ die Frau ihre abgebrannte Zigarette zu Boden fallen, um die glimmende Restglut unter ihrem Fuß zu erdrücken und das Farbschema des Umfelds wieder gänzlich den unterschiedlichen Schwarztönen zu überlassen.

»Denn weißt du, Püppchen, auch wenn nicht alle sie wahrlich fürchten – wirklich behagen tut sie keinem, die Dunkelheit.«

*

Das Ganze war mir ganz und gar nicht geheuer.
Natürlich gab es auch hier wieder viel
Spielraum für Spekulationen, aber wenn ich
genauer drüber nachdachte, wirkte die Frau,
welche allem Anschein nach den Namen
Andrea trug, nicht unbedingt wie jemand, der
seine Kippen so rücksichtslos auf die Erde warf
und dann auch noch ohne einen einzigen Zug
zu nehmen. Aber wer war diese andere Person
und warum war sie dort? Auch dafür konnte es
vielerlei unspektakuläre Erklärungen geben,
doch besonders in letzter Zeit wuchs mein
Talent ja wahrlich dafür, mich eher auf die
furchteinflößenden Hirngespinste zu versteifen.

Wer weiß, vielleicht war des Rätsels Lösung ja
auch ganz einfach und ich hatte mir unnötig
Sorgen gemacht – oder es steckte etwas
Anderes, deutlich Beängstigenderes hinter
diesem bizarren Vorfall. War die Frau eine
Freundin, die unten den Laden schmeißen
sollte? Wohl kaum, sonst hätte sie mich ja nicht
mit ihrem gruseligen Auftritt indirekt zum
Gehen aufgefordert.

Aber warum hatte sie dann nicht gleich die Tür
verschlossen? Hatte sie es womöglich einfach
nur vergessen und es sogleich getan, nachdem
ich gegangen war? Es gab so viele beruhigende

Möglichkeiten für all die eventuellen Geschehnisse, aber ich wiederum fing aus dem Gedankenkreisen stets nur die Idee, nach der ich soeben Zeugin eines Einbruchs wurde, welcher zudem in Verbindung mit einem unmittelbar darauffolgenden Gewaltverbrechen stand.

Schluss! Ich ließ meinem körperlichen Impuls freie Bahn, mich von meinem eigenen Schwachsinn zu erlösen und gestattete es meiner flachen Hand, mir einmal kräftig gegen die Schläfe zu schlagen, um wieder einen klaren Gedanken fassen zu können, mich auf den nur so kurzen Weg über die Straße zu konzentrieren und schließlich mit halbwegs funktionsfähigem Verstand vor dem wohlbekannten Gebäude anzukommen.

Die Pforte zur Eingangshalle öffnete sich und mein Plan, schnell die Treppe hinaufzuflitzen und auf Nimmerwiedersehen in meiner Wohnung zu verschwinden, um dort den morgigen Tag abzuwarten, wurde durch Fräulein Bélanger zunichte gemacht, die es sich kaum übersehbar in einem der großen schwarzen Sessel, direkt neben der Treppe gemütlich gemacht hatte. Mit tippelnden Bewegungen bohrten sich ihre spitzen Fingernägel im rhythmischen Takt abwechselnd in die lederne Oberfläche der rechten

Armlehne.

»Da sind Sie ja, Fräulein Lehmann. Ich hatte schon befürchtet Sie würden uns heute gar nicht mehr mit Ihrer Anwesenheit beehren.«

Etwas schwerfällig erhob sie sich aus ihrer Sitzgelegenheit und ging langsamen Schrittes auf mich zu, wobei sie mich keine Sekunde lang aus den Augen ließ, fast so als würde sie versuchen, mit ihrem eiskalten Blick meine Seele zu schockfrosten.

»Um ehrlich zu sein, habe ich Sie, seit Sie freundlicherweise den Kammerjäger für mich riefen, nicht ein einziges Mal zu Gesicht bekommen. Sie werden mir doch wohl nicht aus dem Weg gehen, oder sehe ich das falsch?«

Fragend sah sie mich an, gleichzeitig schwang in ihren leuchtenden Augen etwas Skepsis mit. Dazu kam noch ihr kaum wahrnehmbares, aber zweifelsfrei vorhandenes Lächeln, das sich mühselig seinen Weg auf ihre schmalen, violett geschminkten Lippen erkämpfte. Ein Lächeln, das in mir die Frage aufkommen ließ, ob sie soeben einen Witz gemacht hatte oder ob es ihr mit ihrer Vermutung ernst war.

»Aber nein. Es ist nur so, ich habe einen Freund hier in der Stadt wegen dem ich hergezogen bin und er zeigt mir die nächsten Tage sämtliche Teile der Stadt, deshalb werde ich wohl auch die kommende Woche nicht sehr viel Zeit hier im Haus verbringen.«

Nun begann ihr Lächeln den Kampf zu gewinnen und es breitete sich in seiner vollen Pracht auf ihrem Gesicht aus.

»Oh wie schön, na, dann sind Sie ja doch nicht so alleine hier, wie ich zu Anfang dachte. Junge Liebe, hach, das ich davon nochmal Zeuge werden würde. Wissen Sie, Runan ist aufgrund der niedrigen Mietpreise eigentlich perfekt für junge Menschen wie Sie, aber leider sind es gerade Stadtteile wie dieser, die einen derartig schlechten Ruf genießen, dass nicht mal meine preiswerten Wohnungen sie dazu bringen sich hier niederzulassen.«

Ihr Lächeln verschwand wieder ein wenig und sie ließ ihren Blick melancholisch durch den Raum schweifen.

»Wissen Sie, ich habe viel geopfert, um dieses Haus hier am Leben zu erhalten. Den Krieg hat es damals nur knapp überstanden. Das, was beschädigt wurde habe ich in mühevoller Arbeit eigenhändig wiederaufgebaut. Mein Vater vererbte es mir damals 1936, nachdem er an den Folgen einer Tuberkulose dahingeschieden war. Das Haus hatte noch nie den besten Ruf und das obwohl es eines der schönsten Häuser der ganzen Stadt war und auch immer noch ist, wenn ich das so ganz unbescheiden sagen darf. Unglücklicherweise war es meinem Vater und auch mir nie vergönnt, dafür auch nur ein Wort des Lobes zu vernehmen.«

»Neider,« flüsterte ich leise vor mir hin und in dem Moment glaubte ich nachvollziehen zu können, wie sich diese Frau wohl fühlen musste.

Ausgegrenzt aufgrund der Andersartigkeit, das war etwas, mit dem ich mich sehr gut identifizieren konnte. Zwar bestand *meine* Andersartigkeit ganz sicher nicht darin, dass ich so viel hübscher war als jeder sonst, aber ich denke, es ist egal, inwiefern man sich von der Norm unterscheidet. Solange es einem nicht gegönnt und man dafür fertig gemacht oder verurteilt wird, ist es immer ein ziemlich beschissenes Gefühl.

»Ganz recht,« sagte sie betrübt. »Aber ich habe mich durchgekämpft und mich immer über Wasser gehalten. In den 60ern habe ich das Haus sogar für einige Jahre zu einem Hotel umfunktionieren lassen, was wirklich einen guten Ertrag gebracht hat, aber als dann irgendwann immer mehr und mehr Gäste ausblieben, beschloss ich, mich lieber auf langfristigere Beziehungen zu fokussieren. Über die Jahre hinweg haben somit viele

Frauen ihren Weg hierher gefunden, meistens ältere Frauen, die niemanden mehr hatten und sich wenig um örtliche Gerüchte scherten.«

Nun begannen Fräulein Bélangers Augen langsam glasig zu werden und sie wischte sich eine kleine Träne aus dem Gesicht.

»Meine Güte, bitte verzeihen Sie. Es tut nur sehr weh mit anzusehen wie alles, wofür man sein Leben lang gearbeitet hat, vor die Hunde geht, aufgrund einiger böser Zungen, die durch die Straßen Runans flüstern.«

»A-aber,« stammelte ich leise. »Sie haben doch Mieter. Warum die Sorge, dass es nicht alles gut werden wird, wie bisher?«

Sie sah zu mir auf, die Augen rot verweint, aber nunmehr mit einem fast schon wieder heiteren Lächeln.

»Warum? Schauen Sie sich doch um Kindchen, Sie haben nicht einmal ein Viertel von dem erreicht was wir hier alle schon an Lebenszeit eingebüßt haben. Wir sind antike Fregatten, allesamt. Die alten Schachteln machen doch keine fünf Jahre mehr oder was meinen sie? Mit etwas Glück gehe ich noch vor ihnen zugrunde, damit ich nicht mehr mit ansehen muss, wie mein Lebenswerk zerbricht. Und das wird sicherlich eintreten, jetzt, wo mir auch noch mein wertvollster Besitz abhandengekommen ist.«

Der Ring. Augenblicklich wurde ich hinab in das bodenlose Tief geschmissen, aus dem ich mich erst gestern herausgehievt hatte. Was war ich nur für ein Mensch? Wollte ich auf dieser Grundlage etwa meine fortwährende Existenz aufbauen, zum Leidwesen dieser armen, alten Dame?

»Oh, aber Kindchen, was haben Sie denn mit ihrem Finger gemacht?«

Langsam griff sie nach meiner Hand und ich zog sie im letzten Moment weg, bevor sie ertasten konnte, dass das, was ihr gestohlen wurde, von mir einfach einkassiert worden war. Ich würde es ihr zurückgeben, soviel stand fest; aber nicht jetzt, nicht unter diesen Umständen. Die Frau schien knapp bei Kasse zu sein, aber ich denke nicht einmal das hätte sie dazu veranlassen können, mich dennoch weiterhin in ihrem Hause wohnen zu lassen. Nicht nach dem, was ich getan hatte.

»Ach nichts. Ich habe mich nur geschnitten, aber es wird schon werden.«

»Da bin ich sicher,« sagte sie wieder mit einem sanften Lächeln und ließ ihre Hand wieder sinken.

»Nun denn, ich hoffe ich habe Sie mit meinen

Sorgen nicht gelangweilt oder Sie gar in eine unangenehme Situation gebracht. Ich wollte letztendlich nur sicherstellen, dass zwischen Ihnen und mir keine Zwietracht herrscht, falls ich Sie durch irgendetwas verärgert haben sollte.«

»Um Himmels Willen, nein!«

Alleine, dass sie so dachte, machte mir nur noch weitere Schuldgefühle.

»Im Gegenteil, ich bin äußerst gerührt, dass Sie mir so eine private Geschichte anvertraut haben. Tut mir leid, dass Sie all das durchmachen mussten und wenn ich hier etwas heimischer geworden bin und ein paar neue Leute kennengelernt habe, bin ich gerne gewillt, für Sie ein wenig Werbung in der Stadt zu betreiben und wenn möglich sogar ein paar der Gerüchte einzudämmen.«

Ihre Augen begannen zu strahlen.

»Oh sie gutes Kind... Danke.«

Liebevoll strich sie mir über meine Schulter und lächelte mich an. Es war ein so schönes Lächeln. Nicht nur Freude oder Heiterkeit – es war, als wäre all die Lebensfreude dieser Welt in ihr aufgeblüht wie ein frischer Strauß Rosen.

Plötzlich hielt ich inne. Da war es schon wieder, immer noch leise, aber dennoch laut genug.

Dieses Geräusch…

»Fräulein Bélanger?«, fragte ich zaghaft.

»Ja, Kindchen?«

»Hören Sie das auch?«

Sie lauschte.

»Also ich kann nichts vernehmen. Was genau meinen Sie denn zu hören?«

»Dieses Geräusch – es scheint aus den Wänden zu kommen. Und es ist nicht das erste Mal, dass ich es höre. So ein… Fiepen.«

»Ach das meinen Sie,« sagte sie fast schon erleichtert. »Das kommt tatsächlich aus den Wänden, aber Sie müssen sich keine Gedanken machen. Ich habe vor Kurzem gemerkt, dass wir Mäuse im Kellergewölbe haben, deshalb habe ich schon vor ihrer Ankunft einen anderen Kammerjäger damit beauftragt sie zu eliminieren, daher habe ich die Räumlichkeiten auch bis auf Weiteres für tabu erklärt.«

Sie hielt kurz inne.

»Sie haben doch hoffentlich keine Angst vor Mäusen, oder doch?«

»Nein, nein, alles in Ordnung, es – es hat mich einfach nur gewundert, wissen Sie?«

»Gewiss, das kann ich verstehen. Nun, machen Sie sich keine Sorgen, mir wurde versichert, dass das Problem bis Ende der Woche gelöst sein würde. Es ist leider ein altes Gebäude und da finden solcherlei Tiere unglücklicherweise immer leichter ihren Weg hinein. Aber mir wurde auch gesagt, dass sie sich nur im Keller aufhalten, daher brauchen Sie sich keine Sorgen zu machen. Es wird schon keine Mäuse von Ihrer Decke regnen.«

Beim letzten Satz zwinkerte sie mir leicht zu, unverkennbar eine Anspielung auf unser bisheriges Ungeziefererlebnis.

»Also, ich denke, ich sollte mich langsam mal in meine Gemächer zurückziehen. Ich wünsche Ihnen noch einen wunderschönen Abend, Kindchen.«

»Den wünsche ich Ihnen auch. Ach, soll ich Ihnen vielleicht noch die Treppe hinaufhelfen?«

Dankend winkte sie ab.

»Ach so ein Unsinn. Diese Treppe gehe ich seit über 70 Jahren täglich auf und ab und ich gedenke es zu tun, bis ich eines Tages tot umfalle, selbst wenn dies durch einen Sturz von eben dieser Treppe geschehen sollte.«

Ich lachte kurz auf und sie tat es mir gleich, während sie das obere Ende der Treppe erreichte und verschwand.

Sobald ich jedoch keinen ihrer Schritte mehr vernahm, verschwand das Lächeln urplötzlich aus meinem Gesicht und ich hätte mir am liebsten glühende Nägel ins Fleisch gesteckt, um mich bis in alle Ewigkeit damit zu geißeln. Wie konnte ich nur so etwas Abscheuliches tun? Wutentbrannt riss ich den Verband von meiner Hand und entfernte den kostbaren Ring von meinem Finger. Ich musste ihn zurückgeben und bis dahin war ich es nicht wert ihn zu tragen.

Er war die letzte Rettung für diese Frau. Und für mich? Für mich war er nichts, was ein wenig harte Arbeit und ein bisschen mehr Zeitaufwand nicht auch erreichen konnten.

Ich hatte dieser Frau das Einzige genommen, was sie noch an Wert besaß, neben diesem Haus natürlich, welches sie allerdings ohne den Ring, welchen ich vorsichtig in meiner Hosentasche verstaute, auch in naher Zukunft verlieren würde. Ich war wütend, nicht nur auf mich selbst, sondern auf all die anderen Leute, die dieser Frau das Leben so schwer machten.

Doch bei all diesen hasserfüllten Gedanken gegenüber mir und den Lästereien Runans ging mir eines nicht aus dem Kopf - die Mäuse, sofern es tatsächlich welche waren. In unserer alten Wohnung hatten wir auch einmal Mäuse. Meine Mutter wurde fast wahnsinnig von der Vorstellung, dass jeden Moment eine durchs Zimmer huschen könnte, doch so sehr es sie auch ängstigte und mich anekelte… solche Geräusche hatte ich in den paar Tagen, die sie sich in unserem Haus eingenistet hatten, nie gehört. Ich wusste, wie sich Mäuse anhörten. Ein ‚Fiepen' natürlich, aber so…?

Es klang eher wie ein leises Kreischen – eines, das Schmerzen und Furcht verströmte und dann auch noch in dieser Masse, als wären hunderte von Mäusen lebendig in einer Mausefalle gefangen worden. Damals als meine Mutter die Fallen aufstellte konnten wir irgendwann ein Massengrab im Garten ausheben, so ergiebig war unsere Kadaverernte.

Eines Tages dann, als ich an der Reihe war, jene Todeszonen zu kontrollieren, war eine Maus so unglücklich von dem herabschnellenden Metallbügel erfasst worden, dass er ihr das Rückgrat zertrümmerte, sie jedoch nicht getötet hatte. Dieses Fiepen, das sie ausstieß, war ein so unsäglich grässlicher Ton, der von diesen hiesigen Lauten allerdings um Längen untertroffen wurde und das, obgleich sie noch von den Wänden gedämpft wurden. Es lag mir sicherlich nichts daran, Fräulein Bélanger zu verärgern, aber ich kam einfach nicht drumherum, einen kurzen Blick in den Keller zu werfen, um herauszufinden, was zur Hölle sich dort unten abspielte.

Dass die Tür entsetzlich knarrte, wenn man sie nicht vorsichtig genug öffnete, hatte ich zum Glück noch im Hinterkopf behalten und so gelang es mir auch, unbemerkt in das verbotene Gewölbe hinabzusteigen.

Das Geräusch war nun deutlich lauter, viel lauter als das letzte Mal, als ich mich hierher herunter gewagt hatte. Und es wurde noch lauter. Mit jeder einzelnen Stufe stieg auch die Lautstärke an und ich hatte bald das Gefühl, dass diese Mäuse sich inzwischen nicht mehr nur unter mir befanden, sondern um mich herumliefen.

Langsam ergriff mich wirklich die Angst davor, dass mir jeden Augenblick eine von ihnen auf den Kopf fallen würde, so wie Fräulein Bélanger es mir vorhergesagt hatte. In dem Moment ertönte ein neuer Laut. Einer, den ich schon einmal hier unten gehört hatte. Es knarrte – nicht jedoch die Tür.

Die Stufe! schoss es mir durch den Kopf, doch das Loch, das in ihr klaffte, hatte meinen Fuß schon erfasst und es blieb mir nicht genug Zeit, um zu handeln und mich aus meiner misslichen Lage rechtzeitig zu befreien. Verzweifelt versuchte ich, mein Gewicht noch halbwegs zu meinen Gunsten zu verlagern, doch zu spät.

Sie gab nach - und zwar ziemlich stark. Ehe ich mich versah und noch fester am Geländer festkrallen konnte, um mich wieder mit beiden Füßen auf die obere liegende Stufe zu retten, war mein Fuß bereits durch die Treppe gebrochen. Die Schwere meines Körpers, der nun fast frei in der Luft baumelte, brachte das Geländer, meinen einzigen Halt, zum Brechen und ich stürzte unaufhaltsam in die Tiefe.

Hinein in die geifernde Gewalt der Düsternis, die sich unter mir aufgetan hatte, wie ein schwarzes Tor zur Hölle.

II. Geheimnisse

Langsam erwachte ich, benommen und orientierungslos. Weder wusste ich ob ich ein paar Minuten oder mehrere Stunden das Bewusstsein verloren hatte. Fest stand nur, dass ich, wo immer ich auch war, ebenso wenig sehen konnte wie während meiner Ohnmacht. Um mich herum war es pechschwarz und nicht einmal mehr das schummerige Licht, das unter der Türschwelle hindurch geschienen hatte, ließ sich irgendwo erkennen.

Weder konnte ich die Hand vor Augen noch eine entfernte Lichtquelle ausmachen, auf die ich hätte zusteuern können. Es war beinahe so, als wäre ich in einem großen finsteren Nichts gefangen, aus dem es kein Entrinnen gab, doch ein im höchsten Maße beunruhigendes Geräusch in dieser stockdunklen Leere zeigte mir, dass ich nicht so alleine war, wie ich mich fühlte.

Es war das Fiepen.

Diese unerträglich hohen und gequälten Laute, die meine Ohren nun bereits zum wiederholten Mal vernahmen, doch diesmal waren sie nicht gedämpft, sondern ganz nah – nur wenige Meter von mir entfernt...

Als sich meine Gedanken halbwegs gesammelt

hatten, realisierte ich plötzlich etwas, das mich augenblicklich wieder hellwach werden ließ. Der Ring! Während ich fiel, musste er mir aus meiner Hosentasche geglitten sein.

Mit einem starken Pochen hinter meiner Schädeldecke, das mir beinahe den Verstand raubte, tastete ich umher und krabbelte über den staubigen Boden dessen Oberfläche rau wie Sandpapier war und meine Knie binnen kürzester Zeit aufzuschürfen begann. Der durch den Sturz verursachte Schmerz wurde von der Angst, hier unten gefangen zu bleiben, jedoch weitestgehend unterdrückt.

Allerdings kündigte das Blut, welches ich inzwischen an meiner Haut hinunterrinnen fühlte, eine höllische Tortur an, die sich wohl erst dann offenbaren würde, sobald ich mich aus meiner unglückseligen Lage befreit hatte.

Dies konnte aber mit Sicherheit eine ganze Weile in Anspruch nehmen, denn je länger ich mich durch das Gewölbe tastete, in dem ich mich befand, desto mehr machte sich in mir die Vermutung breit, dass es keinen Ausgang zu geben schien - keine Tür, Leiter oder etwas anderes, das in der Lage gewesen wäre mir eine Flucht zu ermöglichen. Ich war gefangen wie ein Pantomime in seiner unsichtbaren Box, nur dass diese dunkle Zelle nicht im Entferntesten einer erheiternden Illusion entsprach.

Normalerweise wäre mir an dieser Stelle nur die Möglichkeit geblieben auszuharren und darauf zu hoffen, dass mich möglichst bald jemand finden würde, doch das bedrohliche Fiepen, dass einfach nicht aufhörte und auch immer in meiner unmittelbaren Nähe ertönte, ganz egal in welche Ecke des Raumes ich kroch, ließ mich gar nicht erst einen Gedanken daran verschwenden, auszuharren.

Es drängte mich quasi dazu, diesen Käfig so schnell wie nur irgend möglich zu verlassen.

Sollte ich stattdessen direkt um Hilfe rufen? Nein. Solange sich der Ring nicht wieder in meinem Besitz befand, wäre es töricht, jetzt Rettung anzufordern, schon alleine deshalb, weil der Ring sich ja schließlich irgendwo in meiner Nähe befinden musste. Er würde meinen Rettern sicherlich sofort ins Auge springen so auffällig wie er war und da Fräulein Bélanger auf den Dachboden und nicht in den Keller zog, wäre es unmöglich, ihnen glaubhaft zu vermitteln, dass der Ring nur rein zufällig im selben Raum wie ich auftauchte.

Plötzlich ertastete ich etwas Hölzernes, Festes unmittelbar vor mir. Ein Stuhlbein, nein - ein Schrank. Langsam zog ich mich an dem großen Gebilde empor und stützte mich an diesem ab.

Zunächst erwies sich dieses Unterfangen als erfolglos, doch nach dem dritten Versuch war es mir dann doch möglich, mich hinauf zu hieven und zum Stehen zu kommen, wenn auch recht wackelig.

Meine Beine schienen nicht gebrochen zu sein, aber den stärker werdenden Schmerzen nach zu urteilen waren sie nicht gänzlich unversehrt geblieben. Auch merkte ich, dass sie oberhalb der Schenkel eine gewisse Taubheit aufwiesen, als ich diese mit meinen Händen langsam abtastete, um nach potentiellen Wunden zu suchen, die sofort einer medizinischen Notversorgung bedurften, selbst wenn ich nun wahrlich nicht in der Lage war, eine solche überhaupt durchzuführen.

Nun ja, zumindest hätte ich mir noch das Bein abbinden können, sollte ich am Ausbluten sein. Obwohl ich an dem Punkt wohl oder übel doch auf jene Hilfeschreie angewiesen wäre, die ich äußerst gerne vermieden hätte. Aber ich ließ mich dann doch lieber als Diebin entlarven, als kläglich irgendwo in einem dunklen Kellergewölbe abzukratzen. Schließlich hatte ich nicht einmal eine Ahnung, wie tief ich überhaupt gefallen war.

Abgesehen von meinem T-Shirt besaß ich zwar rein gar nichts bei mir, was mir bei einer spontanen Verarztung auch nur irgendwie nützlich gewesen wäre, sofern ich tatsächlich eine Verletzung an meinem Körper festgestellt hätte, doch da ich offensichtlich den Sturz gut überstanden hatte, konnte ich den Gedanken daran sowieso direkt wieder verwerfen.

Unabhängig davon, dass ich nun mit Sicherheit wusste, dass mir nichts fehlte, barg meine kurze Ganzkörperuntersuchung einen weiteren Vorteil. Denn beim Abtasten meiner Hüfte entdeckte ich statt einer Wunde die Streichholzschachtel, die ich erst vor weniger Zeit bei meinem kurzen Abstecher im Kiosk hatte mitgehen lassen.

Ich war erleichtert, nun zumindest etwas zu haben, dass meine Sicht insofern zu verbessern vermochte, dass der Plan, einen Ausweg aus diesem Raum zu finden, nun nicht mehr ganz so ausweglos schien. Als ich eines der kleinen Hölzchen herausfummelte und in Brand steckte, wurde meine Umgebung mit einem Licht geflutet, das erstmals enthüllte, welche unerwartete Größe der Raum, in welchen ich gestürzt war, eigentlich besaß. In die Decke hatte mein fallender Leib ein gewaltiges Loch gerissen und es schien mir unmöglich, dort hinauf zu gelangen, so sehr ich es auch wollte.

Zwar war es nicht allzu hoch, was wohl

erklärte, weshalb mir der Unfall nicht noch größeren Schaden zugefügt hatte, aber um mich einfach mit einem Sprung in eine Höhe zu katapultieren, die es mir möglich machte, mit meinen Händen den Rand des Loches zu erfassen und mich hinaufzuziehen, dazu bestand noch zu viel leerer Raum zwischen mir und meinem Weg zurück ins Freie. Mir hätten wohl Flügel wachsen müssen – oder ich musste den Schrank erklimmen und von diesem aus versuchen, aus meiner Fallgrube wieder emporzusteigen.

Gerade als ich mir meinen kleinen Fluchtplan austüftelte, riss mich das grässliche Fiepen wieder ruckartig aus meinen Gedanken. Ich drehte mich um, doch genau in diesem Moment erlosch die kleine Flamme und ich verbrannte mir leicht die Spitzen meines Daumens und Zeigefingers, mit denen ich das kleine Hölzchen festgehalten hatte. Ängstlich kramte ich ein Zweites hervor, mit der Gewissheit, dass das, was diese furchtbaren Geräusche von sich gab, nun direkt vor mir auf dem Boden wartete und die gähnende Dunkelheit des Kellers mit seinem entsetzlichen Fiepen an seinen offenbar schmerzvollen Qualen teilhaben ließ.

Ich hatte bereits in Erwägung gezogen, die Tat einer Mausefalle zuzuschreiben.
Möglicherweise handelte es sich auch um ein

Exemplar, das unter den verströmten Giften des Kammerjägers litt, falls sie derartige Hilfsmittel bei ihrer Arbeit hinzuzogen, doch andererseits konnte ich mich mit keinem der beiden Gedanken so wirklich anfreunden. Das waren nicht einfach nur Schmerzen. Es waren Höllenqualen, blanke Panik.

Und es waren so viele Schreie – so unendlich viele…

Der Funke blitzte im Finstern auf und entzündete sich rasch zu einer kleinen Flamme, die mit ihrem zarten Schein nun das enthüllte, was mir vor lauter Schreck fast den Atem geraubt hätte und in mir das Verlangen auslöste, das kleine Feuer sofort wieder mit einem kräftigen Atemausstoß erlöschen zu lassen.

Ein großer, haariger Berg aus Fell und Blut begann sich vor mir aufzubäumen, wucherte immer weiter aus wie ein unaufhaltsames Unkraut und formte sich zu etwas ganz und gar Abscheulichem.

Ein Rattenkönig...

Mit einem lauten Schrei des Entsetzens ließ ich das Streichholz fallen, das noch während des Herabfallens erlosch. Mein plötzlicher Aufschrei dominierte nur kurz den Raum, bis er lauthals von dem scheußlichen Untier zu meinen Füßen übertönt wurde. Ganz schön große Mäuse hatten die hier in Runan dachte ich bei mir und war erstaunt darüber, dass ich in solch einem Moment in der Lage war, tatsächlich einen kleinen Scherz zu machen.

Ich hatte schon Abbilder von solch widerwärtigen Konstrukten gesehen, die entstanden, wenn sich mehrere Ratten auf engstem Raume tummelten und infolgedessen ihre Schwänze verknoteten, was zur Folge hatte, dass sich ein wildes Knäuel aus Nagetieren bildete. Anschließend war es ihnen nicht mehr möglich, sich aus ihrer aussichtslosen Lage zu befreien, woraufhin sie allesamt qualvoll verenden mussten. Allerdings hätte keine Zeichnung oder Fotografie der Welt den Schrecken einfangen können, der einem beim wahren Anblick einer solchen Grässlichkeit tatsächlich über den Rücken lief.

Es war widerlich, zu sehen, wie sie sich wanden und quälten, sich krümmten und schrien, als hätte man das fleischgewordene Elend selbst vor sich auf der Erde liegen. Das Fell zerzaust, die Haut darunter aufgekratzt und einzelne Tiere hingen bereits leblos und vollkommen verstümmelt in diesem zum Tode verdammten Grabbündel.

Ich wagte es nicht, ein weiteres Streichholz anzuzünden, doch es blieb mir kaum eine andere Möglichkeit, wenn ich nicht auch wie die Ratten auf ewig gefangen sein wollte. Als ich das kleine Holz zwischen meinen zittrigen Fingern zum Brennen brachte, versuchte ich so gut es ging, meinen Blick von dem haarigen Knäuel auf dem Boden abzuwenden, doch es war so, als wären meine Augen aus Metall und der Rattenkönig ein kräftiger Magnet, der sie einfach anziehen musste.

Doch obgleich meine Pupillen alsbald schon wieder das schauerliche Etwas fixiert hatten, brachte ich es dennoch irgendwie fertig, den Schrank ein wenig mit meinem Rücken durch das Zimmer zu schieben, was sich glücklicherweise nicht als allzu schwer erwies, da der Schrank leicht und die Strecke, die ich ihn schieben musste, nicht besonders weit war.

Trotzdem begann mein Herz mit jeder Sekunde, die mein Blick auf dem Rattenkönig verweilte, schneller zu schlagen, bis es schon sehr bald zu rasen begonnen hatte und ich glaubte vor lauter Angst und Ekel den Verstand zu verlieren.

Als ich damals zum ersten Mal die handzahme Hausratte meiner Nachbarin Frau Sanderburg sah und sie sogar streicheln durfte, war ich von diesen kleinen, haarigen Nagern ganz angetan und in mir stieg immer mehr der Wunsch empor, auch eines Tages so ein kleines Tierchen mein Eigen nennen zu dürfen, doch natürlich kam es für Papa überhaupt nicht infrage, einer seuchenübertragenden Ratte Zutritt zu unserem trauten Heim zu gewähren.

Ziemlich heuchlerisch, wie ich fand, denn er opferte nicht eine Minute seiner *kostbaren* Zeit, um sich unserer kleinen Mäuseplage im Haus zu widmen und das, obwohl diese Tierchen ziemlich sicher deutlich mehr Krankheiten mit sich herumtrugen als eine vom Tierarzt untersuchte Hausratte. Immerhin war es mir gestattet, Frau Sanderburg fast jeden Tag zu besuchen und somit auch ihrer Ratte Gesellschaft zu leisten, die auf den recht passenden Namen Elvira hörte und mir relativ schnell ihr Vertrauen schenkte.

Der Wunsch, eines Tages einen Rattenkäfig in meiner Wohnung zu haben, war seit jeher ein ganz obenstehender Punkt auf meiner Liste, doch jetzt, da ich dieses grauenvolle Schicksal dieser armen Kreaturen so vor mir sah, verflogen sämtliche guten Erinnerungen an diese sonst so zahm und süß wirkenden kleinen Wesen. Diese Ratten hier hatten rein gar nichts von dem an sich, was ich an Elvira so sehr mochte. Diese Ratten verströmten nichts außer Panik, Leid und Tod.

Endlich gelang es mir jedoch, meinen Kopf von

den vom Schicksal verfluchten Geschöpfen abzuwenden und mich wieder meines Ausweges, nämlich des Schrankes, zuzuwenden. Vorsichtig probierte ich, ihn zu erklimmen, machte einen Versuch nach dem anderen, doch ich scheiterte wiederholt aufgrund dessen, dass er zu leicht war und somit keinen festen Stand besaß.

Da das Loch auch direkt über der Mitte des Raumes auf mich hinabsah, war es zudem sinnlos, dem Schrank durch eine der Wände mehr Stabilität zu verleihen, wenn ich ihn dagegen lehnte. War ich hier etwa auf ewig gefangen, so wie die Ratten - ebenso wie diese Versuchsexemplare, die man durch Labyrinthe schickte, um ihre Koordination zu untersuchen oder etwas Derartiges.

Diese Ratten hier hatten wohl keinen Ausweg gefunden und man sah ja, worin dies geendet hatte. Allerdings war ich keine Ratte. Klar, die Viecher hatten schon ein beeindruckendes Maß an Intelligenz aufzuweisen, wenn man es sich einmal vor Augen führte, aber ich ging einfach mit einer optimistischen Einstellung davon aus, dass mein Intelligenzquotient den einer einfachen Hausratte zu übertrumpfen imstande war.

Neuer Plan – nur was?

Angesichts meiner gegebenen Möglichkeiten musste ich relativ schnell erkennen, dass mir scheinbar keine andere Option übrigblieb als jene, die ich so vehement versucht hatte zu umgehen. *Scheiß doch drauf,* sagte ich mir und begann aus Leibeskräften in die Dunkelheit über mir zu schreien.

»Hilfe! Hilfe!!!«

Ich wartete.

»Hilfe!!!«

Keine Antwort. Keine Schritte. Kein Knarren von der Tür zur Eingangshalle. Nichts. Vermutlich hatten sich alle längst schlafen gelegt und waren vollkommen unfähig, mich von hier unten heraus zu vernehmen.

»Hilfe!«

Keine Chance. Ich saß hier fest.

Was blieb mir sonst noch übrig? Gab es überhaupt noch eine weitere Möglichkeit, um meinem Kerker zu entfliehen?

Ich überlegte, doch konnte das Innere meines Schädels nicht mehr klar denken, sich keine vernünftige Strategie überlegen. Die Geräuschkulisse war einfach zu scheußlich, als dass ich mich gänzlich auf irgendetwas anderes hätte konzentrieren können. Schließlich veranlasste mich das unaufhörliche und beinahe kreischartige Fiepen dazu, ein weiteres Streichholz anzuzünden und meine Augen im Schein der Flamme wieder dem Rattenkönig zuzuwenden.

Ich verbrauchte noch einige Streichhölzer und es dauerte eine ganze Weile, in welcher ich einfach nur dasaß und mir schweigend das Elend ansah. Ich kam mir vor wie der Zuschauer einer Exekution. Als sich der Rattenkönig immer weiter umherwandte, erkannte ich plötzlich im Schein des Feuers etwas, das wieder Hoffnung in mir aufkommen ließ. Ein silbrig glänzender Riegel, der auf einer im Boden eingebauten Klappe prangte, deren Rand sich um den wabernden Halbkadaver schloss.

Eine Falltür. Dieses Haus war wahrlich bizarr, die Dame am Kiosk hatte genau die passende Bezeichnung dafür gefunden. Wenn ich lange genug auf den Wänden herumklopfte, öffnete sich vermutlich sogar noch irgendwo eine Geheimtür. Womöglich war aber auch genau diese architektonische Vorkehrung, so seltsam sie auch sein mochte, der Fluchtweg, den ich momentan dringend brauchte. Und dieser hatte sich in der ganzen Zeit ausgerechnet direkt unterhalb des sich windenden Fellklumpens versteckt gehalten.

Ängstlich näherte ich mich dem Rattenkönig, dessen entsetzliches Fiepen in all der Zeit nicht an Lautstärke verloren hatte. Fast schon hektisch sah ich mich nach einem Gegenstand um, der lang genug war, um ihn damit gefahrlos zur Seite zu befördern und mir den Zugang zu jener Türe zu ermöglichen, durch die vermutlich kein Mensch jemals hätte schreiten sollen, aber unglücklicherweise meine einzige Chance darstellte. Warum ich es dennoch tat statt einfach bis zum nächsten Morgen zu warten, an welchem meine Hilferufe sicher auf offenere Ohren als jetzt stoßen würden?

Ehrlich gesagt wusste ich auf diese Frage keine Antwort. Obwohl ich nur kurz davon entfernt war, vor lauter Furcht gelähmt zu werden, trieb mich der Drang diesen schrecklichen Ort zu verlassen, unabdingbar voran. Ich wusste nicht, ob es dort unten ein Weiterkommen für mich geben würde, ob ich überhaupt den Abstieg in diese verschlingende Tiefe heile überstünde oder ob mir ein weiterer Sturz bevorstand, der mich endgültig niederzustrecken vermochte, doch über eines war ich mir völlig im Klaren:

Hier konnte ich nicht bleiben, so logisch es auch sein mochte.

Ich war nicht unbedingt die irrationalste Person der Welt, aber auf Logik basierende

Schlussfolgerungen trafen bei mir in schwierigen Situationen wie dieser auf eine undurchdringliche Sackgasse. Christopher hatte tatsächlich recht. Ich war ein zu emotional gesteuerter Mensch und meine momentane Situation war der schmerzhafte und nicht zu ignorierende Beweis.

Neugier ist der Katze Tod. So ging dieses alte Sprichwort doch oder nicht? Klar, jeder Mensch mit ein bisschen Verstand hätte mich natürlich sofort für vollkommen verrückt gehalten, einfach noch tiefer in die Höhle des Löwen hinabzusteigen, doch es stimmte wirklich, was diese Redensart einem zu vermitteln versuchte.

Bevor ich jedoch noch tiefer in diese dunkle Hölle vordrang, hatte ich noch eine wichtige Sache zu erledigen. Meine Hände griffen nach einem gut einem Meter langen Brett, das in einem der Schrankfächer lag und obgleich ich Mitleid mit den armen Tieren hatte, die sich hier völlig wehleidig vor mir krümmten, so wusste ich dennoch, dass ein schneller Tod ihnen weitaus mehr helfen würde, als sie einfach hier ihrem ohnehin unausweichlichen Ende zu überlassen.

Mit all der Kraft die ich aufzubringen imstande war, hob ich die hölzerne Waffe über meinen

Kopf und schmetterte sie so fest ich konnte auf den kreischenden Rattenkönig hinab, dessen durchdringender Chorgeschrei eine Stimme nach der anderen verlor und schließlich voll und ganz verstummte. Der Geruch von Blut und Exkrementen, die aus den zerquetschten Körpern der Nager hervorquollen, stieg mir in die Nase und verursachte eine sich intensivierende Übelkeit aufgrund derer ich beinahe reflexartig meinen Magen entleerte.

Angewidert schob ich den blutigen Fellhaufen, der fast schon unlöslich am Boden festgeklebt war, zur Seite und machte den Weg zu der Luke frei, die sich unter diesem befand. Ich öffnete ein weiteres Mal die Streichholzschachtel und war in der Lage noch etwa fünf von ihnen zu ertasten. Eigentlich war es unfassbar unvernünftig von mir, mich mit so wenig Licht im Besitz in die Finsternis zu begeben. Ich könnte auf ewig dort unten eingesperrt sein, aber was sollte ich sagen? Ich war eben eine Katze...

Eines der Schwefelhölzer fand seinen Weg zwischen meine Finger und ermöglichte mir die Sicht auf das, was vom Rattenkönig noch übriggeblieben war und das ohne Zweifel keinen Funken Leben mehr in sich trug. Und da war noch etwas… Schimmernd tanzte die Reflektion der orangen Flamme auf seiner schwarz glänzenden Oberfläche.

Es war der Ring, welcher unbeschadet, lediglich leicht besudelt von Blut, mitten im Ring des Knaufes der Falltür lag! Noch bevor das Hölzchen in meiner Hand heruntergebrannt war, griff ich erleichtert nach ihm und steckte ihn mir an den Finger, damit er mir kein weiteres Mal abhandenkommen würde. Ich fühlte mich fast wie eine Entdeckerin, die soeben einen wertvollen Schatz gefunden hatte, nach welchem sie ihr ganzes Leben lang gesucht hatte. Meine Neugier nach dem, was sich noch in diesem Gebäude und vor allem unter dieser Luke befand, war jedoch weiterhin ungestillt.

Der Riegel des Zugangs, der mich in eine noch tiefere Ebene des Hauses leiten sollte, war völlig verrostet und ließ sich nur schwerlich öffnen, doch als ich es erst einmal geschafft und eines der Streichhölzer entzündet hatte, sah ich mich einer ganz anderen Blockade gegenüber: Wurzeln.

Ich hatte wohl soeben den Boden dieses Hauses erreicht- eine Pforte, die in den Untergrund führte; nicht gerade etwas, das Euphorie in mir auslöste. Gegen eine kleine Reise unter die Erde hatte ich nichts einzuwenden, solange es mir auch dabei half, wieder unbeschadet an die

Oberfläche zu gelangen. Ich war schließlich gewiss nicht scharf darauf, länger als nötig unter der Erde zu verweilen. Vorsichtig versuchte ich, mir mit meinen Händen einen Durchgang durch das fest zusammengewachsene Dickicht zu bahnen, doch das erwies sich als schwieriger als zunächst gedacht. Es war wie die Dornenhecke aus Dornröschen, nur eben, naja, ohne die Dornen.

Ich lehnte mich vor, versuchte den Boden zu erkennen, doch meine Augen blickten lediglich in eine undurchdringliche Dunkelheit. Es kam mir so vor, als könne nicht einmal das Licht meiner Streichhölzer dort unten von Nutzen für mich sein. Langsam streckte ich meinen Arm aus, um wenigstens zu fühlen, wie dicht diese Wurzelbarrikade war und tatsächlich erreichten meine Fingerspitzen alsbald schon einen Punkt, an dem sie keinerlei Holz, Erde oder anderweitiges zu ertasten in der Lage waren. Wie tief die Grube jedoch war, konnte ich von meinem momentanen Standpunkt aus überhaupt nicht feststellen.

Alles, was mir ein wenig Aufschluss über die Tiefe des Abgrundes gab, war das Geräusch von fallender Erde, die sich durch mein Wühlen in den Wurzeln gelockert hatte und ganz leise gen Boden rieselte. Wie weit jedoch dieser

Boden entfernt war, wusste ich nicht genau, doch da das Geräusch zu hören und es nicht allzu spät eingesetzt hatte, gab es mir zumindest ein wenig Hoffnung darauf, dass ein Sturz mir keinen allzu großen Schaden zufügen würde.

Solch einer würde mir jedoch hoffentlich erspart bleiben.

Eine der Wurzeln, die tief in der Erde rund um die Öffnung der Luke herum steckten, war breit genug, um mir das Gefühl von Sicherheit bei meinem Plan zu geben, der sich soeben in meinem Kopf zu formen begann. So fest ich konnte umklammerte ich sie und ließ mich langsam mit den Füßen voran in die Tiefe hinab sinken. Ich kam mir vor wie ein Faultier, so langsam, wie ich mich bewegte. Bis ich meinen Körper endlich durch das Dickicht gezwängt hatte und bereit war, mich nun gezielt und vorsichtig nach unten abzuseilen, waren gefühlt 15 Minuten vergangen. Fast wie in Zeitlupe, womöglich noch langsamer, ließ ich mich tiefer und tiefer ins Nichts hinab, schuf immer weniger Platz zwischen mir und dem Boden, dessen Entfernung weiterhin unergründlich für mich blieb.

Plötzlich spürte ich einen heftigen Ruck und mein Atem stockte abrupt.

Ich hielt inne. Mein Herz fing nach einer kurzen Pause an wilder zu schlagen und mein Griff um die Wurzel verstärkte sich. Kalter Schweiß brach auf meiner Stirn aus und sämtliche Muskeln in meinem Körper begannen sich vor Schreck zu verkrampfen. Ich griff wieder an das obere Ende der Wurzel. Das war eine dämliche Idee gewesen, dachte ich mir, aber du musstest ja unbedingt die Katze spielen…

Und da erklang abermals der Laut von rieselnder Erde, die sich wie ein staubiger Nebel auf mein Gesicht legte. Irritiert kniff ich die Augen zusammen und begann lautstark zu husten. In dem Moment wurde mir klar, dass ich mich bewegte. Das Faszinierende dabei war, dass es sich immer noch wie in Zeitlupe anfühlte und dies, obwohl die Wurzel über mir deutlich schneller nachgab und mich unaufhaltsam in die Finsternis stürzen ließ.

In diesem Moment war es mir nicht einmal möglich zu schreien. Ich war wie gefangen, wie in Trance – oder es war einfach Angst. Pure Angst davor, in wenigen Sekunden einem unaufhaltsamen Tod entgegenzurasen.

Kaum zu glauben, wie lange einem ein so kurzer Zeitpunkt vorkommen konnte, wenn man glaubte, dass es der letzte ist, in welchem man noch atmet. Denken konnte ich nicht. Mein Kopf war völlig leer. Alles was ich tat, war den Augenblick bis ins kleinste Detail zu erleben, so als würde das Leben sagen:

Das ist das Ende. Genieße es.

Nun rechnete ich jeden Moment damit, den harten Boden unter mir zu spüren. Wie lange würde es noch dauern? Würde der Aufprall meinen Leib zerschmettern? Würde er mir die Beine brechen, als wären sie nichts weiter als morsche Zweige? Oder sollte ich gar unbeschadet dort unten ankommen?

Noch in dieser Sekunde wurde mir klar, dass ich wieder denken konnte. Ich war dem Augenblick der Angst entkommen. Langsam öffnete ich wieder meine Augen – nicht, dass es bei dieser Dunkelheit etwas genützt hätte, doch sowie ich es tat, begann ich mich langsam wieder zu beruhigen und merkte, dass ich nicht mehr fiel.

Stattdessen baumelte ich in der Leere umher, wusste weder wie viel Raum sich über oder unter mir befand, doch zumindest wusste ich, dass meine letzte Stunde noch nicht geschlagen hatte. Die Besorgnis darüber, wie weit ich noch bis zum Grund dieses Höllenschlundes brauchte, ließ es jedoch offen, ob dieses knapp überwundene Schicksal nicht vielleicht doch innerhalb der nächsten Minuten oder gar Sekunden eintreten sollte.

Wie tief es wohl noch war.

Ein oder zwei Meter? Das wäre günstig, denn dann würde ich mir bei einem Sturz höchstens den Knöchel verstauchen, wenn ich mich geschickt genug bei der Landung anstellte. Vielleicht waren es aber auch drei oder vier Meter, in diesem Fall war mit bösartigen Knochenbrüchen zu rechnen, von denen ich mich so schnell nicht erholen würde und die meinen Tod in diesem unterirdischen Kerker höchstwahrscheinlich besiegeln würden. War der Boden jedoch weit über fünf oder gar sechs Meter entfernt, dann dürften die Chancen bei einem Sturz zu sterben erheblich steigen.

Und das waren noch verhältnismäßig kleine Maßeinheiten im Vergleich zu der Tiefe, die sich vermutlich in Wahrheit unter mir auftat.

Wer weiß, möglicherweise würde mein Sturz sogar erst nach 30 oder 40 Metern vom harten Erdboden gebremst werden und mir beim Aufprall mein gesamtes Skelett wie einen Spiegel zerbrechen lassen. Vielleicht war der Boden aber auch ein moorartiger Untergrund, der mich binnen Sekunden verschlingen und mich einem grauenvollen Erstickungstod überließe. Eventuell war der Boden auch mit

spitzen Speeren versehen, die mich
schnurstracks in einen Grillspieß verwandeln
würden, an welchem sich die anderen Ratten
laben könnten, die hier womöglich ihr
Unwesen trieben. In diesem Fall wäre es so
oder so vollkommen irrelevant, ob ich einen
oder 100 Meter fallen würde.

Nun hing ich in dieser scheinbar aussichtslosen
Situation und malte mir vor meinem geistigen
Auge aus auf was für verschiedene Arten ich
wohl das Zeitliche segnen könnte, als ob ich
nicht bereits zur Genüge in Panik verfallen
wäre. Alleine der Gedanke, dass unter mir ein
Meer aus Ratten darauf wartete, um sich an
meinem Fleische zu sättigen, war genug, um
meine Todesangst über die mir bekannten
Grenzen der Furcht hinweg zu katapultieren.

Großer Gott, der Gedanke alleine von einer
Masse dieser hungrigen Nager aufgefressen zu
werden, jagte mir einen Schauer über den
Rücken. Inzwischen hatte ich nicht mehr die
kleine, zutrauliche Elvira vor Augen, wenn ich
an Ratten dachte, sondern nur noch die
Abbilder des Rattenkönigs und dieser
schrecklichen Foltermethode der Inquisitoren,
die uns unser Geschichtslehrer Doktor
Grabensdorf freudestrahlend präsentierte.

Bis zum heutigen Tage war ich fest davon

überzeugt, dass dieser Mann uns diese Foltern am liebsten an lebenden Objekten vorgeführt hätte. Zumindest konnte man seine sadistische Ader jedes Mal aufblitzen sehen, wenn er über die Inquisition sprach, was auch vermutlich sein Lieblingsthema gewesen war, daran ließ seine Euphorie im Kontrast zu seiner sonst recht einschläfernden Art kaum einen Zweifel.

Jedenfalls erzählte er irgendwann einmal davon, wie man damals Tiere dafür nutzte, um die Menschen bis aufs Blut zu quälen - unter anderem eine Methode, bei der die Opfer in die Käfige gesperrt und aufgehängt wurden, um dann in luftiger Höhe Raben und Krähen als wehrlose Speise zu dienen. Dass die Vögel sich zuerst über die weichen Augäpfel hermachten, musste er mit einem perfiden Lächeln natürlich noch einmal extra stark betonen.

Eine andere deutlich garstigere Folter sah vor, die Menschen in Tröge zu setzen und anschließend ihre Gesichter mit Honig und Milch zu beschmieren. Der Duft sollte dann Fliegen und andere geflügelte Insekten anlocken, die nach dem süßen Buffett ihre Eier in den bewegungsunfähig gemachten Personen ablegten. Nach wenigen Tagen, wenn die Betroffenen bereits in ihren eigenen Exkrementen schwammen, da sie gegen ihren Willen Nahrung eingeflößt bekamen, schlüpften die Larven und fraßen sich durch ihre Körper ins Freie. Die meisten Opfer starben an äußerst schmerzhaften Infektionen.

Dass diese ganzen Erzählungen überhaupt als sinnvoll für den Geschichtsunterricht erachtet wurden erschien mir im Nachhinein jetzt wo ich darüber nachdachte umso grotesker. Eigentlich hatte ich es auch bis zu diesem Moment verdrängt geglaubt, aber der Grund warum die Erinnerungen an diese Quälereien zurückkehrten war der, dass ich anhand meiner jetzigen Lage an eine ganz bestimmte denken musste: die Rattenfolter.

Eine der wohl bekanntesten und zugleich widerwärtigsten Dinge, die die Menschheit in ihrem Streben Leid zu verursachen hervorzubringen vermocht hatte, so die Worte unseres Lehrers.

Dieses fragwürdige Meisterwerk der Inquisitoren sah vor, einen Menschen zu fesseln und einen Eimer auf seinem Bauch, seiner Brust oder seinem Kopf zu platzieren. In diesem Eimer, befand sich eine Ratte und was folgte, war von einer so durch und durch bösartigen Natur, dass mich der bloße Gedanke daran in Anbetracht meiner Situation völlig unkontrolliert zittern ließ.

Der Folterknecht hielt ein glühendes Eisen oder

eine Fackel an den Eimer und erhitzte ihn somit derartig stark, dass es die Ratte in Panik versetzte und sie sich dazu gezwungen sah, sich schon sehr bald in eine kühlere Region zurückzuziehen. Die einzige Wahl hierfür fiel somit auf das Innere des Körpers der zu folternden Seele.

Ich konnte den Schmerz nur erahnen, den man wohl verspürte, wenn sich eines dieser Biester in die Eingeweide fräße und da ich momentan sowieso schon ein eher angeschlagenes Verhältnis zu Ratten hatte, wollte ich auch gar nicht so detailliert darüber nachdenken, obgleich es bei genauerer Überlegung wohl bereits zu spät dafür war. Scheinbar liebte mein Verstand es mir in letzter Zeit immer grauenvollere Bildnisse und Vorstellungen in meine Imagination zu pflanzen.

Viel mehr Sorgen bereitete es mir jedoch herauszufinden, wie ich mich aus meiner so äußerst ungünstigen Lage wieder befreien konnte oder ob es überhaupt im Bereich des Möglichen lag. Zumindest musste es schnell gehen, denn ich spürte wie die Wurzel, an der ich hing, immer mehr nachgab. Vielleicht war es Einbildung, unbegründete Panikmache oder aber auch die schreckliche Realität, die anklopfte.

Als ich allerdings spürte, dass sich mein Körper ruckartig von seiner bisherigen Position wegbewegte und weiter unaufhaltsam in die Tiefe stürzte, wurde mir klar, dass es in meiner Situation sowas wie *unbegründete* Panikmache überhaupt nicht geben konnte. Mein Gewicht schien das Wurzelwerk endgültig aus ihrer erdigen Verankerung gerissen zu haben, doch bevor ich einen finalen Todesschrei ausstoßen konnte, stoppte ich noch in der Bewegung des Mundaufreißens und merkte, dass mein Fall ein unerwartet schnelles Ende genommen hatte.

Sogleich verflog meine Angst im Nu und ich verspürte Erleichterung, ja gar schon ein wenig Scham darüber, dass ich mir solche Sorgen gemacht hatte und das, obwohl der Boden, der in meinen Gedanken quasi schon die Form eines allesverschlingenden Monsters angenommen hatte, nur knapp 40 Zentimeter unter mir darauf gewartet hatte, dass ich endlich meine Halterung losließ und sanft auf ihm landen konnte.

Noch etwas zittrig von der Anspannung kramte ich die Streichhölzer hervor und entzündete eines von ihnen, um meine neue Umgebung ein wenig genauer unter die Lupe zu nehmen. Die Angst von irgendetwas angesprungen zu werden, das in der Finsternis auf mich lauerte, war nämlich noch immer präsent, doch das

Risiko einzugehen, etwas Schreckliches zu sehen, war mir lieber als ein ewiges ungewisses Umherirren in der schier unendlichen Schwärze.

Das Licht der kleinen Flamme warf seinen Schein auf die relativ eng aneinander liegenden Wände eines langen Ganges, dessen Ende weit außerhalb der Reichweite meines Streichholzscheins lag.

Sei keine Katze. Sei keine Katze!

Diese Worte hallten immer wieder und wieder durch meinen Kopf, bis ich sie mir bald schon selber zuflüsterte, um sie noch überzeugender meiner verfluchten Neugierde entgegenzuschmettern. Helfen tat es jedoch leider absolut nicht und mein Weg führte mich immer weiter in den Gang hinein. Ich war närrisch und dessen war ich mir auch bewusst. Welche Antilope würde schließlich freiwillig in das Maul eines Alligators steigen und danach noch munter seine Speiseröhre hinab wandern?

Das Feuer in meinen Fingern erlosch und es wurde Zeit für mich umzukehren, um einen Ausgang zu finden, den ich am Ende dieses unterirdischen Tunnels meinem Gefühl nach nicht entdecken würde. Als ich das zweite und zugleich vorletzte Streichholz entzündete und noch immer nicht wusste, was sich jenseits dieses Ganges befand, zog mich meine schlichtweg mörderische Neugierde dennoch weiter geradeaus ins schier endlose Nichts.

Früher hatte ich öfter mal abends einen Gruselfilm zuhause gesehen, wenn Papa und Mama ausgegangen waren und schon als Kind verspürte ich selten Angst dabei. Im Gegenteil, ich fand sie höchst unterhaltsam. Irgendwann hörte ich jedoch auf sie zu schauen, weil mich die Idiotie der Charaktere schon sehr schnell zu nerven begann. Es erschien mir einfach lächerlich, dass die Menschen in den unheimlichsten Situationen, in denen bereits jeder Mensch, der zumindest ein bisschen bei Vernunft war, das Weite gesucht hätte, trotzdem vor Ort verweilten und den Horror quasi damit herausforderten. Nicole hatte mir immer gesagt, dass die Regisseure das so machen müssten, weil ja sonst kein spannungserzeugender Konflikt zustande käme.

Nun jedoch erkannte ich, dass diese Filme viel mehr Wahres beinhalteten, als mir lieb gewesen war. Das, oder ich war einfach zu einer unfassbar dämlichen Kuh mutiert, wenn ich das nicht schon von Anfang an gewesen war. Etwas in mir trieb mich an zu gehen, ohne zu wissen wohin... Ich hatte kaum noch Streichhölzer, war erschöpft, verängstigt und ohne Orientierung und trotzdem ging ich weiter...

und weiter... und weiter - bis das Licht erneut erlosch.

Jetzt gab es nur noch eines, das Letzte, was mich noch retten konnte. Natürlich hatte ich inzwischen längst meinen Sinn für Vernunft und Logik verloren und schien nur noch für die Mission zu leben herauszufinden, was sich am Ende dieses Tunnels befand, auch wenn es bedeuten könnte, dass es der letzte Versuch war, den ich in diesem Leben unternehmen sollte. Das einzige verbliebene Streichholz...

Sein Schein war hell. Er schien mir sogar heller zu sein als der der anderen. Vielleicht, weil ich dieses Licht viel mehr wertschätzte als die vorherigen, da ich nach Erlöschen dieser Feuerquelle ohne Zweifel permanent von der Dunkelheit übermannt werden würde. Ich ging weiter und hoffte, dass hinter der nächsten Kurve ein Ausgang sein würde. Sollte es nicht so sein, sähe ich mich dazu gezwungen, in diesem Tunnel herumzugeistern und ihn noch dann heimzusuchen, wenn ich bereits längst verhungert und mein Körper zu Staub zerfallen war.

Plötzlich landete etwas auf meinem Kopf...

Blitzartig durchfuhr mich ein kurzer Schreck, bis ich realisierte, dass es nichts weiter als ein wenig Dreck war - kein großes Unglück in

Anbetracht meiner vielen anderen Probleme. Allerdings war die Wirkung seines unerwarteten Herabrieselns verheerend, denn obgleich dieses Bisschen Schmutz mich einfach nur noch dreckiger werden ließ, bedeutete er für die Flamme in meiner Hand das bittere Ende.

Ein kleines Körnchen Erde hatte seiner ohnehin schon zeitlich stark begrenzten Existenz binnen eines Lidschlags den Garaus gemacht - ein Lidschlag, der mich mit einem Mal wieder in eine nach Angst geifernde Düsternis beförderte.

Doch es war nicht mehr jenes Dunkel, in welchem ich vorhin die ganze Zeit gefangen gewesen war. Er war schwach, aber ich erkannte einen seichten flackernden Schimmer, der sich in einiger Entfernung auf die erdigen Wände des Ganges legte und mich somit automatisch in seinen Bann zog. Hier im Finstern war Licht die stärkste Droge, nach der man verlangen konnte und ganz egal, was ich am Ausgangspunkt des unbekannten Leuchtfeuers für grauenhafte Dinge zu erwarten glaubte, es hätte mich trotzdem wie eine Motte dorthin gezogen.

Da hörte ich etwas! Um was genau es sich handelte, war unmöglich auszumachen, doch ich wusste mit Sicherheit, dass die Laute von einem Ende des Ganges herrührten – und es war nicht das Ende, auf das ich soeben zu ging. Allmählich ging ich weiter, nun jedoch weniger vorsichtig und langsam, sondern mit einem deutlich erkennbaren Tempoanstieg.

Was immer dort hinter mir im Stollen umher kroch, es kam hörbar näher und bei der weiterhin recht niedrigen Geschwindigkeit, mit der ich mich durch die nur schwach beleuchtete Finsternis kämpfte, würde mich dieses Etwas schon sehr bald eingeholt haben.

Inzwischen formten die seltsamen Töne eine etwas deutlichere Geräuschkulisse und auch wenn ich noch nicht mit Sicherheit sagen konnte, um wen es sich bei meinem Verfolger handelte, so wusste ich nun zumindest, dass er scheinbar nicht alleine war. Es waren mehr, sehr viel mehr - und noch dazu wurden sie immer schneller.

Mittlerweile ging ich nicht mehr, sondern lief geradewegs auf das schummrige Leuchten zu, auch wenn man es bei meiner Orientierungslosigkeit eher als ein tölpelhaftes Stolpern hätte bezeichnen müssen. Doch egal wie sehr ich mich zu beeilen schien, das was mich verfolgte, schien von Sekunde zu Sekunde aufzuholen und schon bald würde es mich erreicht haben.

Eine unerträglich eisige Kälte durchströmte mich und die Vorstellung von dem, was dort aus dem Dunkeln auf mich zu eilte, jagte mir einen Schauer über den Rücken. Es hätte alles Mögliche sein können und von dem Moment an, als ich diesen Tunnel betreten hatte, ging ich ohnehin vom Schlimmsten aus. Das Schrecklichste an der ganzen Lage war jedoch, dass ich keine Ahnung hatte, um wen oder was es sich bei meinem unbekannten Verfolger handeln könnte.

Dies war stets meine größte Angst, schon als ich ein kleines Mädchen war, nachts alleine zusammengekauert in meinem Bett lag und nicht schlafen konnte, wenn anthrazitfarbene Wolken den Mond bedeckten, die Lichter alle erloschen waren und ich hellwach hinüber zur Tür blickte, während ich eines meiner Kuscheltiere mit meinen vor lauter Furcht krampfenden Armen zerdrückte.

Es war nie die Dunkelheit gewesen, die mir Angst gemacht hatte. Und bis heute war ich der festen Überzeugung, dass sich kein Mensch auf der Welt wirklich vor ihr fürchtete, auch wenn viele das zu glauben schienen. Viel eher war es die Ungewissheit darüber, ob sich nicht irgendetwas in ihr verbarg, dass aufgrund der Abwesenheit sämtlicher Lichtquellen verborgen blieb und nur darauf wartete einen zu packen.

Die Urangst des Menschen war seit Ewigkeiten die Angst vor dem Unbekannten und wo könnte sich das Unbekannte besser manifestieren als in undurchdringlicher Finsternis, so wie es genau jetzt an diesem Ort der Fall war? Ich rannte schneller, versuchte das Licht zu erreichen, in welchem meine Verfolger enttarnt werden würden, was zwar zur Folge hätte, dass einer direkten Konfrontation nichts mehr im Wege stünde, doch zumindest wüsste ich dann mit absoluter Sicherheit, welcher Schrecken sich an meine Fersen geheftet hatte.

Oftmals war die Wahrheit nämlich besser zu ertragen als die horribelen Vorstellungen des menschlichen Verstandes, der seit jeher die unerreichte Panik vor der ewigen unheilvollen Schwärze begründete.

Das Licht war nicht mehr weit, nur noch wenige Meter von mir entfernt. Hinter der nächsten Kurve, da wusste ich, würde ich an einem Ort sein, wo dieses schauderhafte Etwas sein verstecktes Antlitz entblößen müsste und dieser Ungewissheit ein Ende bereitete. Mit zittrigen Händen ertastete ich die Wand und stützte mich ab, glaubte vor Angst meinen Verstand zu verlieren, während die Monster, die sich in meinem Kopf eingenistet hatten, immer grässlichere Züge anzunehmen begannen.

Hektisch stürzte ich nach vorne, landete mit dem Gesicht voran im Staub des Bodens, der leicht aufwirbelte und mir für einige Sekunden die gerade noch wiedererlangte Sicht erneut raubte. Als ich meinen Kopf hob, fand ich mich in dem Raum wieder, den ich mir so sehr herbeigesehnt hatte. Kerzen standen zu Dutzenden auf Bergen aus Dreck und Erde, die inzwischen fast vollständig von einer dicken Wachsschicht überzogen waren.

Mein erster Gedanke war, dass es sich bei diesem Raum um sowas wie einen Tempel handelte, denn in seiner Mitte befand sich ein heruntergekommenes, aber dennoch recht prunkvolles Konstrukt, welches sich gegebenenfalls als eine Art Altar bestimmen ließ. Es handelte sich sogar mit ziemlicher Sicherheit um einen solchen und dennoch konnte ich meine Entdeckung kategorisch nicht direkt einordnen. Denn was bitte würde man hier unten anbeten wollen? Jeder Gott würde wohl eher eine gemütliche kleine Besenkammer als Kapelle bevorzugen und nicht diese wortwörtliche Dreckskirche.

Auf der großen und mysteriösen Verehrungsstätte thronend erblickte ich nun bei genauerer Musterung einen schwarzen Gegenstand mit einem sichelförmigen Auswuchs, auf dessen leicht glänzender

Oberfläche die Flammen tanzten.

Es sah aus wie eine Maske und zwar eine jener, wie ich sie oftmals beim Karneval gesehen hatte. Außerdem meinte ich, sie auch aus einigen Historienbüchern wieder zu erkennen. Irritiert und zeitgleich fasziniert kramte ich das verloren geglaubte Gedächtnisfragment wieder hervor, um das Gebilde besser zuordnen zu können. *Pestmasken* nannte man sie wohl, wenn ich mich recht erinnerte.

Nervös spielte ich an dem Ring herum, den ich noch immer an meinem Finger trug, während mein Blick ängstlich die mich umgebende Räumlichkeit erkundete. Dann mit einem Mal vernahm ich einen wohl vertrauten Klang hinter mir. Jenen, der mich nicht unbedingt überraschte, aber nichtsdestotrotz zu Tode ängstigte.

Mit einer schnellen Bewegung wandte ich mich um und spürte, wie mein Herz in meiner Brust zunächst für einen kurzen Augenblick auszusetzen und dann um das Zehnfache schneller zu schlagen begann - wie erst vor wenigen Minuten, als ich glaubte, in den Tod zu stürzen. Sollte mir nicht irgendeine äußere Kraft hier unten das Leben nehmen, so würde eine baldig einsetzende Herzschwäche das sicherlich eigenhändig erledigen,

Ratten! Eine ganze Heerschar von ihnen; nicht nur Dutzende wie in der kleinen verborgenen Kammer, in die ich gefallen war, sondern deutlich mehr. Es wirkte, als wäre der gesamte Boden des Tunnelabschnitts, der sich hinter mir befand, von einem pelzigen Teppich überzogen worden, welcher jedoch wider den Erwartungen keinen einzigen Laut von sich gab, sowie ich meine Augen auf ihn gerichtet hatte.

Sie standen nur da und starrten mich an, rührten sich keinen Millimeter und ich hatte kurz das Gefühl, als wäre die Zeit für einen kleinen Moment stehen geblieben, hätte alles was sich sonst so lebhaft bewegte, erstarren lassen.

Auch ich wagte nun nicht mehr mich zu rühren und starrte völlig gefroren vor lauter Grauen auf die gewaltige Ansammlung von kleinen, pechschwarzen Augen, in denen sich der Schein der Kerzen wie ein loderndes Höllenfeuer spiegelte. Langsam sammelte ich mich wieder und wich einen Schritt zurück. Zu meinem Schrecken jedoch zog diese kleine Bewegung eine Gegenreaktion nach sich und die Ratten traten ein paar kleine Schritte vorwärts auf mich zu.

Was in Teufelsnamen ging hier vor? War das ein Traum? Unmöglich, so real konnte keiner träumen, egal wie stark sein Wille auch sei.

Einbildung vielleicht? Möglicherweise, immerhin hatte mich meine kleine Reise in die Unterwelt mehr als nur leicht strapaziert. Inzwischen könnte ich vielleicht schon im Delirium sein und womöglich fingen die Ratten auch gleich zu tanzen an, um mich in der Annahme, dass ich gänzlich verrückt geworden war, noch weiter zu bestärken.

Da gab es zwar noch eine dritte Möglichkeit, doch diese wäre derartig absurd, dass alleine die Tatsache, dass ich sie in Erwägung zog, meinen Geisteszustand umso mehr in Frage stellte.

Noch bevor ich mich jedoch in dieses Absurdum von Fantasien weiter hineinsteigern konnte, ertönte ein Geräusch und diesmal ging es nicht von den Ratten aus, wie es bis vor wenigen Minuten noch der Fall gewesen war, als diese haarigen Biester mich im Tunnel verfolgten.

Es war ein Atmen, ähnlich dem eines Menschen, nur tiefer – sehr viel tiefer. Noch dazu war es äußerst schwer, wie das eines alten kranken Mannes, der soeben seine letzten Atemzüge tat. Gerade als ich mich umdrehen wollte, um dem Ursprung jenes unheilvollen Atems auf den Grund zu gehen, ertönte ein weiteres Geräusch.

Eine Stimme… Widerwärtig und so dermaßen entsetzlich, dass sich sämtliche Haare auf meiner Haut so stark aufrichteten, dass ich das Gefühl hatte, sie würden mir wie von Geisterhand herausgerissen werden.

»Gib ihn mir.«

Das gewaltige Dröhnen des unmenschlich klingenden Sprachorgans fuhr mir direkt in die Knochen und ließ mein Skelett augenblicklich erstarren. Ich stand nur da, wagte es nicht mich zu bewegen. Warum ich das tat, konnte ich mir nicht einmal selber beantworten; vermutlich war es eine Art Urinstinkt, dessen Funktion es war, still zu stehen und angesichts der sich anbahnenden Gefahr auszuharren, bis sie vorüber war.

Da mich das, was hinter mir stand, aber direkt angesprochen zu haben schien, war es höchst unwahrscheinlich, dass meine jetzige Starre irgendetwas an dem Übel zu ändern in der Lage gewesen wäre. Zwar war ich mir darüber im Klaren, jedoch weigerte sich jeder Muskel in meinem Körper, diesen in Bewegung zu setzen. Der Schrecken hatte nun voll und ganz Besitz von mir ergriffen und ich fürchtete so lange eingefroren zu sein bis das, was auch immer hinter mir im schwachen Kerzenschein verweilte, unmittelbar hervorgeschnellt und meinen Leib in Fetzen gerissen hätte.

Die Ratten, die sich vor mir aufgestellt hatten, sahen inzwischen wie ein kleines Publikum aus, dass sich für eine öffentliche Hinrichtung versammelt hatte, um dem sich anbahnenden blutigen Schauspiel beizuwohnen. Mit einem beinahe lüsternen Ausdruck in den Iriden beäugten sie mich und ich spürte wie das, was dort hinter mir im schummrigen Schatten lauerte, sich immer näher auf mich zuzubewegen begann. Bereits nach dem ersten schweren Schritt, den das unbekannte Etwas vorwärts tat, bemerkte ich diesen übelriechenden Gestank, der sich allmählich in der Luft sammelte und sich Zugang zu meinen Nasenhöhlen verschaffte. In kürzester Zeit gelang es ihm, von dort aus direkt meine Kehle hinunter zu wandern, um mich somit reflexartig zum Würgen zu bringen.

Widerwärtig, dachte ich mir. Es roch verfault und zwar nicht nach der Fäulnis die entstand, wenn man ein altes Wurstbrot in einer Tupperdose fand, die man schon vor Wochen ohne nachzudenken wieder in den Schrank gestellt hatte.

Nein, dieser Geruch war viel quälender. Ein so derartig beißender und scheußlicher Duft war mir noch nie zuvor in die Nase gestiegen. Das

Schlimmste, was jemals die Pforte zu meinem Reich der Gerüche durchquert hatte, war das Aroma von vergammeltem Fleisch, das ich wahrnahm, als ich damals im Sommer vor knapp fünf Jahren ein totes Wildschwein am Wegesrand fand, während ich zum Laufen einige Felder passierte.

Der stinkende Kadaver war völlig verwest und gefüllt mit schleimigen Maden, die sich an dem schon längst nicht mehr roten Fleisch labten. Was ich an diesem Tag roch, verfolgte mich noch eine ganze Weile, bis ich dem Ganzen schließlich mit literweisem Parfüm und Deo ein Ende bereiten konnte.

Das, was sich nun in diesem unterirdischen Tunnelsystem in Form von Ausdünstungen breit zu machen begann, war allerdings so viel schlimmer als ich es mir hätte vorstellen können. Das war nicht nur einfache Fäulnis. Es war der Hauch des Todes, der in Form eines Geruchs anfing, in meinen Körper einzudringen. Da erklang ein leises, scharrendes Geräusch. Der Unbekannte hatte die Pestmaske vom Altar genommen.

Ich wandte meinen Kopf leicht nach rechts. Weit genug, um den Altar in meinen Blickwinkel einzuschließen, aber ohne dabei einen Blick auf das zu werfen, was die Maske soeben von ihrer bisherigen Position entwendet hatte. *Warum hast du dich nur dem Licht zugewandt, wenn du dich doch nur dazu entschließt, deine Augen abzuwenden?*

Eine berechtigte Frage, die jedoch keiner Antwort bedurfte, da meine Intuition längst die Führung übernommen und ein unmissverständliches Machtwort gesprochen hatte. Ich hatte das Licht aufgesucht in dem Glauben, dass kein existenter Schrecken die menschliche Vorstellungskraft an Grauen übertreffen konnte, doch ein Gefühl, das sich tief aus meinen Eingeweiden zum Vorschein grub, begann alsbald damit, diesen Glauben mehr und mehr zu vertilgen.

Was blieb war das reine Entsetzen – und dieses stieg stetig an, mit jedem weiteren tiefen Atemzug, den ich hinter mir vernahm. Mein Kopf verharrte in der seitlich gerichteten Stellung und während sich die Schritte immer weiter näherten, schwang die Maske für den Bruchteil einer Sekunde in meinen Blickwinkel und offenbarte mir ein schreckenerregendes Detail, welches ich am liebsten sofort wieder verdrängt hätte. Jedoch hatte es sich in dieser kurzen Zeit bereits fest in meinem ohnehin schon bestehenden Angstzustand verankert.

Als mein Blick, verschwommen von Tränen,

welche sich auf meiner Netzhaut zu sammeln begannen, die blutroten Tropfen erkannte, die von der Maske herabfielen und auf der trockenen Erde landeten, um dort eins mit dieser zu werden, schloss ich augenblicklich meine bebenden Lider. So fest ich konnte kniff ich meine Augen zusammen, um zurück in jene Finsternis zurückzukehren, die mich vor wenigen Sekunden noch so furchtbar geängstigt hatte und mir nun ironischerweise als der einzig sichere Ort erschien.

Sowie ich diese Handlung vollzog, fühlte ich plötzlich einen kalten Hauch in meinem Nacken, eisiger als der frostigste Winteratem.

»GIB IHN MIR!«

Der erschütternde Klang jener grauenvollen Stimme brachte die erdigen Wände des Tunnels zum Zittern. Staub und andere Ablagerungen begannen von der Decke zu rieseln und minimierten den übrigen Kerzenschein, der sich noch schwach durch meine geschlossenen Augenlider wahrnehmen ließ. Ein scheußliches Kribbeln begann wie eine belebende Schockwelle durch meinen versteinerten Leib zu strömen.

Binnen Bruchteilen einer Sekunde war das Kribbeln bis hinunter in meine Beine gewandert, lockerte sie auf und erlöste sie von der Starre, in welcher sie sich bis zu diesem Augenblick befanden. Wohlwissend, dass sie nun wieder einsatzbereit waren und mich aus diesem verdammten Untergrund hinaustragen konnten, ließ ich den Fluchttrieb, der sich in mir angestaut hatte, jedoch von meiner Beklemmung gefangen war, explosionsartig aus meinem Innern herausbrechen.

Mehr mit einem Hechtsprung denn einem Schritt stürzte ich vorwärts der Finsternis entgegen und beinahe so, als würde ich sie um Hilfe anflehen, entwich meinen Lungen ein markerschütternder Schrei. Erst als der faulige Atem hinter mir begann, vom moderigen Geruch des übrigen Gewölbes übermannt zu werden und ich annehmen konnte, dass dieses Etwas zumindest nicht mehr unmittelbar hinter mir stand, öffnete ich wieder meine Augen, nur um einen Blick in ein gewaltiges, unendliches Nichts zu werfen, das sich vor mir auftat.

Plötzlich begann der Boden unter meinen Sohlen zu wandern. Zuerst dachte ich, dass meine eiligen Schritte auf dem lockeren Boden zu rutschen begannen, dann fürchtete ich, dass der Grund unter mir einzustürzen drohte, doch als meine Füße die ungewöhnlich weiche Beschaffenheit bemerkten und die Tunnel mit lauten, schrillen Schreien gefüllt wurden, die sich deutlich von meinem unterschieden, verstand ich es.

In meiner panischen Angst hatte ich die Ratten, die sich wie ein kleines Gefolge vor mir postiert hatten, vollkommen vergessen. All die Zeit über hatte ich gedacht, dass sie es sein würden, vor denen ich mich in diesem Gewölbe am meisten zu fürchten hatte, doch nun entpuppten sie sich als Schergen eines noch viel größeren Unheils. Anstatt mich zu fressen stellten sie ein Fluchthindernis für mich dar, auf dass ich dem, was sich an meine Fersen geheftet hatte nie mehr zu entkommen vermochte.

Ich rannte hektischer, fiel fast vornüber, balancierte mich jedoch rechtzeitig aus und stolperte weiter unbeholfen vorwärts. Da hörte ich das erste Mal ein leises Knacken aus dem Chor von Schreien ertönen. Bald darauf folgte ein Weiteres und noch eins und noch eins - bis der kriechende Untergrund zu meinen Füßen langsam anfing sich aufzulockern und wieder einzelne Flecken von Erde preisgab, auf denen ich Halt fand.

Das Geschrei um mich nahm zu. Verstört und beinahe taub von dem Lärm taumelte ich orientierungslos durch die Schwärze, in der Hoffnung niemals von dem eingeholt zu werden, was hinter mir zurückgeblieben war und erneut seine entsetzliche Stimme in Form eines durch und durch unnatürlichen Brüllens durch den Tunnel erklingen ließ. Die Geräuschkulisse um mich herum starb allmählich ab je schneller ich rannte. Bald schon hatte sich mein Stolpern in ein zielgerichtetes Sprinten und der Boden unter mir zurück zu dem festen Erdengrund verwandelt, der er vorher war.

Nun gab es nur noch mich, die kalten Wände und die Finsternis.

Sie war besser, soviel war mir nun klar. All die Jahre hatte ich mich vor ihr gefürchtet, doch nun sympathisierte ich mehr mit ihr, als ich es jemals für möglich gehalten hatte. Das Dunkel war unheimlich und ich wusste nie was in ihm lauern könnte, doch völlig egal was für furchtbare Monstren sich mein Verstand zusammenbastelte, keines von ihnen hätte es mit dem aufnehmen können, was nun wahrhaftig hinter mir her war und dabei hatte mir dieses Etwas noch nicht einmal sein mit Sicherheit furchtbares Antlitz offenbart.

Als wäre der Teufel hinter mir her, und ich war mir sicher, dass er es war, rannte ich das nun schier endlose Tunnelsystem entlang, um irgendwo einen Ausgang aus diesem Höllenschlund zu entdecken. Ich tat es ohne auch nur eine kurze Pause einzulegen und das, obwohl ich diesbezüglich innerlich bereits einen Schlussstrich gezogen hatte, da ich erstens nicht einmal mehr die Hand vor Augen sah, ich das Loch in der Decke so oder so nicht erkennen würde, wenn es über mir auftauchen sollte und ich selbst dann, wenn ich es fände, nicht mehr dazu in der Lage wäre es emporzusteigen.

Ich rannte einfach geradeaus, ohne mir Gedanken darüber zu machen, wohin mich mein Weg führen würde. Ein Tunnel hatte immer zwei Enden und da das eine auf jeden Fall nicht für mich infrage kam, musste ich eben darauf hoffen, dass das andere einen Fluchtweg für mich bereithielt und es sich nicht um eine weitere Todesfalle handelte, in der vielleicht ein weiteres Abbild meines Verfolgers hauste, das mich dann gemeinsam mit ihm einkreisen und endgültig zur Strecke bringen würde. Nein! Es musste einen Ausgang geben. Es musste einfach so sein.

Meine Sicht fing zu meinem Glück an, sich langsam an die Schwärze zu gewöhnen, sodass ich mich nicht weiter an den nun sichtbaren Wänden entlang zu tasten brauchte. Dadurch gelang es mir, zudem meiner Geschwindigkeit einen enormen Schub zu versetzen und somit auch der schon fast verschwunden geglaubten

Hoffnung bald wieder einen leichten Aufschwung zu …

BUMM!!!

…

…

Als ich meine Augen wieder aufschlug, schmeckte ich Blut und spürte wie Staub und Erde auf mich herabrieselten. Unter meinem kurzzeitig betäubten Leib fühlte ich die harte, raue Beschaffenheit des Bodens mit der festen Annahme, dass ich für ein paar Sekunden das Bewusstsein verloren haben musste. Ich war da, am Ende des Tunnels. Allerdings erwartete mich kein helles Licht, auf das ich zugehen konnte, sondern eine hölzerne Tür, die meinem Hochgeschwindigkeitssprint ein jähes Ende bereitet hatte.

Mein Gesicht schmerzte und ich glaubte, dass mir dieses verfluchte Hindernis mein verdammtes Nasenbein gebrochen hatte. Der eiserne Geruch des Blutes, das nun aus dieser floss, war mir jedoch in jeglicher Hinsicht lieber als der widerliche Gestank von Moder oder gar dieser scheußlichen alles übertünchenden Fäule.

In Windeseile und ohne zu prüfen, ob ich eventuell noch ernstere Verletzungen davongetragen hatte, sprang ich auf und tastete wie wild die Tür nach einer Klinke oder einem Knauf ab, den ich zum Glück auch innerhalb weniger Sekunden zu greifen bekam. Mit all der Kraft, die ich aufzubringen in der Lage war, begann ich an diesem zu zerren, bis sich das Einzige, das mich noch von einer hoffentlich sicheren Zuflucht trennte, mit einem lauten Knarren öffnete und zumindest einen kleinen Spalt preisgab, durch welchen ich mich mit großer Mühe hindurchzwängen konnte.

Erschöpft und beinahe völlig kraftlos schaffte ich es gerade noch, den engen Spalt wieder mit einer letzten Strapazierung meiner Muskeln zu verschließen und eine sichere Distanz zwischen mir und der Pforte herzustellen, woraufhin ich vollkommen atemlos zusammenbrach und meinen Kopf erschöpft gegen die Wand lehnte.

Was sich jedoch hinter dieser Türe verbarg, ließ mir einfach keine Ruhe. So müde ich auch war, so sicher wusste ich auch, dass ich mich überall, außer hier unten im Keller, erholen konnte. Langsam erhob ich mich aus meiner Position und begann mich mehr und mehr von der Tür zu entfernen, um mich stattdessen einer Möglichkeit zu widmen, diesen Ort und am besten gleich diese gottverdammte Stadt ein für alle Mal zu verlassen!

Der Raum war groß, wirkte jedoch aufgrund des ganzen Gerümpels, mit dem er vollgestellt war, deutlich kleiner. Alte Schränke, Bücher und Kartons voll mit Klamotten, die alle noch aus der Vorkriegszeit zu stammen schienen, und zwar jene vor dem 1. Weltkrieg. Überall hingen lange, seidene Spinnenfäden von der Decke und bildeten unzählige Vorhänge, was den ganzen Gegenständen auf gewisse Weise den Charme alter Theaterrequisiten gab, nicht dass ich mich in diesem Moment auch nur im Entferntesten daran erfreuen konnte.

Zurzeit waren sie nichts weiter als eine weitere Barrikade, die mich unnötig aufhielt. Es war eine Behinderung auf meinem schier endlosen Weg Richtung Freiheit, über die ich nun wie eine Irre zu kraxeln begann, hoffend, dass ich nicht fallen und mir wie in einem drittklassigen Horrorfilm das Bein brechen würde, was das endgültige Ende meines Entkommens wäre.

Gerade, als ich mich zwischen einem Tisch und einem Stapel aus Stühlen hindurchzwängte, blieb ich mit meinem Hosenbein an einem alten Nagel hängen, welcher aus einem der Tischbeine hervorragte und mir im Fallen hinterherzurufen schien: *Hast du echt gedacht, dass du das unbeschadet überstehst, Miststück?!*

Der sich anbahnende Aufprall versetzte mich in größere Aufregung als er sollte, schließlich war ich innerhalb der letzten 30 Minuten pausenlos auf die Nase gefallen, da war dieser eine Stolperer nichts weiter als ein Tropfen auf den heißen Stein. Nichtsdestotrotz wedelte ich hilfesuchend mit den Armen durch die Luft und bekam nur knapp den kleinen Schrank vor mir zu fassen, was meinen Sturz zwar nicht aufhielt, ihn aber zumindest einigermaßen abbremste.

Unglücklicherweise hatte mein Versuch dazu geführt, dass der Schrank seinen unerwartet lockeren Stand verlor und mit einem lauten Poltern auf die Erde stürzte, wobei er sowohl die aufgestapelten Stühle sowie zwei kleine Nachttische zu Fall brachte. Erschrocken kauerte ich mich zusammen, in der Befürchtung, dass der ohrenbetäubende Lärm selbst hier unten laut genug gewesen war, um die Frauen im oberen Teil des Gebäudes zu alarmieren und wer konnte schon erahnen, was sie mit mir anstellen würden, wenn sie mich hier unten in ihrem Allerheiligsten entdecken würden.

Fast fünf Minuten lag ich einfach nur da, harrte in der unerträglichen Stille aus und hoffte, dass kein Geräusch sie wieder durchbräche. Vorsichtig stand ich auf, tastete nach dem Tisch neben mir, darauf achtend, dass er auch über einen sicheren Halt verfügte und nicht ebenfalls zur Seite wegkippen würde. Just, als ich wieder fest auf den Beinen stand und mich wieder in die Richtung drehte, in welcher ich den Ausgang vermutete, da sorgte ein mich unerwartet erfassender Schrecken beinahe dafür, dass ich fast wieder gen Boden sank.

Wenige Zentimeter von mir entfernt starrten mich zwei leere, schwarze Augenhöhlen an und so, als würde sie die meinen durchbohren wollen, prangte zwischen ihnen ein langer, spitzer Schnabel. Der Schrei, der sich in meiner Brust formte und beinahe ausbrach, ließ sich nur von meinen Händen aufhalten, die sich reflexartig auf meinen Mund legten, um das Ertönen weiterer verräterischer Laute sogleich im Keim zu ersticken.

Als ich jedoch erkannte, dass es sich bei dem, was dort vor mir aufgetaucht war, lediglich um ein Kostüm handelte, erstarb der Schrei in meinem Innern von ganz allein und schrumpfte zu einem erleichterten Seufzer, dem ich den Austritt über meine Lippen ohne Weiteres gestatten konnte.

Was diesem hoffentlich letzten Schrecken folgte, war eine entsetzliche Quälerei durch und über allerlei Antiquitäten, die sich in diesem

Keller angesammelt hatten. Offensichtlich war es all der Kram, den die alten Furien ihr Leben über gesammelt und hier aufbewahrt hatten, dachte ich mir. Wie sonst sollte man an derartig viel unnützes Zeug kommen, dass es ausreichte, um ein so riesiges Souterrain damit zu befüllen?

Als sich langsam der Gedanke in meinen Verstand schlich, dass es vielleicht gar keinen Ausgang aus diesem Horrorgewölbe geben könnte, hatte ich in der Ferne hinter einem Haufen weiteren Schrottes die Treppe erhascht und auch das große Loch, das in dieser klaffte. Ich starrte auf diese verfluchten wenigen Zentimeter des Nichts im Holz, durch die ich hinab in die Unterwelt selbst gestürzt war wie Alice ins Wunderland.

Erleichtert und mit dem beruhigenden Gefühl, dass die Panik langsam aus meinen Gliedern entwich, wankte ich der Tür entgegen, die noch immer verschlossen und vermutlich auch seitdem ich mich hier hinab begeben hatte nicht geöffnet worden war. Mit festem Griff am Geländer und einem großen Schritt über die tückische Fallgrube erreichte ich letztendlich das Endziel meiner Schreckensodyssee. Beinahe schon gierig packte ich den Knauf, schmiss die verfluchte Pforte auf und schloss sie sogleich, nachdem ich über die Schwelle getreten war.

Dumme, dumme Katze. dachte ich bei mir und krallte mich fest an den nun in mir verwurzelten Gedanken sowohl das letzte Mal in diesem Keller als auch in diesem Haus gewesen zu sein. Wenn ich es das nächste Mal verließ, was ich sehr bald zu tun gedachte, würde ich nicht den Fehler begehen, auf gleichem Wege zurückzukehren. Die Eingangspforte dieses Hauses sollte nie wieder meine Front erblicken dürfen.

Egal was für ein kranker Scheiß in diesem Gebäude abging, ich wollte nicht noch weiter hineingezogen werden, als ich es ohnehin schon wurde. Keiner schien mich bemerkt zu haben. Die Lichter im Flur waren erloschen, kein Mucks war aus irgendeinem der oben liegenden Zimmer zu vernehmen und selbst draußen auf der Straße herrschte eine geisterhafte Stille. Das war meine Chance zu verschwinden.

Der Teppichfußboden der Eingangshalle fühlte sich unter meinen Füßen etwas zu sehr nach dem pelzigen Rattenmeer von vorhin an und bracht meine gerade erst halbwegs verschwundene Gänsehaut augenblicklich wieder zum Vorschein. Das große Tor, welches mich hinaus in die Straßen Runans geleiten sollte, wirkte beinahe kilometerweit entfernt und meine Beine waren von der Schwäche, die mich überkam, so derartig schwer geworden, dass es mir wie ein hoffnungsloser Marsch vorkam. Trotz dessen ich vorhin noch wie eine Marathonläuferin gesprintet war, befand ich mich jetzt nurmehr in einem Zustand, in dem meine strapazierten Füße nur noch zum Humpeln in der Lage waren. Ich stürzte eher vorwärts, als dass ich ging.

Wie eine Ewigkeit kam es mir vor, doch letztendlich brachten mich meine Bemühungen bis an den so herbeigesehnten Ausgang. Vorsichtig senkte ich die Klinke, bewegte den Griff so langsam wie möglich, damit er bloß nicht quietschen und mich verraten würde. Doch nichts geschah. Für einen kurzen Moment hielt ich inne, glaubte die Klinke nicht weit genug heruntergedrückt oder zu wenig Kraft aufgewendet zu haben, um die Tür zu öffnen, doch nichts geschah, auch nach mehrfachen Versuchen. Verdammt – diese Hexen hatten mich eingeschlossen!

Was solls, dann würde ich eben in meine Wohnung laufen und einen Krankenwagen rufen, der mich dann mit ein wenig Verstärkung aus dieser Schlangengrube retten konnte. Zur Not sollten sie ruhig das ganze Gebäude niederbrennen, um zu mir zu gelangen und diese alten Schabracken gleich mit in die Hölle schicken! Außerdem hätte ich dadurch noch genug Zeit, um die nötigsten Sachen zusammenzupacken, die ich brauchen würde, um während meiner Suche nach einer neuen Unterkunft über die Runden zu kommen. Eine Suche, die ganz sicher nicht in Runan vonstattengehen würde.

Die Treppenstufen in den ersten Stock emporzusteigen erwies sich wie schon im Keller als überaus auslaugend und mühselig, doch als ich schließlich oben angekommen durch den Flur getaumelt war und meine Wohnung betreten hatte, spürte ich, wie all die Anspannung, die sich in diesem unterirdischen Horrorkabinett auf meinen Schultern abgelegt hatte, wie von Zauberhand von mir abfiel und mich erstaunlich leicht entspannen ließ.

Sofort ergriff ich den Hörer meines Telefons und wählte den Notruf, wobei meine Augen immer wieder hektisch umhersahen, ständig auf der Suche nach einer weiteren Gefahr, die sich ohne Zweifel bald schon offenbaren würde.

Meine Stimme war schwach, fast schon schwächer, als ich mich eigentlich fühlte, während ich der Stimme auf der anderen Seite der Leitung mein Problem schilderte. Nun ja, zumindest einen Bruchteil dessen, was mir zugestoßen war. Alles, was sich im Keller zugetragen hatte, war von mir selbstverständlich weggelassen worden.

Lediglich die Schilderung meiner Verletzungen und die Tatsache, dass ich eingesperrt war, fanden ihren Weg in meine Situationsbeschreibung. Zufrieden mit der Antwort, dass die Einsatzkräfte in zehn Minuten da sein würden, legte ich auf und atmete tief durch.

Entkräftet begab ich mich ins Badezimmer und kramte aus dem kleinen Spiegelschrank eine Dose mit Pflastern und Verbänden hervor, die ich als *Entschädigung* hatte mitgehen lassen, als ich mich dazu entschloss, von zuhause abzuhauen. Ich drehte den Duschhahn auf und warf die Stoffe, die ich am Körper trug, kurzerhand in den Müll.

Was blieb mir auch anderes übrig als sie wegzuschmeißen? Ich war zwar sowieso schon viel zu knapp mit Klamotten bestückt, aber in diesen Fetzen noch weiterhin herumzulaufen würde vermutlich doch ein wenig zu viel Misstrauen hervorrufen, ganz zu schweigen davon, dass mich dieser ganze Dreck und die Risse nur unnötig an diesen scheußlichen Aufenthalt im Keller erinnerten.

Während ich unter dem warmen Strahl stand

und spürte wie das reinigende Wasser den Staub und die Erde aus meinen noch immer blutenden Wunden spülte, dachte ich daran, wieviel besser ich es doch in Berlin hatte. Natürlich war es ein Ort, an den mir nicht viele schöne Erinnerungen geblieben waren, doch all das Schlechte, was ich dort hinter mir gelassen hatte, konnte dem Grauen, das ich hier erlebte, in keiner erdenklichen Weise das Wasser reichen, nicht einmal annährend.

Mein altes Leben hatte mich gefangen, langsam aber sicher das, was von meiner Seele noch übrig war aufgefressen, doch hier – hier hauste etwas, das mich allem Anschein nach wortwörtlich zu fressen versuchte und während dieser Prozess in Berlin langsam und qualvoll vonstattenging, würde ich es vermutlich keine ganze Woche in dieser Stadt aushalten, ohne dass sie mich gnadenlos verzehrte.

Doch warum dachte ich darüber nach? Wahrscheinlich war es die Angst vor dem Weiterziehen, die Befürchtung, dass, was auch immer für eine Stadt als nächstes käme, nur noch schlimmer wäre als die zuvor. Was für ein verrückter, geradezu dämlicher Gedanke, aber so spann sich mein Gehirn die Dinge wohl einfach zusammen.

Sicher waren es nichts weiter als die

Nachwirkungen aus Berlin – die Erinnerung an das, was Papa immer zu mir gesagt hatte, wenn ich ihm gedroht hatte wegzulaufen, was schon in meiner frühesten Kindheit erstmals der Fall war.

Etwas Besseres als hier findest du nicht! Glaubst du, die wollen dich da, wohin du abhauen willst?! Die schicken dich wieder weg, vielleicht prügeln sie dich sogar tot! Hier bist du meine Tochter – DA bist du nichts als Müll!

Es war gehässiger Abfall, der ihm damals aus dem nach Alkohol stinkenden Maul floss und doch glaubte ich jedes Wort. Jahre der Überwindung waren von Nöten gewesen, um endlich den entscheidenden Schritt zu wagen, dieses Nest der Qualen zu verlassen und ihm ein für alle Mal den Rücken zuzukehren, aber so wie es aussah, konnte die Vergangenheit deutlich lästiger an einem haften bleiben, als ich mir das damals vorgestellt hatte.

Es war so paradox. Einerseits war ich mir natürlich völlig darüber im Klaren, dass er nur so abfällig von mir sprach, um mich ewig an ihn und seine *Gunst* zu binden, aber in all den Jahren hatte er es so oft gesagt, dass ich es wohl langsam tatsächlich zu glauben schien, völlig gleich, wie sehr ich mich gegen diesen absurden Gedanken zu sträuben versuchte.

Zunächst bemerkte ich es nicht. Vielleicht war es die Erschöpfung oder die Tatsache, dass ohnehin schon die Wassertropfen der Dusche an mir herunterliefen, aber spätestens als ich mich völlig ausgelaugt gegen die Wand lehnte und langsam an dieser hinunter zu Boden sank, wurde mir bewusst, dass ich inzwischen bitterlich zu weinen begonnen hatte.

Alles tat weh – als würde sich mein Inneres verkrampfen; meine Eingeweide, meine Muskeln und jede noch so kleine Ader meines Körpers.

Es war nicht der Aufenthalt in einer neuen Stadt gewesen, die Begegnungen mit all diesen fremden Leuten oder gar die grässliche Entdeckung dort unten in der Tiefe – es war die Einsamkeit – die Tatsache, dass ich all das alleine durchmachen musste. Keine Eltern, Nicole war nicht mehr bei mir und Christopher – nun Christopher war der Einzige, dem ich nicht misstraute und der mir beizustehen vermochte, aber was sollte ich ihm bitte sagen? Wie sollte ich mich ihm anvertrauen?

Ich konnte ihm von meinen Sorgen bezüglich meiner Abreise berichten, natürlich, doch er würde mir nur wieder sagen, dass ich mich nicht so anstellen sollte und was könnte ich dem dann bitte entgegnen? Ich konnte ihm wohl schlecht von meiner Erkenntnis berichten, dass dieses Haus ein Hort des Bösen war, ohne dass er mich nicht augenblicklich in die nächste Irrenanstalt einwiese, nicht wahr?

Vielleicht musste ich ihn einfach ebenfalls hinter mir lassen, meine gesamte Vergangenheit ohne zu zögern ausradieren, um gänzlich inkognito in ein neues Leben zu schreiten. Aber konnte ich das? Oder bedeutete er mir zu viel, als dass ich ihn wie Ballast über Bord werfen könnte? Ich konnte mich nicht – *wollte* mich nicht entscheiden. Aber die Minuten verstrichen und schon in kürzester Zeit musste ich eine Entscheidung gefällt haben, so schwer sie auch sein möge.

Nachdem ich die Dusche verlassen und mich abgetrocknet hatte, nahm ich eins der kleinen Verbandsbündel vom Waschbecken und umwickelte damit zunächst meinen Knöchel, aus welchem ich noch unter unangenehmsten Schmerzen einige mit Blut aufgesogene Holzsplitter zog. Dann kümmerte ich mich um meine Hand, die von einem hervorstehenden Nagel oder einem anderen spitzen Gegenstand eine tiefe Schnittwunde zugefügt bekommen hatte. Vielleicht war ich beim Sturz im Keller an eben jenen Nagel geraten, der mich schon zu Fall gebracht hatte und den plötzlichen Schmerz vermochte ich im Angesicht des

Schreckens irgendwie auszublenden.

Auch meine Finger schmerzten und ich verband
sie gleich mit, da ich kein Interesse daran hatte,
einer Infektion zu erliegen, nachdem ich
diesem ganzen Horror entfliehen konnte.
Zudem ich sicher nicht wollte, dass beim
Verlassen des Hauses irgendwer bemerken
würde, dass ich es war, die den
verschwundenen Ring trug und ich somit ein
weiteres Hindernis zu überwinden hatte, um
diesem Gebäude zu entfliehen.

Die restlichen Verletzungen, die ich im Gesicht
oder am Oberkörper davongetragen hatte,
ließen sich leicht mit Pflastern abdecken.
Lediglich die Nase musste ich von jemandem
untersuchen lassen, der über medizinische
Kenntnisse verfügte und genau das würde
hoffentlich sehr bald geschehen. Von draußen
hörte ich, wie ein Fahrzeug vor dem Gebäude
parkte und ich zog mir rasch frische Kleidung
über.

Entschlossen marschierte ich geradewegs in
Richtung Tür, streckte bereits meine Hand aus,
doch mitten in der Bewegung verschwammen
mit einem Mal die Konturen meiner Wohnung
und noch bevor mein vor Erschöpfung
zusammenbrechender Körper auf dem Boden
aufschlug, wurde mir schwarz vor Augen...

Während ich allmählich wieder zu Bewusstsein kam, schien von draußen das Licht des Mondes schwächlich auf mich herab. Kaum fähig mich zu bewegen versuchte ich, mir an den Kopf zu fassen, der vom Sturz höllisch schmerzte und sich teilweise ein wenig feucht anfühlte. Es war Blut, das in einem dünnen Faden meine Schläfe hinabrann.

Als ich auf meine Hand hinabblickte, schimmerte die rote Flüssigkeit auf meiner aschfahlen Haut und tropfte von dort aus auf den Teppich, dessen grelles Rot die Farbe des Blutes beinahe vollständig retuschierte. Angestrengt versuchte ich mich aufzustemmen, doch mir fehlte eindeutig die nötige Kraft, um eine solche Bewegung auszuführen, weshalb ich bereits auf halber Strecke zusammensackte und mich alsbald auf der Erde wiederfand.

Um zumindest jemanden über meine missliche Lage in Kenntnis zu setzen, kroch ich so gut ich konnte über den besagten Teppich auf das vor mir liegende Telefon zu, das zwar stumm dalag, aber zeitgleich den Anschein machte, als wolle es mich anschreien. Als würde es sagen:

»Komm schon, Nina! Ruf Hilfe, du dumme Sau!«

So gut ich konnte robbte ich auf den Hörer zu, der schon fast selber einen Arm nach mir auszustrecken schien und konnte ihn letztendlich sogar ergreifen. Sowie ich jedoch an der Schnur zog, um den Rest des Telefons zu mir zu ziehen, musste ich erschrocken feststellen, dass sie frühzeitig endete. Das Telefon war fort. Alles, auf was ich stieß, war ein verfranztes Ende aus Gummi und Drähten, die ihre glänzenden Arme in die Höhe warfen, so als riefen sie hämisch: *April! April!*

Und eben dieser Anblick ängstigte mich mehr als die bloße Tatsache, dass meine Leitung gekappt worden war. Ein einfacher Schnitt hätte das Kabel niemals so zerfetzt aussehen lassen können. Nicht einmal mit einer Säge oder einem gut gezackten Schlüssel wäre es so sehr entstellt worden. Die Spuren deuteten auf eine andere Einwirkkraft hin. Nach nur kurzer Überlegung hatte ich nicht mehr den geringsten Zweifel, dass mein Sprachrohr aus diesem Höllenhaus durch kleine Bisse zum Erliegen gebracht worden war.

Ich brauchte auch nicht allzu lange nachzudenken und zudem nicht den Vollbesitz meiner geistigen Kräfte auszuschöpfen, um zu erraten, welches Etwas das Zerbeißen meiner Telefonleitung zu verantworten hatte.

Abermals schoss mir eine heftige Ladung Adrenalin durch den Körper, doch meine

Glieder schienen im Laufe der letzten Strapazen eine Art Immunität gegen dieses entwickelt zu haben, denn es fiel mir trotz des heftigen Schubes immer noch fürchterlich schwer mich aufzurichten und in Richtung des Zimmerausgangs zu wanken.

Sowie ich den Lichtschalter ertastete und ihn betätigte, begann die Deckenbeleuchtung völlig unkontrolliert zu flackern, was sie in der kurzen Zeit, in der ich in diesem Gebäude hauste, noch nie getan hatte. Entweder kam es hier öfter zu technischen Störungen oder diese verfluchten Biester hatten sich noch an weitaus mehr als nur meinem Telefonkabel gelabt.

Gefangen in einem irritierenden Zustand, in welchem ich von Angst getrieben und gleichzeitig wie von ihr gelähmt wurde, versuchte ich die Tür zu öffnen, was mir jedoch aufgrund dessen, dass meine Knie ständig vor lauter Schwäche einknickten, nicht allzu schnell gelang. Infolgedessen verfiel ich in blanke Panik und stieß einen entsetzlichen Schrei aus meinen Lungen, der mit Sicherheit im gesamten Hause zu hören war, auch wenn ich beinahe vollständig überzeugt davon war, dass mir keiner zu Hilfe eilen würde.

Meine Hände schlossen sich so fest sie konnten um die Klinke, allerdings zeugte mein

Bemühen sie hinunterzudrücken und die Wohnung zu verlassen nicht von Erfolg. Im Gegenteil – voller Entsetzen realisierte ich, dass ich nicht nur in diesem Haus, sondern nun auch in meinem Zimmer eingesperrt worden war! Ich hatte die Tür nicht abgeschlossen, demnach klemmte sie entweder oder, was mir angesichts meiner Lage deutlich plausibler erschien, sie war von außen verriegelt worden.

Mit all der Kraft, die ich hervorzubringen vermochte, schmiss ich meinen Körper gegen das Holz der Tür. Doch anstatt, dass sie nachgab, wurde mein Versuch sie zu öffnen von einer liebsäuselnden Stimme von der anderen Seite beantwortet.

„Bemühen sie sich nicht, meine Liebe, diese Tür werden sie doch nicht öffnen können. Das hat bisher noch keine geschafft."

Ich stockte. Langsam wich ich einen Schritt zurück, während ich das Gefühl bekam, dass sich meine Kehle zuschnürte und mein Herz so wild pochte, dass es drohte, in Stücke gerissen zu werden. Die Stimme der Hausherrin war kratziger als sonst, beinahe so, als hätte sich der zuvor so zarte Klang von ihrer Zunge gelöst, um nun der hexenartigen Boshaftigkeit zu weichen, die sich scheinbar die ganze Zeit in ihrem Innern verborgen hatte.

Zwar war mir dieses Zischen noch vom letzten Mal in Erinnerung geblieben, als ich Fräulein Bélanger und ihre ‚Untergebene' vom Keller aus belauschte, doch jetzt, da sich ihre Worte an mich persönlich richteten, wirkten sie umso diabolischer.

»Glauben sie denn wirklich, das, was sich heute ereignet hat, sei ein Zufall gewesen? Sicher einiges mag diesem vielleicht entsprungen sein, immerhin ist das immer so, aber die Hauptsache ist, dass sie nun genau da sind, wo sie sein sollten. Einzig und alleine die Tatsache, dass sie sich seines Ringes bemächtigt haben, war ein unschöner Zwischenfall, der uns aber bei weiterer Überlegung nicht allzu sehr an unserem ursprünglichen Vorhaben hindern sollte.

Schließlich sind wir hier auf sämtliche Abweichungen bestens vorbereitet. Letztendlich sind sie ja dennoch, wie man sieht, wieder in ihrem Zimmer gelandet. Zwar hatten wir kurzzeitig Zweifel daran, ob ihre Neugierde ausreichen würde, um den kleinen Abstecher in den Keller zu wagen, aber letztendlich haben sie sich ja doch dazu hinreißen lassen. Und auch wenn nicht, hätten wir Mittel und Wege gefunden, um dies auf weniger subtile Weise in die Wege zu leiten. Nun können wir uns das jedoch ganz getrost sparen. Sie gefallen ihm.«

Ihm? Sicherlich meinte sie damit dieses scheußliche Etwas im Keller. Was für ein bescheuerter Gedanke, natürlich meinte sie dieses Ding, was denn sonst. Allerdings hatte ich nicht vor, in diesem Zimmer zu bleiben und darauf zu warten, dass er kommen und mich holen würde.

»Freuen sie sich nicht zu früh, Bélanger! Ich habe vor nicht allzu langer Zeit einen Krankenwagen gerufen. Wenn die hier ankommen, werden die ihnen ihre ach so schönen Pläne durchkreuzen, sie altes Biest!«

»Hahaha!«

Ihr Lachen war durchdringend wie eine scharfe Klinge, die sowohl durch das schwere Holz der Tür als auch bis tief in mein Fleisch zu schneiden vermochte.

»Sind sie wirklich der Überzeugung, dass sie mit einem einfachen Anruf unsere sorgfältig geplante Tradition einfach so durchkreuzen könnten? Viele Mädchen vor ihnen haben sich in einem Moment wie diesem schon realitätsferne Hoffnungen gemacht, aber derartig naiv sind tatsächlich die wenigsten von ihnen gewesen.

Fräulein Banhoff war zwar nicht begeistert, als wir ihr sagten, dass wir ihr ein paar Wunden zufügen mussten, um den Schein zu wahren, aber nachdem sie sich überzeugen ließ und wir den freundlichen Sanitätern die fehlerhafte Lokalisation der Verletzungen mit einer vorgetäuschten Demenz schönreden konnten, sind sie auch recht schnell wieder verschwunden. Wir hätten es nie so weit gebracht, wären wir wahrhaftig so stumpfsinnig, wie sie es sich erhoffen, meine Liebe.«

Dieses elende Miststück! Wut und Verzweiflung begannen mehr und mehr in mir aufzuschäumen und es war mir unmöglich herauszufinden, welches Gefühl das andere übermannte. Hatte diese Furie tatsächlich recht? War mein Schicksal von dem Augenblick an besiegelt gewesen als ich den ersten Fuß in dieses Gebäude gesetzt hatte? Oder ging diese ganze Sache etwa noch um Einiges tiefer? Wie präzise waren die Planung dieser Frauen und wie weit lag der Anfang dieser bereits in der Vergangenheit?

War es bereits der Moment gewesen, in welchem ich mich wegen der freien Wohnung informiert hatte in dem ich mich quasi als Freiwild dargeboten hatte? Oder nahmen sie einfach jedes ahnungslose Opfer, dass sich in ihrer Schlinge verfing?

Das war zwar eine naheliegende Vermutung,

aber angesichts ihres offenbar so gründlich durchgearbeiteten Vorhabens wäre dies allerdings zu unkalkulierbar. Da erinnerte ich mich daran wie ich überhaupt erst auf diese Stadt und in Zuge dessen auf diese Wohnung gekommen war.

Christopher…

Wusste er hiervon? War er etwa in diese ganze Sache hier involviert? Unmöglich; ich kannte ihn schließlich schon lange bevor er hierhergezogen ist. Was um alles in der Welt könnte einen so anständigen und liebevollen Menschen zu so etwas derartig Gottlosem verleiten?

Vor der Tür war Stille eingekehrt, so als würde Fräulein Bélanger darauf warten, dass ich einen weiteren schlauen Spruch über die Lippen bringen würde, nur damit sie ihn direkt mit einem einstudierten Konter in der Luft zerreißen und mir zurück in den Hals stopfen könne.

»Worauf warten sie noch?!«, brüllte ich dem hölzernen Gebilde entgegen, das sich innerhalb weniger Sekunden von einem Fluchtweg in eine Gefängnismauer verwandelt hatte.

»Nun«, begann sie leise. »Eine etwas unerwartete Wendung hat das Ganze ja schon genommen – und bis wir mit unserem Vorhaben fortfahren, besteht unsere höchste Priorität darin, dass *er* es wieder zurückbekommt.«

Der Ring! Mein Blick fiel auf meine Hand, suchte sie hektisch nach jenem Finger ab, der das trug, was womöglich meine einzige Hoffnung sein konnte. Mit ihm besaß ich zumindest ein Druckmittel wortwörtlich in der Hand.

»Machen sie es sich nicht zu bequem, meine Liebe. Er naht bereits…«

Ich vernahm ein entferntes Knarren aus dem Erdgeschoss und ohne groß nachzudenken wurde mir schlagartig klar, dass es sich dabei um die alte Pforte handelte, die direkt in das ewige Schwarz des Kellergewölbes führte, aus dem nun das emporstieg, was ich hinter mir gelassen zu haben hoffte.

Schwere Schritte gellten von den großen Wänden der Eingangshalle – wurden lauter – näherten sich meinem Standort, von dem ich wusste, dass ich ihm nicht entfliehen konnte. Das dumpfe Geräusch von Füßen, die beim Voranschreiten die Grundmauern erzittern ließen, wurde von einem tiefen und heiseren Atmen verfolgt, das wie ein eisiger Nebel das Gebäude zu durchströmen begann.

Dazu der Geruch den jener Atem mit sich trug… Er war beinahe schlimmer geworden, obgleich ich kaum geglaubt hätte, dass dies im Bereich des Möglichen lag. Dieser beißend süßliche Gestank der Fäulnis, der sich gar nicht erst die Mühe machte unter der Türschwelle hindurch zu wabern, sondern sich stattdessen direkt durch die Tür in mein Zimmer zu fressen begann.

Die Schritte hatten gestoppt und ich wusste, dass dieses Monstrum, diese abgrundtief bösartige Abscheulichkeit, nun direkt vor mir stand - lediglich durch eine schwache Schicht Holz von mir getrennt. Es schien als fräße sich der Geruch nicht nur durch die Mauern des Hauses, sondern verzehre gleichzeitig sämtliche Schallwellen, die sich durch diese hindurchbewegten, denn sobald die Kreatur ihren Fußmarsch aus dem Keller heraus beendet hatte, war eine Stille eingekehrt, wie ich sie mir physikalisch nicht erklären konnte.

Dann jedoch wurde sie durchbrochen. Von diesem grässlichen Atmen, das den fauligen Gestank nur noch weiter und kräftiger in meine Wohnung blies. Und dann ertönte erneut diese Stimme. Die, welche mir solch einen Schauer über den Rücken jagte, dass ich, sobald ich sie vernahm, mir wünschte, augenblicklich tot umzufallen, um keine weitere Silbe mehr aus dem Maul dieses Ungeheuers hören zu müssen.

»GIB IHN MIR!«

Lauter noch als die Schritte, beinahe intensiver als jedes andere Geräusch in dieser Welt, dröhnten seine Worte durch das Haus und ließen es derartig erbeben, dass der Putz von der Decke rieselte, wie es schon mit der Erde in den dunklen Gängen des Kellers geschah.

Ich reagierte nicht, stand einfach nur da und versuchte gegen die Starre anzukämpfen, die sich langsam meines Körpers ermächtigte. Seine Stimme schien beinahe minutenlang unaufhörlich durch die Flure zu hallen und ich verlor vor lauter Angst jegliches Zeitgefühl.

»GIB IHN MIR!!!«

Gerade als das Echo wieder zu verblassen begann, brüllte er erneut und das umso erzürnter und kräftiger als das erste Mal. Diesmal löste es eine Reaktion bei mir aus und ich zuckte blitzartig zusammen, kauerte mich auf den Boden, nur um mich dann langsam rückwärts von der Tür wegzubewegen, hinter der das Schlimmste lauerte, was die Hölle hervorzubringen vermocht hatte. Die drohende Starre hatte sich inzwischen vollständig verflüchtigt und hatte Platz für ein von Furcht geprägtes Zittern gemacht, dass beinahe einem epileptischen Anfall glich.

Nun hielt das anschließende Schweigen des

Ungeheuers jedoch kürzer an als zuvor und dem schallenden Echo folgte augenblicklich ein kräftiges Hämmern an der Tür, was diese beinahe aus den Angeln hob. Es würde nicht lange dauern und ich wäre diesem Ding und seinen wahnsinnigen Anhängern hilflos ausgeliefert.

Verzweifelt sah ich mich um, doch angesichts meiner Lage, gab es verhältnismäßig wenig Fluchtmöglichkeiten außer dem Fenster. Ein schneller Blick hinaus zeigte jedoch, dass ein Ausstieg aus diesem mein Schicksal mit Sicherheit noch rascher besiegeln würde, als eine Gefangennahme durch meine Verfolger.

Dadurch, dass das Poltern hinter mir allerdings immer lauter zu werden begann und abermals diese schreckliche Stimme ertönte, war ich schließlich doch dazu gewillt mir ein Herz zu fassen und den gefährlichen Abstieg in die Ungewissheit zu wagen. Was konnte schon schlimmstenfalls passieren? Ich würde mir das Genick brechen oder mir den Schädel aufschlagen, aber nach den Dingen die ich heute gesehen hatte erschienen mir diese Optionen tatsächlich angenehmer als das was sich in meinen Gedanken zusammenbraute, wenn ich an das dachte was meine Peiniger wohl mit mir anstellen würden, sollten sie mich in die Finger kriegen.

Als ich den ersten Fuß über das Fensterbrett hob und ein eisiger Luftzug diesen erfasste, um mich darauf hinzuweisen, auf was ich mich soeben einließ, hatte ich zwar panische Angst, doch war es bei weitem nicht so schlimm, wie meine ähnliche Situation von vorhin als ich unten über dem finsteren Tunnel baumelte.

Zumindest wusste ich hier was mich erwartete. Zwar war es nicht gerade beruhigend, mein Vorgehen mit der Gewissheit in die Tat umzusetzen, dass ein winziger Fehler mein letzter sein könnte, doch konnte ich hier immerhin klar erkennen, dass sich unter mir ein steinerner Bürgersteig und keine vergifteten Speere oder Ratten aufhielten.

Der zweite Fuß folgte und als meine Augen für den Bruchteil einer Sekunde nach unten wanderten, überkam mich ein leichtes Gefühl des Schwindels. Meine mir bis dato unbekannte Höhenangst war allerdings eher der allgemeinen Umstände geschuldet und weniger einem persönlichen Problem mit einer etwas zu guten Aussicht.

Sowie ich jedoch meine Lider kurzzeitig schloss, konnte ich die Starre, in die mich meine Angst vor dem Fallen befördert hatte, schnellstmöglich überwinden. Mit meinem rechten Arm ergriff ich die Regenrinne und krallte mich wie ein Faultier an dieser fest, während ich vorsichtig meine Beine hinterher zog, meine Füße so stabilisierend es nur ging an das glatte Metall drückte und schließlich meinen linken Arm in Richtung meines restlichen Körpers riss, um auch mit diesem die Rinne zu umfassen.

Wieder schloss ich für einen kleinen Moment meine Augen, versuchte so flach und ruhig zu atmen wie es mir nur irgend möglich war, um meinem zittrigen Leib zumindest Ruhe vorzuspielen, auch wenn mir klar war, dass ich nicht dazu imstande wäre, so gut zu lügen.

Langsam ließ ich meine Füße an der Regenrinne hinabgleiten, um mich zeitgleich mit meinen Händen in einem Mix aus Rutschen und Tiefergreifen immer weiter nach unten gen Straße zu bewegen. Als ich in etwa die Hälfte der Strecke hinter mich gebracht hatte, hörte ich von oben aus dem Fenster das dumpfe Brechen des Holzes. Ein Geräusch, welches von schweren Schritten begleitet wurde, denen viele, kleine, jedoch umso energischere Schritte folgten.

Sie alle stoppten gleichzeitig, was sicherlich als eine Reflexion ihrer Verwirrtheit zu deuten war, die sie verspürten aufgrund der Tatsache, dass ich nicht mehr in dem Zimmer war, in welchem sie mich gefangen gehalten glaubten. Möglicherweise hatten sie diesen Schritt jedoch mit einkalkuliert, weshalb ich nun damit rechnen konnte, dass ich, sobald ich unten ankäme, sofort mit vorausgeschickten Handlangern rechnen müsste.

In seiner Wut, ließ der bestialische Anführer sein zorniges Brüllen so laut durch Raum und Fenster hallen, dass ich mir sicher war, dass er damit die Aufmerksamkeit von genügend Leuten erwecken würde, die mir schließlich zur Hilfe eilen könnten.

Doch es kam niemand.

Mein Blick fiel nach oben auf das offenstehende Fenster aus dem eine vollkommen verdutzte und zugleich furiose Fräulein Bélanger schaute. Wären mir diese Frau und ihre Machenschaften nicht bekannt gewesen, hätte ich bei dem Anblick beinahe lachen können, so ulkig sah sie aus.

Sowie sie jedoch ihren Kopf wieder zurückzog, ragte dieser verfluchte spitze Schnabel in das Blau-Grau des Himmels über mir und *er* streckte sein scheußliches Gesicht hinaus, um mir mit seinen toten, schwarzen Augenhöhlen nachzuschauen, die sich hinter der vorhin von mir entdeckten Schnabelmaske verbargen.

»GIB IHN MIR!«

»Hol' ihn dir doch!«, schrie ich zu ihm hinauf, doch sobald die Worte meinen Mund verlassen hatten, bereute ich sie bereits.

Es war nicht so, dass sie von Bedeutung gewesen wären. Verfolgt hätten er und seine greisen Jünger mich ja ohnehin, doch womöglich hatte diese bewusste Provokation seinen Ehrgeiz unnötig angekurbelt.

Ich kletterte weiter abwärts, diesmal war mein Hinunterkommen jedoch mit einer riskanten Hast bestückt, welche ich allerdings nicht bereit war aufzugeben.

Die großen Tropfen eines kalten Herbstregens, die plötzlich meine Stirn berührten und an meinem Gesicht herunter zu rinnen begannen, verschlechterten meine Chancen heile unten auf dem Fußweg anzukommen jedoch zunehmend. Spätestens als mir das eisige Nass in die Augen lief und mich dazu zwang diese schon wieder schließen zu müssen, kam in mir eine so große Unsicherheit bezüglich meiner Flucht auf, dass ein nun unausweichliches Ende nichts mehr zu verhindern imstande war.

Nein. Ich hatte es nicht so weit gebracht, um mich jetzt wegen ein bisschen Regen davon abhalten zu lassen, diesen Biestern und ihrem Monsterkönig zu entkommen. Ich schlug die Augen wieder auf, senkte meinen Blick so gut es ging und nahm die Hast aus meinem Abstieg, um die Wahrscheinlichkeit in die Tiefe zu rutschen nicht unnötig aufrechtzuerhalten.

Dann spürte ich auf einmal einen Tropfen auf meiner Haut, der sich von den anderen unterschied. Deutlich langsamer und vor allem sehr viel haftender, schien er jeden Teil meiner Kopfhaut, den er bei seinem Niedergang überquerte, genauestens zu untersuchen.

Noch bevor die Flüssigkeit sich in meinem Sichtfeld befand und ich seine rote Färbung zu erkennen vermochte, wusste ich bereits, dass es sich um Blut handelte. Und es war kein frisches Blut, soviel stand fest. Es roch faulig… wusste gar nicht, dass Blut so riechen kann.

Ehe der erste Tropfen allerdings von meinem Kinn herabfallen konnte, folgte ihm ein ganzer Schwall stinkenden Lebenssafts von oben und klatschte mir unbarmherzig auf den Schopf, lief an mir herunter und verwandelte mich in eine ranzige Billigversion von Stephen Kings Carrie.

Sobald sich der scheußliche Wasserfall der Fäulnis auf mir ergossen hatte, drehte sich mir der Magen endgültig um und ich ließ meinen Kopf gen Boden sacken, während Erbrochenes meinen Hals emporwanderte, um in einem kräftigen Strahl auf die Straße hinuntergespien zu werden.

Ich hob meinen Kopf, um das Blut aus meinem
Gesicht gespült zu bekommen und jetzt war ich
mehr als nur dankbar für den Regen, den ich
eben noch verteufelt hatte. Das Wasser
schwemmte das Rot von meiner hellen Haut,
wenn auch leider nicht den unnachgiebigen
Gestank, den dieses hinterließ.

Nun sahen meine Augen stark verschwommen,
konnten nur verzerrte, aber dennoch
verstörende Konturen dessen sehen, was diesen
dickflüssigen Regen über mich gesandt hatte.

Seine Maske hatte er, nachdem er sie über mir
ausgeschüttet hatte, nicht wieder aufgesetzt.
Genaue Gesichtszüge, sofern man sie als solche
hätte bezeichnen können, gab es nicht. Alles
was ich zu erkennen vermochte, waren eine
Haut, die eher verbranntem Leder glich, und
einen völlig entarteten Kiefer, dessen Form
man unmöglich näher beschreiben konnte. Es
war wie eine fleischgewordene Erinnerung an
einen Alptraum, den man unmittelbar nach dem
Aufwachen bereits vergessen hatte, doch
dessen Schrecken einem noch lange Zeit später
fest in den Knochen saß.

Der Geruch der sich scheinbar wie Säure in
mein Gesicht fraß war grauenvoll. Noch viel
schlimmer als der Geruch, der sich unten im

Keller auszubreiten begann als dieses groteske Wesen sich erstmals an meine Fersen geheftet hatte. Ich fühlte beinahe zeitlupenartig wie sich erneut Erbrochenes meine Speiseröhre aufwärtsbewegte, um innerhalb weniger Sekunden meine Mundhöhle zu füllen. Reflexartig schwang ich meinen Kopf abermals zur Seite, senkte den Kopf und öffnete meinen Mund, wobei ich den gesamten Mageninhalt unter würgenden Lauten aus diesem ausspuckte.

Viel fataler als mein nun schmerzender Magen und mein brennender Rachen war jedoch das Verlieren meines Gleichgewichts, was als unvermeidliche Folge meines zweiten Übergebens eintrat und dazu führte, dass meine Hände die ohnehin schon rutschige Regenrinne nicht mehr ausreichend umklammern konnten.

Für einen Moment schien die Zeit vollständig still zu stehen und wiegte mich in einem Zustand zwischen Trance und Ohnmacht hin und her, bis mich ein heftiger Schmerz in der Rückenregion wieder gnadenlos in die so verzerrt wirkende Realität zurückschleuderte. Der Gestank des Erbrochenen stieg mir erneut in die Nase und ich wurde mir darüber bewusst, dass ich direkt in ebendiesem gelandet war, nachdem es nur wenige Sekunden vor mir den Bürgersteig erreicht hatte auf welchen mein

Körper mit voller Härte aufgeschlagen war.

Jedoch waren meine Riechnerven ohnehin schon so gut wie abgetötet worden und nicht einmal eine Klärgrube hätte es mit dem Duft des fauligen Blutes aufnehmen können. Mein gestriges Ich hätte sich in der jetzigen Situation wohl vor lauter Ekel geschüttelt, aber nach allem was mir widerfahren war, erschien es mir lediglich wie eine Unannehmlichkeit die nicht einmal der Rede wert war.

Langsam versuchte ich mich aufzurichten, doch der stechende Schmerz in meinem Rückgrat ließ dies zu einer beinahe unmöglichen Aufgabe werden. Nichtsdestotrotz gelang es mir irgendwie mich gekrümmt wie der Glöckner von Notre Dame, humpelnd über die Straße zu schleppen, während ein überraschender Wind den eiskalten Regen förmlich in mein Gesicht schmiss.

Instinktiv rannte ich über die Straße ohne mich auch nur einmal umzudrehen, um ja nicht den Weg vor mir aus den Augen zu verlieren und womöglich noch zu stürzen. Mit einem kaum hörbaren, keuchenden Hilferuf stieß ich die Tür zum Kiosk so ruckartig auf, dass es beinahe die kleine Klingel oberhalb des Türrahmens abriss.

»Ich brauche…«

Ich holte tief Luft und stützte meinen Arm auf

dem Tresen ab.

»Ich muss unbedingt telefonieren.«

War mein Plan vorhin noch der gewesen einen Notarzt zu alarmieren, um Hilfe anzufordern ohne mit dem Gesetz in Kontakt zu kommen, so interessierte es mich inzwischen in keiner Weise mehr ob man mich für verrückt hielt oder nicht. Egal wie unschuldig sich die alten Frauen verhalten würden, eine Konfrontation mit der Polizei sollten sie nicht mehr umgehen können. Ist doch irrelevant ob sie mir glaubten oder ihnen, Hauptsache ich war nicht mehr alleine. Von mir aus sollten sie mich ruhig wegsperren, am besten in die meistgeschützte Irrenanstalt die sie hatten, damit mir ja keine dieser Frauen mehr folgen konnte.

»Meine Güte, was ist denn mit dir passiert?!«

Als ich den Blick hob sah ich direkt in die vor Schreck weit aufgerissenen Augen der Person, welcher ich allem Anschein nach noch am ehesten Vertrauen schenken konnte. Ohne mich nach meinen Verfolgern umzusehen hastete ich auf sie zu und begann panisch zu flüstern, als würde ich unterbewusst davon ausgehen, dass dieses Ding unmittelbar hinter mir stünde.

»Ich habe es jetzt verstanden!«, hauchte ich gedämpft hervor und tat dabei mein Bestes meinen Drang danach zu schreien so gut es ging zu unterdrücken.

»Die haben da in ihrem Gebäude eine Sekte oder irgend sowas. Sie sind Hexen, allesamt. Und die Ratten – mein Gott, die Ratten…«

Sie hielt mich an den Schultern fest und verhinderte somit, dass ich beim Sprechen und Schluchzen weiter zusammensackte.

»Wovon redest du? Was ist denn passiert? Sprich mit mir, Liebes.«

Ich sah zu ihr auf, aber in meiner Angst und Verwirrung brachte ich es plötzlich nicht mehr fertig einen Satz zustande zu bringen. All die Dinge die ich ihr auf ihre Aufforderung entgegnen wollte schwebten in Unmengen vor mir her, doch so sehr ich auch versuchte sie zu greifen, ich bekam sie einfach nicht zu fassen. Ich wusste all das von dem ich ihr so dringend erzählen musste, doch meine zitternden Lippen konnten die entsprechenden Worte unmöglich formen.

Nichts außer einem verzerrten Stottern verließ meinen Mund. Geschwächt fiel mein Körper wieder ein Stück in sich zusammen und ich konnte mich gerade so noch an ihrem linken Arm festhalten. Da plötzlich bekam ich einen der Sätze zu greifen. Im Kontext war er kryptisch, aber es war besser als dass ich weiterhin schwieg.

»Die Ratten – man kann mit ihm die Ratten kontrollieren.«

Ihre Augen folgten meinem Blick der sich starr auf dem roten Rubin festgesetzt hatte, welcher mich böse anfunkelte.

»Was ist das? Woher hast du den?«

»Der gehört ihnen. Sie... ich muss jetzt wirklich dringend telefonieren!«

Die Frau drückte mich leicht von sich weg, um mich ansehen zu können.

»Es tut mir leid, aber seitdem vor Kurzem der Strom in meiner Wohnung ausgefallen ist funktioniert mein Telefon nicht mehr.«

Ich ließ sie los und begann nachzudenken. Langsam ging ich wieder rückwärts in Richtung der Tür, gar nicht daran denkend, dass mich dort bereits mehrere Hände erwarteten, die darauf gefasst waren mich zu packen sobald ich die Schwelle übertrat.

Wie bin ich überhaupt zu dem Schluss gekommen dieser Frau zu vertrauen? Weil sie freundlich war? Tja, das war Fräulein Bélanger auch gewesen und nun sah ich ja wie sich dieser erste Eindruck gewandelt hatte. Ich war mir ja noch nicht einmal sicher gewesen ob nicht vielleicht sogar Christopher in diesen ganzen Wahnsinn involviert war, warum also sollte ich dieser Person nun vertrauen?

Klar hatte sie mich erst von diesem Haus gewarnt, aber vielleicht gehörte das ja auch zu ihrem perfiden Spiel das sie mit mir trieben. Ein bestimmtes Puzzleteil das ich bisher noch nicht durchschaut hatte. Aber selbst, wenn ich sie zu Unrecht verdächtigte, helfen konnte sie mir scheinbar ohnehin nicht.

Ihr Telefon war tot und auch wenn sie vermutlich stärker war als jede einzelne der alten Frauen von Gegenüber, so konnte sie gewiss nicht gegen dieses Ungeheuer von einem Dämon ankommen, der unter diesen verweilte. Und sollte sie unschuldig sein, brächte meine bloße Anwesenheit sie zweifelsohne mit in Gefahr, während ich, sollte sie doch zu diesen Teufelsanbeterinnen gehören, augenblicklich von hier verschwinden sollte.

Es war ein für diesen Augenblick viel zu kompliziertes Durchdenken des Ganzen, doch binnen weniger Sekunden war ich wieder auf der Straße und indessen ich mich weiter durch die eisige Regenwand kämpfte, ließ das lautstarke Prasseln um mich die verzweifelten Rufe der Kioskdame innerhalb kürzester Zeit verstummen.

Die Pfützen gaben ein lautes Plätschern von

sich als ich durch sie hindurch hastete und es dauerte nicht lange bis ich dieses Geräusch mehrere weitere Male hinter mir vernahm. Sie folgten mir. Wie viele? Ich wusste es nicht – konnte es gar nicht wissen und ich hing zu sehr an meinem Leben, um mich einfach umzudrehen und dadurch meine Neugierde zu stillen. Eine Neugierde die mich ohnehin schon in genug Schwierigkeiten befördert hatte als ich es mir jemals hätte vorstellen können.

Die Schritte hinter mir schienen schneller zu werden und vor allem mehr – viel, viel mehr. Ich mochte mir gar nicht vorstellen, wie viele dieser erstaunlich fitten Greisinnen mir inzwischen an den Hacken hingen und je mehr ich darüber nachdachte, desto mehr überkam mich die Befürchtung, dass sie mich einkreisen und mir abermals jegliche Fluchtmöglichkeiten vereiteln würden.

Bisher hatte ich sowieso mehr Glück als Verstand besessen und es war nur eine Frage der Zeit bis mir dieses Glück abhandenkommen würde. Ein weiteres Mal wollte ich es definitiv nicht darauf ankommen lassen.

Das Plätschern hinter mir begann lauter zu werden und in meinem Kopf malte ich mir bereits aus, dass inzwischen die halbe Stadt hinter mir her war. Dass jeder verdammte

Mensch hier dieses Ding verehrte und dieses Haus nicht etwa sein Versteck, sondern seine Kirche war, zu welcher hin und wieder gepilgert wurde, was auch die zwei unbekannten Männer erklären würde, die eines Tages aufgetaucht waren und welche ich danach nie wieder gesehen habe.

Ich begann zu weinen, versuchte die Angst, die mich scheinbar langsamer werden ließ, aus meinem Körper herausströmen zu lassen, sodass sie nicht länger ein Hindernis für mich darstellen würde. In der Zwischenzeit formte sich die Menge aus Sektenanhängern hinter mir zu einem einzig großen Gebilde, welches viele Gesichter zu modellieren in der Lage war.

Ich sah Frau Bélanger, mit ihrem trügerischen Lächeln.

Ich erkannte Papa, dessen Lächeln eine ganz andere, viel schmerzlichere Bedeutung besaß.

Ich konnte Christophers Gesicht erahnen. Sein unschuldiger Blick und diese Zuversicht, dass ich in dieser Stadt Fuß fassen und das Glück erreichen würde, nach dem ich mich schon immer gesehnt hatte. Lügner!

Und zu guter Letzt verschmolzen all diese Gesichter zu einer mir wohlbekannten Kontur. Das Gesicht ohne Augen, mit wild wuchernden Zähnen und einer Nase, die wie ein geworfener

Dolch auf mich zugeschossen kam. Jener Schrecken, welcher mir das volle Ausmaß seines entstellten, grauenhaften Antlitzes bis vor Kurzem noch so gut mit seiner Pestmaske vorenthalten konnte.

Und während ich verzweifelt weiter durch den Regen stürmte in der Hoffnung dieser Hölle noch rechtzeitig zu entfliehen, schienen die Menschen hinter mir zu schreien und diese Schreie taten das, was auch die Bilder in meinem Kopf getan haben, sowie ich sie vor Augen hatte. Sie verschmolzen miteinander, schufen einen entsetzlichen Laut, der sich durch meine Ohrmuschel zwängte und wie ein aggressiv gewordener Stier hinter meinem Schädel zu wüten und Worte zu formen begann. Worte die so deutlich wurden als hörte ich sie wahrhaftig. Nicht allerdings hinter mir – nein. Sie waren über mir, unter mir, umkreisten mich in wilder Raserei.

Es war als würden die zornige Stimme Gottes und der boshafte Schrei Satans zeitgleich einen Fluch auf mich aussprechen und mir eine gemeinsame Stimme hinterherhetzen, die immer und immer wieder dasselbe brüllte:

»GIB IHN MIR! GIB IHN MIR! GIB IHN MIR!«

*

Meine Lungenflügel brannten mit jedem kalten Luftzug mehr und spätestens als alles um mich herum selbst dann noch verschwommen war, nachdem ich wie schon so oft den blendenden Regen aus meinen Augen gewischt hatte, wurde mir klar, dass mir meine Sinne schwanden. Bald schon würde mir die nötige Kraft fehlen, um meinen Vorsprung beizubehalten.

Ächzend schleppte ich meinen erschöpften Leib weiter durch unzählige Pfützen, von denen einige mir fast schon wie kleine Seen vorkamen, die meinen Sprint unnötig stark ausbremsten.

Keuchend, aber weiterhin willensstark, stolperte ich unaufhaltsam vorwärts und obwohl ich nicht wusste wo ich war und nicht einmal erkennen konnte ob ich soeben eine Straße oder eine Wiese überquerte, schaffte ich es dennoch irgendwie, dass die unzähligen Schritte hinter mir langsam zu verstummen begannen. Anscheinend war eine verletzte junge Frau trotzdem noch schnell genug, um einem tollwütigen Rentnerverein zu entkommen und über diese Erkenntnis war ich unfassbar froh.

Doch alleine die Tatsache, dass ich meine Verfolger nicht mehr sah, reichte bei Weitem nicht aus, um mich gänzlich zu beruhigen.

Weiterhin in ungeheurer Angst stürmte ich
weiter geradeaus ohne überhaupt ein genaues
Ziel vor Augen zu haben, außer jenes einfach
nur aus dieser Stadt zu verschwinden.

Und es war mir egal ob ich bei dem Versuch
hier abzuhauen im nächsten Graben als
Wasserleiche enden würde; Hauptsache ich
müsste niemals wieder diesen ekelhaften
Gestank der Verdammnis in meine Nasenlöcher
eindringen lassen und diese schauderhafte
Stimme in meinen Ohren dröhnen hören.

Je mehr ich jedoch darüber nachdachte, desto
mehr drängte sie mir die Erinnerung an jene
Stimme wieder auf und begann erneut mein
Trommelfell zu malträtieren.

Gib ihn mir... Gib ihn mir!

Immer wieder dieser gleiche, nicht verstummen
wollende Satz. Wer weiß was er mit diesem
Ring vorhatte. Dieses inzwischen so scheußlich
auf mich wirkende Schmuckstück war genauso
unheimlich wie es schön war. Die Obsession
die ein jeder auf ihn hatte, allen voran diese
Monstrosität und dann diese bizarre Wirkung
die er auf Ratten ausübte. Wie sie mich dort
unten im Kellergewölbe nur anstarrten als
gehöre ich zu einer der ihren.

Und dann der Anblick dieses grässlichen
Rattenkönigs, der den Ring förmlich

verschlungen hatte.

Wer konnte schon ahnen was der Ring tatsächlich für einen Wert oder viel eher welche seltsamen Eigenschaften er besaß, die nicht mit dem bloßen Auge ersichtlich waren. Und wie machte sich wohl dieses maskierte Biest seine schaurige Kraft zunutze? Je mehr ich darüber nachdachte, umso mehr versuchte ich jeglichen Erklärungsversuch sogleich wieder zu verdrängen aus Angst erneut von grauenerregenden Ideen geplagt zu werden.

Wozu bitte hätte das auch gut sein sollen? Schließlich hatte ich schon genügend Panik und musste mir nicht noch in meinen schrecklichsten Vorstellungen ausmalen, wie dieser Kult ganz Heerscharen an Menschen in seinen Keller trieb, um sie dort von Ratten zerfleischen zu lassen… verdammt! Ich tat es ja doch!

Ein scheußlicher Gedanke nach dem anderen und ein niemals enden wollender Zyklus des Entsetzens begann seine unaufhörlichen Kreise in meinem Verstand zu drehen, von welchem meines Erachtens nach ohnehin nicht mehr sonderlich viel übriggeblieben war. Zu meinem Pech hatte diese zusätzliche Erschöpfung mit jedem Schritt zugenommen und aufgrund dessen, dass ich mich von meinen

Horrorvorstellungen viel zu sehr habe ablenken lassen, war mir völlig entgangen, dass meine biologische Batterie längst ausgedient hatte.

Fast so als hätte jemand den Stecker gezogen, kippte ich mit einem Mal plötzlich um wie ein Brett. Ich taumelte vorher nicht einmal, nein, ich begann einfach mitten im Laufen zu fallen und war aufgrund der in mir herrschenden Schwäche nicht einmal dazu in der Lage gewesen, mich auch nur ein wenig abstützen zu können. Um mich herum wurde es schwarz...

»Du meine Güte! Fräulein? Sind sie wach?!«

Eine nasse Hand tätschelte meine Wange und ich schlug ganz benommen meine Augen wieder auf. Zunächst erschrak ich bei dem Anblick des etwas in die Jahre gekommenen Herren, doch als er mich einfach nur erleichtert anlächelte und mir seinen Arm als Stütze hinhielt, während ich mich wieder auf meine Beine stemmte, verflog dieser Schrecken wieder. Wäre er wirklich ein Teil dieser Sekte gewesen, hätte er keinen Grund mehr dazu gehabt mich anzulächeln und ich war mir sicher, dass sie auch genau das nicht taten, wenn sie es nicht mussten, um den Schein weiterhin zu wahren.

Des Weiteren wäre es für ihn als Kultanhänger absolut sinnlos gewesen mich aufzuwecken, schließlich hätte er mich bewusstlos deutlich unkomplizierter transportieren können und wäre zudem noch der, für ihn sicher nervenden, Gegenwehr aus dem Weg gegangen.

»Kommen sie. Ich helfe ihnen. Was um alles in der Welt machen sie denn um diese Uhrzeit hier draußen in der Kälte – noch dazu bei solch einem Sauwetter?«

Ich antwortete nicht, versuchte stattdessen mir darüber klar zu werden, wo wir uns eigentlich befanden und wohin mich der Unbekannte Mann zu bringen gedachte. Als ich inmitten der ansonsten völlig schwarzen Umgebung ein gelbes Taxisymbol aus dem Nichts vor mir aufleuchten sah, atmete ich erleichtert aus.

»So,« sagte der Mann, nachdem er mir auf den Rücksitz geholfen und mir eine Wolldecke über den nassen Körper gelegt hatte. »Ich werde sie gleich ins nächstgelegene Krankenhaus fahren, haben sie keine Angst. Die werden sich ihrer dort sofort annehmen.«

Das Krankenhaus?! Niemals! Das wäre zu einfach, da würde diese Vogelscheuchen mich doch sicher als allererstes suchen und noch dazu war mein eigentlicher Plan ja auch gewesen, dass ich so schnell ich konnte Land gewann und Runan auf ewig lebe wohl sagen konnte.

»Nein! Bitte nicht!«

Er sah mich irritiert durch den Rückspiegel an.

»Nein?«, fragte er verwirrt, so als könne er
nicht glauben, was er soeben gehört hatte.

»Aber Fräulein, sie bluten stark im Gesicht.
Ihre Stirn ist aufgeschlagen und ihre Nase ist
sicherlich gebrochen. Außerdem zittern sie wie
Espenlaub, Kindchen. Sie werden sich noch
den Tod holen, wenn ich sie nicht gleich einem
Arzt übergebe.«

Ich versuchte mich angestrengt wach zu halten.
Würde ich einschlafen, dann ginge der Mann
sicher unweigerlich von einer Ohnmacht aus
und wenn ich dann das nächste Mal erwachen
sollte, würde dies mit Sicherheit in einem
Krankenhausbett geschehen und das wollte ich
auf gar keinen Fall zulassen.

»Ich danke ihnen vielmals für ihre Besorgnis,
aber ich brauche sicherlich keinen Arzt. Ich
brauche nur ein wenig Schlaf und einen heißen
Tee, das ist alles.«

»Na, wenn das so ist,« entgegnete er
erstaunlich gelassen. »Dann erlauben sie mir
bitte wenigstens, dass ich sie nachhause fahre.
Ich könnte heute Nacht kein Auge zu tun in der
Gewissheit, dass ich sie mutterselenalleine
wieder hinaus in den Regen geschickt habe

ohne mich zu vergewissern, dass sie auch sicher wieder heimkehren.«

Ich lächelte. Dann begann ich zu überlegen. Wo könnte er mich schon hinbringen? Die nächstgelegene Stadt lag mehr als 20 Kilometer entfernt und ohne mein ganzes Geld hatte ich auch nichts bei mir, was mir eine Unterkunft gewährleisten würde.

»Würden sie mich bitte zur nächsten Polizeistation bringen?«

Er schaute mich plötzlich so an als ich hätte ich soeben die absurdeste Frage gestellt die man sich nur vorstellen konnte.

»Zur Polizei? Na gut, wenn sie meinen, aber ich warne sie schon mal vor; heute ist wieder der Teufel in der Stadt unterwegs, das könnte also eine ganze Weile Zeit in Anspruch nehmen.«

»Das ist schon in Ordnung. Das Einzige was ich möchte ist, dass ich bis dahin nicht alleine bin, völlig egal wie lange ich dort sitze.«

Er trat auf das Gaspedal und der Wagen setzte sich in Bewegung.

»Also zur Polizeistation. Das sind zum Glück auch nur drei Blocks, sie waren also quasi um die Ecke.«

Der Teufel ist in Stadt unterwegs... ob er wusste wie viel Wahrheit er in diesem einen Satz hätte finden können? Seine folgenden Worte verschwammen in der Luft bevor sie meine Ohren erreichten.

Es dauerte nur wenige Minuten bis das Taxi wieder hielt, doch gerade als ich mich dankend von meinem Fahrer abwandte und zur Tür hinüberlehnte erstarrte ich noch in der Bewegung.

Dieses Gesicht. Auch wenn es nur dieses eine Mal kurz gesehen hatte so konnte ich mich noch gut genug daran erinnern, um sogleich misstrauisch zu werden, noch bevor ich es richtig hatte zuordnen können.

Sein Bart, die entblößte Kopfhaut und dazu diese unverkennbare Brille. Es war der Mann der mich nach meiner ersten Nacht in Fräulein Bélangers Mietswohnung draußen vor der Tür überrascht und um Einlass geboten hatte. Dass ich ihn nicht sofort erkannt hatte lag jedoch daran, dass er diesmal statt seines schwarzen Anzugs in einer Polizeiuniform gekleidet war!

Beinahe blitzartig, aber noch so vorsichtig, dass ich die Aufmerksamkeit nicht unnötig auf mich lenkte schloss ich die Autotür wieder und drückte meinen wieder zu zittern beginnenden Körper tief in die Lehne meines Sitzes als wolle ich diesen als letztes mögliches Versteck benutzen.

»Was ist denn los? Ist ihnen der Andrang doch zu groß, Kleines?«

»Äh…,« stammelte ich und versuchte schnell die passenden Worte zu finden bevor mich der Mann noch gänzlich für verrückt hielt und mich am Ende freiwillig der Polizei übergab. »Ja, es ist schon ziemlich voll.«

»Dann vielleicht doch lieber das Krankenhaus?«

Nein. Auf gar keinen Fall, dessen war ich mir gewiss. Ob er mich bis in die nächste Stadt fahren würde? Sicher nicht, aber wohin sollte ich sonst? Ich spürte wie sich mein Energiespeicher unaufhaltsam absenkte. Bald würde ich die Augen nicht mehr offenhalten können und dann könnte ich den Herren nicht mehr davon abhalten mich an einen öffentlichen Ort zu bringen an dem ich zweifellos entdeckt werden würde. Wenn diese alten Vetteln nun scheinbar sogar die Unterstützung der Polizei auf ihrer Seite hatten, wurde meine Möglichkeit an Verstecken ja noch mehr eingegrenzt.

Letztendlich wurde mir klar, dass es keinen Ort gäbe an dem ich mich sicher versteckt halten konnte. Oder doch? Hatte mein bisheriges

Misstrauen mir tatsächlich geholfen oder entfernte es mich nur unnötig weiter von der Hilfe, welche direkt vor meiner Nase darauf wartete von mir in Anspruch genommen zu werden?

»Kennen sie die Motels am Ende der Stadt? Kurz bevor man das Ortschild erreicht?«, fragte ich zögerlich.

»Natürlich kenne ich die. Soll ich sie dort hinfahren?«

Blieb mir denn eine andere Wahl? Auch wenn ich mich in meinem Netz der Paranoia heillos verfangen hatte erschien es mir als die einzige Lösung die mir bis auf Weiteres blieb bevor ich vor lauter Erschöpfung zusammenbrach. Angesichts dieses Risikos hatte ich mit dieser Entscheidung wohl noch die besten Chancen.

»Das wäre sehr freundlich von ihnen.«

Der Wagen setzte sich in Bewegung und trotz meiner bisherigen Bedenken, begann ich mich nun wahrhaftig besser und sogar ein wenig sicherer zu fühlen. Endlich würde diese Tortur ein Ende nehmen. Christopher müsste ja auch nicht die volle Wahrheit kennen, zumal er sie mir ja ohnehin nicht glauben würde. Wer bitte wäre schon so fantasiereich? Bevor er wieder versuche es mir auszureden könnte ich ihm ja sagen, dass ich bis auf Weiteres bei Nicole unterkäme. Da er ja sicherlich nicht mehr im Kontakt mit ihr stand würde er auch bestimmt keinen Verdacht schöpfen, wenn ich behauptete, dass sie inzwischen woanders lebte und ich nicht gedachte nach Berlin zurückzukehren. Vielleicht Hamburg oder so.

Sollte ihm meine Begründung für die Abreise immer noch nicht plausibel genug erscheinen, könnte ich zudem immer noch behaupten, dass ich heute Morgen einen Drohbrief von Papa mit der Post erhalten habe oder ich einen anderen irren Stalker hätte der mir die letzten Tage aufgelauert hatte. Eine Lüge die mir recht leichtfallen dürfte, da es sich ja dabei schließlich fast um die Wahrheit handelte. Immerhin ging ich ja letztlich auch nicht zu ihm, um zu reden. Auch wenn ich über diesen Aspekt in unserer Freundschaft immer sehr dankbar war, hat es mir hier in meiner neuen Heimat nicht gerade die besten Dienste erwiesen. Diesmal sollte er einfach nur zuhören und sich mit den Antworten zufriedengeben die er von mir erhalten würde. Alles worauf ich jetzt noch von seiner Seite aus hoffte waren ein Bett oder zumindest eine Couch zum Schlafen.

Zum Glück lagen diese Motels eine ganze Weile von Fräulein Bélangers dunkelgrüner Kultstätte entfernt, was mir genügend Zeit verschaffen sollte, um mir schnellstmöglich etwas einfallen zu lassen wie ich am besten von hier wegkam. Der Bus, der Zug – egal; irgendein geeignetes Verkehrsmittel ließe sich schon ausfindig machen. Bis diese Furien auf die Ideen kommen würde an diesem verruchten Ort nach mir zu suchen, hätte ich mich schon ausreichend erholt und wäre auf dem Weg zurück nach Berlin. In ein Leben zurück, das mir sicherlich nicht behagte, aber dem, welches ich hier führte, ohne jeden Zweifel überlegen war.

Es war wie eine heilige Zuflucht als ich die vielen kleinen Gebäude im Regen erkannte und sich ihre Schatten zwischen den Tropfen, die beinahe wie nasse Bindfäden vom Himmel hingen, hervorschälten. Das Fahrzeug bog in die matschige Einfahrt ein und ich sprang mehr durch die Autotür ins Freie als dass ich ging.

»Dann alles Gute. Ich hoffe sehr, dass ihnen nichts geschehen wird, also passen sie ja auf sich auf. Und waschen sie die Wunde noch gut aus, bevor sich das Ganze nachher noch infiziert,« sagte der Mann und winkte im Anschluss, während sich sein Wagen wieder auf die gänzlich leere Fahrbahn zurückbewegte und wieder in die Richtung verschwand, aus welcher er gekommen war.

Ich blieb zurück, winkte noch ganz kurz

hinterher und eilte dann wieder so schnell ich konnte zu dem Zimmer, in welchem ich Christopher erst vor so kurzer Zeit besucht hatte. Schon komisch, dass dieser Besuch bereits auch gleichzeitig mein letzter sein sollte. Noch komischer war, dass er mir sogar letztes Mal noch angeboten hatte hier ein Zimmer zu nehmen, anstatt mitten in der Stadt und ich mit der Begründung abgelehnt hatte, dass mir die ganze Gegend, einschließlich der Gebäude viel zu ranzig und unheimlich erschien.

Tja, ist nun mal nicht alles Gold was glänzt, hallte es in meinem Kopf, während ich klopfte und daran dachte, was mir doch alles erspart geblieben wäre, wenn ich einfach von Anfang an hier im Motel untergekommen wäre. Vielleicht waren Christophers Erfahrungen mit dieser Stadt ja genau aus diesem Grund so gut und unterschieden sich daher auf solch extreme Weise von den meinen. Aber wer würde schon erwarten, dass er mit einem Mietvertrag für eine schöne Wohnung in der Stadt zeitgleich einen Vertrag mit der Hölle abschließen würde? Und wieder überlegte ich, ob ich nicht bereits vor meinem Einzug als Opfer auserkoren worden war. *Verschwindet!* flüsterte ich wütend vor mich hin, wohl wissend, dass meine Wahnvorstellung davon nicht verschwinden

298

würden, aber unversucht lassen konnte ich es nun mal auch nicht. Ich klopfte ein zweites Mal – diesmal jedoch deutlich zögerlicher.

Schritte waren auf der anderen Seite zu hören und als die Tür sich einen Spalt öffnete, blickte ich in die beinahe vollständig geschlossenen und äußerst verschlafenen Augen von Christopher, die sich jedoch sogleich weit öffneten, als er realisierte, dass ich es war, die ihn aus seiner Nachtruhe herausgerissen hatte.

»Was machst du denn hier?«

Noch während ich ihm antwortete, stolperte ich schon in sein Zimmer hinein.

»Am liebsten wäre es mir ja du fragtest überhaupt nicht, aber um ehrlich zu sein, wollte ich dich fragen ob ich hier für eine Nacht schlafen darf und ob du mir eventuell auch etwas Geld leihen würdest.«

Verdutzt und etwas nervös sah er mich an.

»Ist irgendwas passiert?«

Im ersten Moment schwieg ich nur. Ließ meinen Blick über die fleckige Tapete streifen, hinunter auf den mit herumliegenden Sachen gefluteten Boden, so als würde ich eine passende Antwort einfach aus meiner Umgebung greifen können. Er wusste ja gar nicht wie viele Antworten ich auf diese Frage hätte geben können und wie gerne hätte ich ihm alle genannt, aber das konnte ich nicht.

Nicht nur, dass er mich davon abhalten würde die Stadt zu verlassen, nein, er würde mir vermutlich noch irgendwelche Nervendoktoren auf den Hals hetzen, so als würde ich nicht bereits von genug Leuten verfolgt werden.

»Oh ja. Es ist so einiges passiert.«

Vager hätte meine Aussage letztendlich gar nicht sein können, doch ich hoffte, dass ihm die Information genügte, dass es mir schlecht ging und ich lieber auf seinen Beistand in Form von Taten anstatt von offenen Ohren vertraute. Entgegen meiner Erwartungen erfüllte sich genau dieser Wunsch.

Keine fünf Minuten später saß ich mit einer Tasse Tee in der Hand und einer heißen Schüssel Suppe auf seinem Sofa und schüttete ihm mein Herz über all die Dinge aus, die mich belasteten und die ich ihm ohne Weiteres mitteilen konnte ohne zu fürchten, von ihm als verrückt abgestempelt zu werden. Die entscheidenden Erlebnisse versuchte ich natürlich so gut es ging auszuklammern ohne, dass meine Erzählung allzu lückig klang. Er hörte mir aufmerksam zu.

»Na klar kannst du bleiben und ja, wenn du finanziell gerade in einer Krise bist, dann unterstütze ich dich da natürlich. Du kannst auch gerne länger als nur heute Nacht bleiben, wenn du magst, auch wenn ich weiß, dass es echt einladendere Unterkünfte in der Stadt gibt.«

Das konnte gut sein, aber im Vergleich mit dem was ich bisher erblicken musste, war dieses Loch hier das reinste Paradies.

»Das ist echt lieb von dir. Aber ich bleibe nicht länger.«

Ich überlegte kurz, wusste nicht recht ob, und wenn ja *wie* ich es ihm sagen sollte. Zwar hatte ich mir die möglichen Geschichten schon im Taxi zusammengereimt, andererseits konnte ich nicht zulassen, dass er nach meiner Abreise ewig im Unklaren verweilen musste.

»Ich werde morgen wieder heim nach Berlin fahren.«

Sobald der Satz über meine Lippen gekommen war, ärgerte ich mich wieder über meine Ehrlichkeit.

»Was?!«

Seine Worte kamen unerwartet aggressiv, zeitgleich jedoch auch schrecklich besorgt aus ihm herausgeplatzt. Es war beinahe wie ein Peitschenschlag, der die bisherige Ruhe durchschnitt und mich mit einem Mal wieder hellwach werden ließ.

»Bist du bescheuert, Nina?! Du müsstest am allerbesten wissen, dass Berlin der allerletzte Ort ist, den du ansteuern solltest! Denk doch mal an all das Grauen, dem du von dort aus entflohen bist! Willst du wirklich dahin zurück, diesen Terror wieder jeden Tag aufs Neue erleben?!«

»Ich werde schließlich nicht wieder zu ihm ziehen,« gab ich recht leise zurück und bereute inzwischen immens, dass ich ihn über mein Vorhaben in Kenntnis gesetzt hatte.

»Glaubst du das macht einen Unterschied?!«, fuhr er mich weiterhin verärgert an. »Anscheinend hast du ja Geldprobleme. Wo willst du so schnell genug Geld für eine Wohnung auftreiben? Wo willst du übernachten bis du dieses Geld bekommst? Wenn du jetzt gehst, dann springst du wieder freiwillig direkt in seine Arme, ist es wirklich das was du willst?!«

Meine Stimme schien noch leiser zu werden, doch zischte ich meine Worte diesmal mit einem fast nicht mehr zu bändigendem Zorn.

»Ich habe gesagt ich werde zurückfahren. Du kannst mir dabei helfen oder es sein lassen, aber ich sage dir, dass diese Nacht die letzte ist, die ich in dieser verpesteten Drecksstadt verbringe. Lieber springe ich wieder direkt in seinen Schoß als dass ich auch nur einen Tag länger als nötig hierbleibe.«

Christophers Wut schien mit einem Mal wie weggeblasen. Stattdessen hatte sich einfach nur pure Fassungslosigkeit in seinem Gesicht breit gemacht.

»Du würdest wirklich das Leben das du dir erkämpft hast, gegen das deines vergangenen Ichs eintauschen?«

»Wenn das das Leben ist, welches ich mir in meinem alten Leben so sehr herbeigesehnt habe, dann ja. Ich ertrage es einfach nicht, ich ersticke verflucht nochmal in dieser Stadt.«

Er kam auf mich zu, griff meine Schultern und starrte mir mit verzweifelten Augen in die meinen.

»Nina… hör' mir zu. Du machst gerade eine schwere Zeit durch. All der Schmerz, den du zu verdrängen versuchst, das alles – niemand hat gesagt, dass es einfach werden würde.«

»Du verstehst es einfach nicht.«

Ich spürte wie ich wieder zu weinen begann und mich eine allesverschlingende Schwäche überkam, die meine Beine zum Einknicken brachte.

»Ich kann hier nicht bleiben. Nicht hier. Du weißt doch gar nicht was ich durchgemacht habe.«

Ich wollte es ihm sagen, bei Gott, wie gerne wollte ich mich erleichtern und ihm die ganzen wilden Geschichten der vergangenen Stunden wie Geschosse entgegenschleudern, aber ich konnte es einfach nicht.

»Bitte, Nina. Bitte! Ich fürchte du weißt nicht was du da tust. Hier hast du die Chance ein neuer Mensch zu werden. Ich weiß es, ich habe diese Nina gesehen – und sie ist ein wundervoller Mensch, weil sie ihre Sorgen einfach von sich abgeworfen und hinter sich gelassen hat. Du kannst wieder zu dieser Person werden, da bin ich mir sicher. Halte einfach nur durch und du wirst zu dem Ich finden, nach dem du schon dein ganzes Leben lang gesucht hast.«

Er wollte es einfach nicht verstehen. Aber konnte ich es ihm verübeln? Aus seiner Perspektive traf ich die mit Abstand dümmste Entscheidung aller Zeiten. Ich kehrte in die Arme eines Vergewaltigers zurück und das ohne einen vernünftigen Grund den ich ihm hätte nennen können.

Wenn ich so darüber nachdachte, brauchte er es auch gar nicht zu verstehen. Alles was er verstehen sollte war, dass ich furchtbare Angst hatte. Aber selbst das würde als Grund wohl nicht ausreichen, um ihm meine Entscheidungen in irgendeiner Weise als sinnvoll zu verkaufen.

»Dieses Ich, Christopher, hat mehr Angst als die alte Nina es je hatte. Diese Nina erlebt keinen Neuanfang ihres Lebens – es ist ihr Ende dem sie entgegenrennt.«

Seine Hände wanderten von meinen Schultern auf meine, von den Tränen geröteten, Wangen.

»Bitte tu' das nicht. Ich flehe dich an, ich bettle, wenn du das möchtest, nur bitte begib dich nicht wieder in diese Hölle.«

»Ich habe die Hölle gesehen, aber sie hat nicht in Berlin auf mich gewartet.«

»Dann sag' mir, was du mir nicht sagen willst.«

Seine Augen begannen nun ebenfalls glasig zu werden. Seine glänzenden Tränen schrien mich an ihm zu sagen was in mich gefahren war, doch selbst, wenn ich das Monster in meinen Erzählungen durch eine der Hausbewohnerinnen ersetzen würde, hätte meine Geschichte keinerlei Bestand. Würde ich eine der alten Frauen in meiner recycelten Version wie eine Mörderin dastehen lassen, würde die anderen mit absoluter Sicherheit für sie bürgen und wer glaubte schon der Aussage einer völlig Fremden, wenn ihr Wort gegen das von einem Dutzend alteingesessener Stadtbewohner stand?

Würde es zu solch einem Prozess kommen, würden mir auch die alten Gruselgeschichten um das alte Haus nicht zu mehr Glaubwürdigkeit verhelfen. Ich war sicher, dass ich nicht einmal Beweise liefern könnte. Falls dieser ganze Kult schon so lange existierte wie Fräulein Bélanger behauptete, dann hatten sie mit Sicherheit auch für solch einen Vorfall einen Notfallplan parat. Sie brauchten ja schließlich nichts zu tun als ihren Schützling oder Meister schnellstmöglich in ein neues Versteck zu verfrachten und was blieb in dem Fall schon noch übrig außer ein paar alten Tunneln und einem Haufen Kerzen?

Und der Ring? Den hatte ich beinahe wieder vergessen, aber nützen tat er mir letztendlich auch nicht viel. Im Gegenteil – er würde mich nur noch tiefer in das ganze Schlamassel hineinreiten, denn dann würde die Anklage gegen mich nicht nur auf „Rufmord", sondern zu allem auch noch auf Diebstahl beruhen und das würde sämtliche Siegeschancen meinerseits auf ein absolutes Tief sinken lassen.

»Ich kann nicht – ich, ich will einfach nur noch

nach Hause.«

Er küsste mich. Völlig überraschend und ohne Vorwarnung. Wie ich darauf reagieren sollte, wusste ich in diesem Moment nicht. Zwar küsste ich ihn nicht zurück, doch ließ ich es geschehen. Es war auf eine gewisse Art beruhigend, wenn auch befremdlich, vor allem in diesem Augenblick.

»Du bist zuhause, Nina.«

Ich löste seine Hände von meinem Gesicht und wich zurück. Meine Mimik verzog sich zu einem wilden Spiel aus Wut, Trauer und Angst – furchtbarer, panischer Angst.

»Eher lasse ich mich bis ans Ende meines Lebens jede Nacht wieder und wieder von ihm ficken, bevor ich in dieses verteufelte Irrenhaus zurückkehre.«

Irrenhaus. Ein gutes Stichwort, denn so wie mich Christopher nun anblickte, glaubte ich, dass ich ihn nun wahrlich so weit hatte, dass er mich in ein solches einweisen lassen würde.

»Nina…«

Ich wandte mich ab, den Kopf gesenkt.

»Es tut mir leid, aber ich will einfach nur noch hier weg.«

Dann herrschte Stille und das für eine gefühlte

Ewigkeit. Ich hörte Musik aus den benachbarten Zimmern, vernahm den leisen Klang von Autos die in der Ferne die Straße entlang fuhren bis ich spürte, wie sich Christophers Arme um mich schlossen.

»Wenn das so ist, dann fliehe nicht zurück in die Hölle aus der du gekommen bist. Such' dir irgendeine andere Stadt, zieh' zur Not aufs Land, wenn du magst oder finde dein Glück im Ausland, aber kehre nicht zu diesem furchtbaren Menschen zurück.«

Ich legte meine Hand leicht auf seine.

»Das will ich ja auch nicht. Kaum ein anderer Gedanke widerstrebt mir so sehr wie dieser, aber so wie ich das sehe, bleibt mir doch nichts anderes übrig. Ich habe keine müde Mark mehr in den Taschen, diese Stadt hier ist der blanke Horror und ich will lieber in ein Elend zurückkehren mit dem ich umgehen kann, als in diesem neuen, viel schlimmeren Elend zu versinken.«

Klar, ich hatte den Plan gehabt mithilfe des Rings Geld zu beschaffen, um mit diesem zu fliehen. Genug würde er mit Sicherheit bringen, auch ohne, dass ich erwähnte wozu er imstande war. Aber ich wollte ihn nicht länger bei mir behalten – es war einfach zu riskant.

Ich konnte ihn nicht einfach verkaufen, das

würde zu viel Aufsehen erregen und dann würden mich meine Verfolger im Nu wieder im Visier haben. Leider wusste ich keine andere Möglichkeit, um dieses Ding in Geld zu verwandeln, ergo würde ich ihn behalten müssen, bis ich ihn sicher gegen Bezahlung tauschen konnte und das würde gegebenenfalls noch eine ganze Weile dauern und ich war nicht gewillt dieses Teil noch länger mit mir rumzuschleppen.

Womöglich spürte sein eigentlicher Besitzer sogar wo er war und würde mich immer und überall finden, egal wo ich mich zu verstecken versuchte. Und wenn ich nur zwischen verschiedenen Übeln wählen konnte, dann war es doch offensichtlich, dass ich mich für das Geringere entschied, nicht wahr?

Christopher drehte meine Hüfte, sodass ich ihm wieder in die Augen sah. Er weinte noch immer.

»Dann lass mich dir helfen. Lass mich dieser Anker sein, den du so verzweifelt suchst. Ich weiß du kannst dir sicher was Besseres vorstellen, aber bevor du dich dazu gezwungen fühlst, nach Berlin zurückzukehren, lass' mich dir helfen woanders ein neues Leben aufzubauen. Ich habe nicht viel Geld, aber ich kann welches beschaffen und ich würde bei dir

bleiben, dich dabei unterstützen Halt zu finden.
Komm mit mir mit. Hier hält mich doch nichts-
es gefällt mir, aber - wenn es für dich so
schrecklich ist, dass du sogar deine furchtbare
Vergangenheit als Tausch dafür in Kauf nimmst
– dann lass mich dich aus dieser Stadt holen.«

»Christopher das… das kann ich unmöglich
von dir verlangen.«

Er strich mir über die Wange, hielt mich
weiterhin mit der anderen Hand fest – gab mir
Sicherheit. Und kurz, nur für einen Augenblick,
begann ich doch tatsächlich zu lächeln…
ebenso wie er.

»Das hast du auch nicht. Es ist mein Wunsch
dir zu helfen, das war es immer gewesen.«

Mit einem Mal fühlte es sich so an, als würde
mir schlagartige sämtliche Energie aus dem
Körper gesogen werden. Meine Augenlider
wurden so schwer, dass es mir schwerfiel, sie
aufzuhalten, um mich noch einigermaßen zu
orientieren.

»Ich – ich bin so müde.«

Beinahe als würde ich in Ohnmacht fallen,
sackte ich in mich zusammen, wurde jedoch
rechtzeitig von Christopher aufgefangen.

»Keine Sorge, Nina. Es wird alles wieder gut.«

Obgleich noch immer Tränen an seiner Wange entlangrollten, war sein Gesicht plötzlich so reglos und kalt wie ich es noch nie zuvor gesehen hatte. Als wäre er binnen von Sekunden zu einem anderen Menschen geworden – wie besessen.

Dann begann seine Stimme im großen Nichts der Träume zu verschwinden, löste sich auf bis ich kaum noch verstand was er sagte.

»Du warst schon immer zu so viel mehr bestimmt.

Bald ist alles vorbei … einfach… geschehen…«

Die Müdigkeit übermannte mich vollends und als ich weichen Stoff unter meinem erschlafften Leib spürte, die Berührung von Christophers rauer Hand auf meiner warmen Wange wahrnahm und fühlte wie sich seine feuchten Lippen zärtlich auf die Meinen pressten, da vernahm ich wieder dieses Geräusch. Ein Geräusch, dass mich normalerweise sofort wieder aus meiner Trägheit hätte hochfahren lassen.

Doch ich war der aufdringlichen Schläfrigkeit gänzlich ausgeliefert und so konnte ich lediglich hilflos mitanhören, wie sich um mich herum das grauenerregende Fiepen von Ratten zu intensivieren begann.

*

Als ich erwachte und realisierte, dass die mich einnehmende Ermüdung ausreichend abgeklungen war, sprang ich ruckartig aus dem Bett auf, wobei ich jedoch augenblicklich mein Gleichgewicht verlor und auf den harten Dielen des Bodens aufprallte. Wo waren sie? Wo hatten sich diese Biester versteckt?!

Langsam krabbelte ich noch etwas benommen über den Boden und schaute mich hektisch um, wobei mein Blick kurzzeitig die Uhr auf Christophers Nachttisch fixierte.

02:47 Uhr.

Nicht, dass es mir groß half, schließlich wusste ich ja auch nicht wann ich dieses Zimmer hier betreten hatte. Wer wusste schon, ob ich mich nun bereits seit zehn Stunden oder fünf Minuten hier aufhielt. Vielleicht war es auch schon die Nacht des nächsten Tages, woher sollte ich wissen ob es nicht so war?

Als ich den Esstisch, sofern man das alte Ding überhaupt noch als Möbelstück bezeichnen konnte, erreichte, mich schwerfällig an dem wackeligen Stuhl emporzog und den Lichtschalter betätigte, konnte ich erstmals einen Blick auf den Schrecken werfen, der sich in der Dunkelheit noch vor mir zu verbergen vermocht hatte.

Ein absolutes Chaos umringte mich. Die Tapete war von den Wänden gefetzt worden, Reste von Lebensmitteln bedeckten den Fußboden und daneben lagen vereinzelt Stücke von zerrissenem Papier. Je mehr ich diese Verwüstung jedoch betrachtete, desto mehr offenbarten sich mir grausige Details, die ich am liebsten direkt aus meinem Sehnerv gekratzt hätte, sowie dieser das Bild eingefangen hatte.

Zwischen all dem Schmutz der den Boden zierte, zeichneten sich Büschel von Haaren ab. Dunkelbraune, schwarze als auch blonde. Als nächstes erkannte ich die Kratzspuren, die sich über die Dielen erstreckten - kleine, große und tiefe.

Und dann sah ich erstmals kleine, verkrustete, rötlich-braune Blutreste auf dem teils morschen Holz. Es waren nur wenige, aber es reichte definitiv aus, um mich in höchste Alarmbereitschaft zu versetzen. Im Moment sah ich nur wenige kleine Tropfen, aber ich hatte schließlich noch gar nicht richtig nach weiteren Spuren gesucht. Etwas, das ich jedoch sogleich zu tun gedachte.

Fast auf Zehenspitzen schlich ich durch die Wohnung und entdeckte dabei schon nach wenigen Sekunden weitere Blutsflecken auf dem Boden, nur ein paar Zentimeter von denen entfernt, die ich als erstes ins Visier genommen hatte. Dann wurden sie plötzlich größer, führten mich weiter auf einem Weg, von welchem ich immer dringender abzuweichen versuchte, doch ich konnte meine Augen nicht von dem abhalten, was sich vor mir auftat.

Ich wusste, dass der Pfad des Blutes mich abermals in jene Hölle zurückbefördern würde, aus welcher ich erst vor Kurzem entkommen war, doch wie ein Schaulustiger bei einem Verkehrsunfall, zog es mich wie eine Sucht dem Horror entgegen, der mir unmittelbar bevorstand. Bald schon erschienen die Blutsflecken in solch regelmäßigen Abständen, dass sie ineinander übergingen und eine Straße zu formen schienen, die mich unweigerlich in das weit geöffnete Maul meiner geifernden Angst führte.

Irgendwann wurden aus den Flecken ganze Lachen, die noch nicht vollständig angetrocknet waren, stattdessen das Licht der Deckenlampe reflektierten und in einem hellen Rot leuchteten. Das Blut befand sich noch immer in Bewegung und zog kleine Fäden durch das Holz über welches es gemächlich floss, so als wäre die Wohnung ein Körper, der langsam von winzigen Kapillaren durchwuchert wurde.

Mein Herz schlug schneller. So schnell, dass

ich glaubte meine Arterien würden dem Blutdruck nicht gewachsen sein und platzen – mich hier auf dem Boden sterben lassen, direkt neben…

Ich hielt den Atem an und mein inzwischen immer hektischer rasendes Herz wurde ruckartig gebremst. Während sich Tränen in meinen weit geöffneten Augen sammelten und es sich so anfühlte als verbrenne der bloße Anblick von dem was ich sah meine Netzhäute, begannen meine Gliedmaßen wie wild zu zittern. Übelkeit bildete sich stetig wachsend in meiner Bauchregion, vermengte sich mit der Suppe, welche ich noch vor kurzem verzehrt hatte und fing dann damit an, meine Speiseröhre emporzuklettern, bis ich dem Drang mich zu übergeben nicht mehr standhalten konnte, mich zur Seite drehte, auf die Knie fiel und meinen Mageninhalt zwischen den blutroten Lachen entleerte.

Ich wagte es nicht meinen Kopf zu drehen. Stattdessen starrte ich an die Wand vor mir, um das furchtbare Abbild, welches ich soeben erblickt hatte, sogleich wieder zu vergessen, doch hatte es sich offenbar tief in meine Pupillen gefressen, wo es nun auf ewig zu verweilen gedachte.

Das Schlimmste war, dass ich nicht einmal

einen Blick auf sein Gesicht geworfen hatte. Das Erste was ich ins Auge gefasst hatte, war seine Hand, die von einer geisterhaften Blässe eingenommen worden war. Zwischen den gekrümmten, offenbar verkrampften, Fingern, hingen vereinzelt graue und schwarze Haare, dünne wie kurze und es war mir sogleich klar woher sie stammen mussten. Vermutlich hätte ich schon in diesem Moment meinen Blick abwenden sollen, doch meine Neugierde war nicht einmal gnädig genug mich vor den schrecklichsten Dingen abzuhalten.

Wäre diese Neugierde doch nur etwas gewesen, das ich mir hätte abgewöhnen können. Etwas von dem ich wusste, dass es falsch war und gegen das ich angehen konnte. Stattdessen war sie wie ein lebensgefährdender Trieb – ein Instinkt, der mich förmlich in ein unausweichliches Unglück zu stürzen versuchte, wann immer er sich in den Vordergrund zu drängen vermochte.

Es schmerzte an sie zu denken, doch die Bilder wollten einfach nicht aus meinem Kopf verschwinden. Sein Arm – mein Gott, sein Arm…

An einigen Stellen war seine Haut von derselben Blässe überzogen, kalt und tot – an anderen Stellen hingegen war von dieser Haut

316

nichts mehr zu erkennen. Nicht einmal das Fleisch auf welchem sie saß befand sich noch auf dem einsamen Knochen, dessen Weiß sich nur an wenigen Stellen durch das dunkle Rot kämpfen konnte, von welchem es verdeckt wurde.

Es war als wäre ich dazu verdammt durch eine Galerie zu wandeln in der alle Bilder hangen die ich gerade so sehr zu verdrängen versuchte. Der schier endlose Gang führte mich weiter seinen Arm hinauf, über seine Schulter, seinen Brustkorb und...

Ich schluckte und musste mich sogleich nochmals übergeben. Die Kleidung war in Fetzen gerissen worden, die Haut von tiefen Schnitten geziert und auch hier und da blitzte gelegentlich das Weiß seiner freigefressenen Knochen hervor.

Und dann sah ich seinen Bauch – es war nicht mehr als ein riesiges Loch inmitten von Christophers toten Kadavers. Seine Innereien waren vollständig zerfleischt und offenbar teilweise verzehrt worden. In der weit geöffneten Bauchhöhle hatte sich ein kleiner Teich aus dunkelroter Flüssigkeit gebildet – die Quelle zu jenen kleinen blutigen Fäden, die nun durch die Wohnung ästeten.

Es war ein fürchterlicher Anblick, doch der

Moment, in dem ich das schwarze, blutüberströmte Fellknäuel in seiner Leiche entdeckte, war der Punkt an welchem ich mich übergeben musste. Fiepend, fast schon schreiend, wand sich die neugebildete Kreation eines Körpers in dem Seinigen. Einige *Körperteile* des Rattenkönigs schienen ihr Leben in der rot durchtränkten Todesfalle bereits verloren zu haben. Ertrunken in einem See aus Lebenssaft…

Das Wehklagen, die Schmerzenslaute der übrigen Ratten machten jedoch das Ableben der anderen wieder wett und nahm solch beängstigende Züge an, dass ich zwischenzeitlich glaubte von hunderten von Nagern umzingelt zu sein.

Nun begann ich ein drittes Mal zu würgen, hielt mir jedoch die Hand vor den Mund und das reichte seltsamerweise sogar aus, um meinen Körper daran zu hindern dem Würgen noch weitere Unannehmlichkeiten folgen zu lassen. Zumal sich inzwischen wohl kaum noch Mageninhalt zum Hervorspeien finden dürfte. Meine Hand – ich schaute hasserfüllt auf den Verband, der noch immer um das kleine Schmuckstück gewickelt war, welches mein Leben retten und es nicht zu der Hölle werden lassen sollte aus welcher ich es gestohlen hatte. Aber vielleicht war das ja meine Strafe.

Du kannst der Hexe ihren Besen stehlen, aber du musst dennoch damit rechnen, dass ihm weiterhin Böses innewohnt, das dich eventuell an Orte trägt, welche du lieber nicht besuchen wollen würdest.

Hektisch, nein, vielmehr panisch, riss ich den Verband ab und achtete nicht einmal darauf ob ich mit meinen Fingernägeln eben jenen Verband oder meine Haut zerschnitt. Nachdem ich ihn entfernt hatte, sah ich mich jedoch einem weitaus gravierenderen Problem gegenüber. Ich wusste nicht genau wie lange ich den Verband nun schon getragen hatte, doch als ich den Ring das letzte Mal mit eigenen Augen gesehen hatte, hatte er sich wie jeder andere Ring, den ich zuvor trug, um meinen Finger geschlossen.

Nun jedoch schien er förmlich ein Teil von diesem geworden zu sein. Ungläubig observierte ich die Hautauswucherungen meines Fingers, die den Ring von außen wie eine Hecke aus Efeu eingehüllt hatte und diesen nun fest an sich zerrte, so als wäre mein Fleisch selbst seinen unheimlichen Kräften verfallen und nicht Willens ihn je wieder gehen zu lassen.

Ich zog oder besser zerrte an ihm, doch auch mit sämtlicher Kraft, die ich zum Entfernen des

Schmuckstücks aufbringen konnte, war ich nicht dazu in der Lage es tatsächlich von meiner Haut loszubekommen. Nun wurde die Panik intensiver als vorher, übernahm die Kontrolle und trieb mich suchend in die kleine Einbauküche. Hektisch riss ich die Schubladen auf, wühlte in all dem Besteck welches Christopher in ihnen aufbewahrte, bis sich mein Antlitz schließlich in der silbrig glänzenden Klinge eines Messers spiegelte.

Eine Klinge welche ich ohne zu zögern an meinen Finger ansetzte, den ich zeitgleich mit meiner Entdeckung auf dem Herd abgelegt hatte. Das scharfkantige Metall schnitt langsam in das Fleisch unterhalb der Stelle an welcher der Ring saß und mit einem lauten Schrei, den ich wohlbemerkt vor der Ausführung meines Vorhabens ausstieß und der mir beinahe wie eine Art Siegesschrei erschien, ließ ich meine Faust auf die Klinge herabsegeln.

Der Impuls fuhr durch das Messer und drückte es mit voller Kraft nach unten, wo es wiederum auf den verfluchten Finger traf, Haut, Fleisch, Sehnen und Knorpel durchschnitt und ihn auf immer von meinem restlichen Ich trennte.

Wie eine Trophäe hielt ich ihn ins Licht, so als wäre der Schmerz den ich verspürte noch nicht Beweis genug, um das was ich soeben getan hatte zu bestätigen. Mit meiner nun vierfingerigen Hand umschloss ich das amputierte Teufelswerkzeug, mit dem Plan es nach der erfolgreichen Entfernung von meinem Körper nun auch aus dieser Welt verschwinden zu lassen. Jedoch würde ich hierfür wohl meinen eigenen Schicksalsberg finden müssen.

Fest stand lediglich, dass ich ganz sicher nicht in Runan nach ihm suchen würde. Bei der Überlegung nach einem Weg auf die schnellste erdenkliche Art und Weise aus dieser Stadt zu verschwinden, fiel mir zwar recht geschwind etwas ein, jedoch wusste ich, dass es mich mehr an Überwindung kosten würde, als ich mir zuzutrauen bereit war.

Langsam hockte ich mich auf den Boden und auch wenn ich es nicht wollte, so musste ich dennoch versuchen meine Augen offen zu halten. Der Leichnam von Christopher kam mir weiterhin wie ein Alptraum vor, der sich für mich stetig auf der Schwelle zwischen schrecklicher Unwahrheit und umso schrecklicherer Realität befand. Nichtsdestotrotz bestand meine einzige Chance, um schneller von hier zu fliehen, darin, seinen leblosen Körper nach den Autoschlüsseln zu durchsuchen.

Der Geruch brachte in mir schon sehr bald

wieder die Übelkeit hervor und es fiel mir schwer, mich ausreichend zusammenzureißen, obgleich ich es letztlich tatsächlich irgendwie zustande brachte. Meine zittrige Hand glitt in Christophers zerfetzte Hosentasche und als ich hartes Metall zwischen meinen Fingern spürte und ein leichtes Klimpern vernahm, atmete ich erleichtert aus, zog die Schlüssel hervor und stolperte mehr als dass ich lief über die sterblichen Überreste meines besten Freundes hinweg in der Hoffnung nie wieder das volle Ausmaß dessen zu betrachten, was die Ratten von ihm übriggelassen hatten.

Und erst recht wollte ich ihm nie in seine Augen sehen. Wer konnte schon ahnen, was für Bände sie sprechen würden. Womöglich waren sie geschlossen oder nur leicht geöffnet. Vielleicht hatte er sie auch infolge des Schockes weit aufgerissen. Oder es bildete sich das unbändige Grauen auf ihnen ab – die bildlich eingefangene Todesangst. Und diesen Ausdruck wollte ich niemals wieder in meinem Leben zu Gesicht bekommen… nicht nachdem ich sie in den erblassten Iriden von Mama gesehen hatte. Diese kalte Leere in einem Augenpaar, das schon lange tot war, bevor ihr Körper für immer aufgehört hatte zu atmen.

Wie in einem Fiebertraum gefangen, kaum mehr in der Lage meine Schritte bewusst zu gehen, stolperte ich in Richtung der Tür und fasste die Klinke eher, um mich vor einem Sturz zu schützen als sie tatsächlich für ihren eigentlichen Zweck zu benutzen. Sowie ich sie jedoch hinuntergedrückt hatte, bereute ich meine Entscheidung gleich wieder, denn kaum stand die Tür einen Spalt weit offen, sah ich etwas das entweder gerade erst angekommen war oder schon seit meiner Ohnmacht auf der Lauer lag und nur diesen momentanen Augenblick abgewartet hatte.

Im Schutze der Dunkelheit hatte ich die ganz in schwarz gekleidete Person zunächst für einen Schatten gehalten, bis sie sich plötzlich blitzartig auf mich zuzubewegen begann.

In genau dem Moment in welchem sie mich erblickt hatte, streckte sie auf der Stelle ihre ungewöhnlich langen Arme nach mir aus. Noch bevor sie mich jedoch mit ihren Händen, die in glänzenden Lederhandschuhen steckten, packen konnte, schlug ich die Tür mit voller Kraft wieder zu, drückte mich gegen sie und ließ mich an ihr hinuntergleiten.

Meine Augen starrten wieder in die Leere von Christophers Zimmer, doch konnte ich nicht einmal mehr erkennen ob es hell oder dunkel war. Ich wusste weder wo sich die Möbel befanden, noch wo ich mich selbst im Raum befand. Angsterfüllt kratzte ich über den Fußboden, doch nicht einmal das konnten meine Sinnesreize vollständig verarbeiten.

Erst als ich lautes Klopfen hinter mir vernahm, erhielt ich wieder die Kontrolle zurück und begann ohne groß weiter nachzudenken vorwärts zu kriechen. Dass sich hierbei alsbald das Blut, welches sich noch immer stetig über den Boden verteilte, zwischen meinen Fingern sammelte und meine Hose an den Knien tränkte, störte mich dabei nicht. Ich wollte nur noch weg.

Nicht jetzt. Nach allem was gewesen war, jetzt durften sie mich nicht kriegen!

Hatte dieses Motelzimmer überhaupt einen Hinterausgang? Müsste ich durch eines der Fenster springen? Und wenn schon. Lieber würde ich bei dem Versuch zu fliehen scheitern und mir beide Beine beim Sprung in die Freiheit brechen als mich kampflos diesen Monstern auszuliefern.

Während ich mich bei meinem unbeholfenen Versuch wie ein verängstigtes Kleinkind davon zu krabbeln, auf meine Beine zu hieven versuchte, geriet ich kurzzeitig ins Straucheln und fiel beinahe vornüber. Dank meines noch halbwegs intakten Gleichgewichts, konnte ich dies jedoch noch rechtzeitig unterbinden. Vor meinen Füßen zeichnete sich zu meiner Erleichterung das helle Mondlicht auf dem Boden ab und als ich aufschaute, fingen meine Pupillen das große Fenster ein, hinter welchem sich eine kleine Terrasse befand, welche meine Furcht vor einen Sprung ins Nichts sogleich verenden ließ.

Allerdings erstarb auch sogleich meine kurzweilige Erleichterung, als der Mondschein plötzlich einen gewaltigen Schatten von draußen in das Motelzimmer warf. Ein Schatten der mein Herz an sich schon zum Rasen brachte, doch der Grund weshalb mir nun auch noch ein ohrenbetäubender Schrei entwich, war die Tatsache, dass jener Schatten am Kopfe von einem langen Schnabel geziert wurde.

Ich vernahm das Klirren von Glas; dem folgte sogleich ein knackendes Geräusch. Brechendes Holz und ich wusste sofort, dass mein anderer Verfolger die Tür des Motelzimmers gewaltsam eingeschlagen hatte.

Was genau danach geschah, konnte ich später nicht mehr vollständig rekonstruieren. Ich hatte geschrien, so laut ich nur konnte, doch gehört hatte mich niemand – oder man entschied sich einfach dazu mir keine Hilfe zukommen zu lassen. Verzweifelt hatte ich meine Fäuste um mich geschwungen, mehrfach die grässliche

Maske getroffen, die mir solch eine Angst einflößte, dass ich mich von schwarzen Schnäbeln umgeben sah. Als wäre ich ein wehrloses Kaninchen, das vom einem blutgierenden Krähenschwarm zerhackt wird.

Die Dinge die sie mir infolgedessen antaten, hatten sich gänzlich aus meiner Erinnerung verflüchtigt. Vielleicht hatten sie mich betäubt, möglicherweise führte eine Schlagwaffe das gewünschte Ergebnis herbei und das war meine Ohnmacht. Ein Zustand in welchen ich vor lauter Entsetzen schon vor Stunden hätte fallen müssen und dem ich immer wieder aufs Neue entflohen war.

Es war sinnlos gewesen. All meine Mühe, all das Kämpfen – für was? Das Erste woran ich mich erinnerte war, dass ich in absoluter Finsternis erwachte und dass ich, wenn auch nur für einen kurzen Moment, davon überzeugt war getötet worden zu sein. Wäre es doch nur wahr gewesen…

Denn als sich um mich herum plötzlich Kerzen entzündeten und die schemenhaften Umrisse jener unheiligen Bestie aus dem ewigen Dunkeln hervortraten, kam mir ein Gedanke, der sich in meinen Verstand fraß und wie ein Pendel ewig in meinem Kopf hin und her schwang.

Warum nur musstest du eine Katze sein?

Warum nur musstest du eine Katze sein?

Warum nur musstest du eine Katze sein?

Der Vorwurf den ich mir selber immer und immer wieder machte, machte jedoch schnell Platz für ein Flehen, das sich in meinen Gedanken auftat und mir umso stärker vor Augen hielt, welch einem Grauen ich mich ausgesetzt sah.

»Tötet mich, denn selbst die Hölle könnte niemals schlimmer sein...«

III. Jünger des schwarzen Todes

Es schien mir wie eine Ewigkeit, die ich alleine im Dunkeln verbracht hatte, in welchem mich meine Entführer nach Verlassen des Raumes zurückließen. Waren es Minuten, Stunden oder Tage? Ich konnte es, gefangen in einem schier nie enden wollenden Zustand der Benommenheit, unmöglich ergründen. Hinter meinen Schädelknochen tobte ein unnachgiebiges Gewitter und in regelmäßigen Abständen sandte ein kräftiger Donner einen stechenden Schmerz von meinen Schläfen bis in den Nacken hinab.

In einem steten Wechsel aus Müdigkeit und Erschöpfungsschlaf vegetierte ich in der Schwärze vor mich hin. Die Einsamkeit die mich sehr rasch überkam begann wie ein Geschwür damit ungehemmt zu wachsen und fing an mich langsam von innen heraus zu zersetzen. Es war beinahe so als wäre jede Faser in mir auf sich alleine gestellt.

Mein Körper in dem jeder einzelne Bestandteil seinen Beitrag zu leisten hatte, um den Organismus am Leben zu halten, hatte sich von einem Team zu einem Bürokomplex gewandelt in dem jeder noch seine Arbeit leistete, aber niemand mehr miteinander kommunizierte. Sie saßen alle für sich alleine, geschützt von dicken

Wänden, die sie um ihre Schreibtische aufgebaut hatten. Als hätten sich alle meine Zellen von mir abgewandt und würden nur deshalb weiter ihre Pflicht tun, um nicht selber zu verenden.

So alleine fühlte ich mich. Es waren Omen. Jedes Mal, wenn ich glaubte ein Superlativ erreicht zu haben wurde ich wie auf Kommando eines Besseren belehrt, als wenn ich dem Schicksal förmlich Ideen dafür liefern würde wie es mich noch intensiver foltern könnte.

Nach einer Zeitspanne die mir in Gedanken schon beinahe so lang vorkam wie die, die ich bereits all die Tage zuvor in dieser Stadt verbracht hatte, war ich schließlich so von der Einsamkeit eingenommen, dass mich fast ein kleiner Funken des Glücks überkam als sich zum ersten Mal seit meinem Erwachen in dieser Finsternis eine Tür vor mir öffnete, obgleich es meine schlimmsten Befürchtungen auf das Bevorstehende hätte erwecken sollen.

Die kleine Freude über Gesellschaft hielt selbstverständlich nur für den Bruchteil einer Sekunde an, besonders als ich nach den langsamen Schritten vor mir meinen Kopf hob und im Schein einer einzelnen Kerze die Silhouette des Schnabels über mir schweben sah.

Der Besuch währte nur äußerst kurz, denn
nachdem sich der Pestdoktor davon überzeugt
hatte, dass ich mich nun wehrlos in seiner
Gewalt befand, hatte er das dezent flackernde
Licht sogleich wieder gelöscht und mich in
meinem einsamen Kerker zurückgelassen.
Seitdem lag ich nur noch erschöpft auf kaltem,
steinigem Boden, mein zitternder Körper
zusammengekauert und ohne, dass ich einen
einzigen Funken Lebenswillen in meinen Adern
vorzuweisen hatte.

Ich konnte nach wie vor nicht genau sagen wie
viel Zeit vergangen war, bis erstmals nach
meinem Besuch durch das Monstrum wieder
ein Lichtstrahl durch die Gitterstäbe fiel,
welche mir zwar ausreichend Raum boten mich
umzusehen, mir jedoch die Möglichkeit
verweigerten meine Gliedmaßen auszustrecken
oder aufzustehen. Geweckt wurde ich
allerdings nicht vom Öffnen der Tür oder von
besagtem Licht, sondern dem schmetternden
Klingen eines Stahlkonstrukts, welches mit
voller Kraft gegen die Außenbegrenzung
meiner Zelle geschlagen wurde.

»Wach auf!«, dröhnte es durch den Raum, der
dem Schall zu urteilen größer war, als ich
zunächst angenommen hatte.

»Er will dich sehen.«

Er? Mir war klar wen die Person meinte. Schleierhaft war mir jedoch, warum sie es so betonte als hätte er dies nicht schon längst getan. Noch während ich darüber grübelte, stieg mir der wohlbekannte Gestank von Aas in die Nase, süßlich faulig, so wie ich ihn in Erinnerung gehabt hatte. In dem Moment kam mir jedoch eine Erkenntnis, die mir bei der letzten Begegnung mit ihm vor lauter Angst gar nicht aufgefallen war.

Als dieses Ding zum ersten Mal einen Blick auf mich in dieser Zelle warf, kroch dieser widerwärtige Duft meines Erachtens nach nicht durch die stickige Luft. Zu dem Zeitpunkt hatte ich wohl angenommen, dass ich mich an den Geruch mehr oder weniger gewöhnt hatte oder ich so erschöpft war, dass meine Sinne zum Teil aussetzten, aber jetzt, da sich mir der Gestank schlimmer aufzudrängen schien als je zuvor, wurde mir klar, dass er mir wohl wirklich zum ersten Mal einen Besuch in meiner neuen Unterkunft abstattete.

»Sieh' mich an.«

Die Stimme war weiblich. Zwar klang sie aufgrund des furchtbaren Krächzens beinahe schon unmenschlich, doch es war sicherlich nicht die Stimme des Pestdoktors. Ich versuchte meinen Kopf zu heben, doch zu meinem Entsetzen, fehlte mir selbst dazu inzwischen die Kraft.

»Sieh' mich an!!!«

Das Echo des wütenden Ausrufes prallte mehrfach von den Wänden ab und umkreiste mich wie ein unaufhörlicher Strudel aus Zorn, der gnadenlos auf mich einschlug.

Mit einem erzwungenen Ruck, riss ich meinen Kopf so hoch ich konnte ich die Luft, sodass ich nun zumindest in der Lage war zu sehen, wer sich vor mir befand. Die Bewegung zog den wohlbekannten stechenden Schmerz nach sich, der wie ein Blitz durch meine Muskeln schnellte. Nun immerhin wusste ich um die Quelle des Befehls, jedoch war es mir unmöglich auszumachen, wer genau mit mir gesprochen hatte, denn das Gesicht der Person, die sich vor meinem Käfig aufbäumte, wurde verdeckt.

Eine Schnabelmaske… Genauso eine wie er sie trug. Jetzt verstand ich.

Ich drehte den Kopf leicht, wanderte mit meinen Augen durch den schwachen Schimmer, der sich um mich gelegt hatte, nur um zu sehen, dass sich aus der dahinter befindlichen Dunkelheit, immer mehr schwarze Schnäbel in den Lichtkreis drängten.

Umgeben von einem Krähenschwarm, schoss es mir durch den Kopf. Dann war es also keine durch Angst bedingte Einbildung, die mich glauben ließ, dass mich in der Nacht meiner Entführung gleich mehrere dieser Masken umringten.

»DU!«

Meine Gedankengänge wurden jäh unterbrochen. Diese Stimme; das war *er*. Meine Nackenhaare richteten sich auf und mein anfängliches Schwächegefühl verflog. Zwischen den ganzen Masken tauchte eine weitere auf und auch wenn sie sich kaum von den anderen unterschied, so konnte ich mit absoluter Gewissheit sagen, dass es die war, vor welcher ich mich am meisten fürchten musste.

»MEIN LIEBES KIND!«

Er strich mit seinem schwarzen Lederhandschuh über die Gitterstäbe und streckte seinen langen Schnabel durch diese hindurch, als wolle er versuchen meine weit aufgerissenen Augen auszustechen.

Wenn mir das, was sich hinter ihr verbarg, nicht solch eine Angst bereitete, hätte ich ihm am liebsten seine grässliche Maske vom Gesicht gerissen. Falls es mir überhaupt möglich gewesen wäre, meine Arme ausreichend anzuheben. Sie fühlten sich bereits die ganze

Zeit an wie eingeklemmt und meine Beine waren schon vor langer Zeit taub geworden.

Der Pestdoktor blickte mich mit seinen schwarzen leeren Augenhöhlen an und obgleich sein Gesicht für mich nicht ersichtlich war, hatte ich das Gefühl als würde er lächeln. Dann streifte er einen der Handschuhe ab und entblößte etwas, das mehr Ähnlichkeit mit einer Klaue denn einem Finger gemeinsam hatte. Widerwillig versuchte ich meinen Kopf von ihm abzuwenden, doch die Enge um mich, verwehrte mir dieses Unterfangen. Langsam strich die Spitze des krallenartigen Gliedes über meine glühend heiße Wange und zog eine tiefe Furche über diese, aus welcher augenblicklich warmes Blut zu hervortrat, das in Form von kleinen Tropfen bis zu meiner Kehle hinabwanderte.

»BEREITET SIE VOR.«

Mit diesen Worten wandte er sich vom Käfig ab und verschwand wieder in jener Finsternis aus der er gekommen war, während der Schwarm um mich seine Kreise immer enger zog.

»Ihr habt ihn gehört,« ertönte wieder die krächzende Frauenstimme von vorhin.

»Holt die Ratte.«

Nein! Nicht die Ratten!

Das Fiepen welches nun aus nicht allzu weiter Ferne erklang, war furchteinflößender als jemals zuvor. Ich war gefangen, konnte nicht entkommen und nun würden sie mich diesen Biestern zum Fraß vorwerfen. Seit ich sie zum ersten Mal erblickte, hatte sich diese Angst in mir gefestigt und nun würde dieser Alptraum tatsächlich wahre Gestalt annehmen.

Die kreischenden Geräusche wurden lauter und ehe ich mich noch enger zusammenkauern konnte, landete eines der haarigen Biester auf meiner Schulter. Ein Schrei entwich mir, jedoch so kläglich, dass er kaum ein Echo erzeugen konnte. Dann begann ich mich wie wild zu schütteln, was die Ratte jedoch nur dazu animierte sich fester in meine Schulter zu krallen und den eigentlichen Zweck, sie loszuwerden, weit verfehlte.

Langsam bahnte sich die Ratte ihren Weg weiter über meinen Körper ohne, dass es in meiner Macht stand, dies auf irgendeine Weise zu verhindern. Als sie schließlich an meinem Hals angelangt war, knickte ich blitzschnell meinen Kopf zur Seite, um ihren Leib so sehr einzuquetschen, dass sie von mir abließ oder im besten Fall tot zu Boden fiel, aber als mein Schädel mit all der Kraft die ich noch aufbringen konnte, auf die Ratte traf, durchfuhr mich mit einem Mal ein stechender Schmerz.

Gleich darauf fiepte die Ratte ein letztes Mal laut auf und ließ dann von mir ab, zwängte sich durch die Gitterstäbe und verschwand.

Vorsichtig versuchte ich meine Hand aus der Enge zu befreien und wanderte mit den Fingern langsam an die Stelle von welcher der Schmerz aus herrührte. Ich tastete warme Flüssigkeit, unter der sich etwas auftat, was mir schlagartig klarmachte, dass sie mich nicht verfüttern wollten, sondern noch etwas deutlich Perfideres mit mir vorhatten.

Ein Biss… das gottverdammte Biest hatte mich gebissen!

*

Der Prozess hatte mich geschwächt. Direkt nachdem ich mir dessen bewusstwurde, dass ihr Plan mich umzubringen noch schlimmere Züge besaß als ich zunächst angenommen hatte, war ich zusammengesackt und hatte das Bewusstsein verloren. Was mich weckte, war ein grässliches Quietschen und als ich es fertiggebracht hatte, meine Augen halbwegs zu öffnen, sah ich nur noch die offenstehende Gittertür, nicht jedoch die Person, welche sie geöffnet hatte.

Warum? Durfte ich gehen? Nein, was für ein absurder Gedanke, nach all dem was sie getan hatten, um mich zu erwischen. Andererseits war außer dem seichten Flackern immer noch keine wegweisende Lichtquelle zu erkennen, demnach war mir wohl nur gestattet worden mich aus dem Käfig zu begeben, nicht jedoch aus dem Raum, in welchem sich dieser befand.

Während ich meinen Körper allmählich in Bewegung setzte und langsam vorwärts kroch, bemerkte ich neben der stetig wachsenden Benommenheit ein entsetzliches Jucken an meinem Hals. Als ich mit dem Finger über die Wunde strich, bemerkte ich bereits die schorfige Kruste. Der Juckreiz jedoch war beinahe unerträglich und bahnte sich seinen Weg bis auf meinen Scheitel hinauf.

Suchend blickte ich mich in dem leer wirkenden Raum um, um zumindest irgendetwas zu entdecken, das mir als Waffe oder noch besser als Fluchtmöglichkeit dienen konnte, doch je mehr ich suchte, desto mehr wurde mir klar, dass es sinnlos war nach etwas Ausschau zu halten, was meine Peiniger niemals einfach so herumliegen lassen würden.

Ich konnte schwer sagen wie lange ich den Boden nach etwas durchstöberte, was ich ohnehin nie finden würde, doch es kam mir wie eine Ewigkeit vor. Die Kopfschmerzen nahmen zu und auch eine stetig wachsende Übelkeit begann sich in meiner Magenregion auszubreiten, doch am allerschlimmsten war dieser entsetzliche, nicht enden wollende Juckreiz.

In der undurchdringlichen Dunkelheit wirkte der Raum so viel größer als er eigentlich war. Da ich mich an den Wänden orientierte, nachdem ich die erste ertastet hatte, ließ sich feststellen, dass jede nur etwa eine Länge von circa zehn Metern besaß, doch jedes Mal, wenn ich mich von den Wänden entfernte, um den mittleren Teil des Raumes zu untersuchen, kam ich mir vor wie in einer gigantischen Lagerhalle.

Dazu kam diese grässliche Kälte, die sich über meiner Haut ausbreitete, wobei ich nicht genau sagen konnte, ob diese von der Zimmertemperatur oder meinem allgemeinen Unwohlsein herrührte. Nachdem ich meine Suche nach nützlichen Gegenständen endgültig aufgegeben hatte, beschloss ich einer anderen, womöglich hilfreichen Tätigkeit nachzugehen. Als ich mich wieder von der schier endlosen Mitte des Raumes gen Wand bewegt hatte, begann ich damit, schwach aber bestimmt, gegen diese zu klopfen. Ein eigentlich sinnloses Unterfangen, da die Tür, sofern ich sie finden würde, ohnehin verschlossen wäre, doch was blieb mir anderes übrig?

Ich hätte mich an Ort und Stelle meinem Schicksal beugen können, doch schon meine Zeit in Berlin hatte mich gelehrt, dass ich dieses nicht von dem Willen Anderer bestimmen lassen wollte. Wenn es einen Weg aus diesem Höllenhaus gab, dann würde ich ihn finden oder bei dem Versuch sterben, aber das träte ebenso ein, wenn ich nichts tuend hier herumsitzen würde.

Weitere Minuten verstrichen, auch wenn ich mir irgendwann nicht mehr sicher war, ob ich bereits die ersten Stunden zu zählen begann. Allerdings wurde mein Klopfen irgendwann von einem leisen Hall beantwortet, der von der anderen Seite dessen drang, bei dem es sich um die Tür handeln musste. Jene Pforte deren verriegeltes Schloss momentan mein größter Gegner war. Mit den Fingern glitt ich über das kalte Metall bis hinauf zu der Klinke.

Ich hielt kurz inne – und drücke sie dann hinunter…

Es rührte sich nichts und in mir tat sich eine Leere auf, die ich nicht erwartet hätte und mich so urplötzlich traf, dass ich vor Verzweiflung erstarrte. Dann ertastete ich die große Verriegelung, die sich über die Tür erstreckte und das Öffnen dieser zweifelsohne blockierte.

Dass ich zu weinen begonnen hatte, bemerkte

ich erst in dem Moment, als ich die ersten salzigen Tränen auf meinen Lippen schmeckte.

Ich war irritiert. Warum traf mich der Ausgang dieses Unterfangens so unerwartet? Hatte es etwa noch einen kleinen Funken Hoffnung in meinem Unterbewusstsein gegeben, den meine jetzige Erkenntnis aus heiterem Himmel zur Strecke gebracht hatte? Wenn ja, dann war er der letzte Soldat in einem ausweglosen Krieg gewesen, der nun zweifelsfrei verloren war.

Meine Hand wurde taub, die Klinke entglitt meinem Griff und mein Arm landete kraftlos auf dem Boden, während mein Schluchzen den Raum erfüllte und von den eisernen Wänden als flüsterndes Echo wieder auf mich zurückfiel. Ich hatte es versucht, das konnte man mir zumindest nicht vorwerfen, doch ich wünschte, dass dieser letzte Funken Hoffnung noch so lange am Leben geblieben wäre, bis man ihn gemeinsam mit meinem restlichen Körper getötet hätte.

Zu Sterben war ein Gedanke, mit dem ich mich in den letzten Tagen ausreichend hätte auseinandersetzen können. Wenn ich jedoch dachte, dass ich in einer ausweglosen Situation festsaß, war da dieser kleine aber starke Funken Hoffnung, der mich immer wieder aufstehen ließ und mich dazu antrieb weiterzumachen, mir half, noch einen Schritt weiterzugehen, als ich es mir selbst zutraute.

Es war der Funken, der mir schon damals half in Berlin zu überleben und letztendlich von dort zu fliehen. Jetzt war er tot. Zum ersten Mal seitdem diese Hetzjagd begonnen hatte, sah ich mich mit dem Gedanken zu Sterben konfrontiert. All die Kraft in mir die mich dazu animiert hatte nicht aufzugeben und stattdessen immer weiter zu kämpfen, egal wie grässlich die Situation auch sein mochte, hatte mich vor eben dieser Konfrontation die ganze Zeit bewahrt.

Doch diese Irritation die ich empfand kam nicht ausschließlich von dem Verlust jeglicher Hoffnung, sondern vielmehr davon, dass alle Emotionen in mir, die sich in den letzten Tagen einen steten Wettlauf um die Oberhand geliefert hatten, nun von einem bisher nie dagewesenen Gegner überholt und besiegt wurden, der mit einem rasanten Sprint an die Spitze stieg.

Ich wollte es nicht wahrhaben. All das Kämpfen, all das Aufbäumen gegen Mächte, die eigentlich so viel stärker waren als ich… für was? Um hier zu sterben? Es war als hätte ich tausend Tode überlebt, nur um zum bitteren Ende hin den schlimmsten aller Tode entgegentreten zu müssen.

Und ich hätte ihn sogar in einer gewissen Weise zugelassen. Nicht, dass ich ihn mit offenen Armen empfangen hätte, aber ich wäre mit der Gewissheit gestorben, dass ich bis zum Ende hin in sein Angesicht gelacht hatte. Nun jedoch lag ich gebrochen und wehrlos vor ihm, weder dazu bereit den Tod zu akzeptieren, noch sich ihm entgegenzustellen. Eine leere Hülle, der man nurmehr das Leben nehmen konnte, da die Seele lediglich ein großes schwarzes Loch hinterlassen hatte.

Hoffnungslos zu sterben, das war der schlimmste aller Tode und ich starrte ihm direkt in seine Augen, die eine Form von Güte auszustrahlen schienen, so als wolle er sagen:

»Das Leiden hat ein Ende, mein Kind. Komm mit mir und lass das Martyrium, welches du einst dein Leben nanntest, hinter dir.«

Und ich nahm sein Angebot an.

Aus der Finsternis um mich begannen helle Lichter aufzuleuchten und als die Schwärze diesem Licht ein für alle Mal gewichen war, fühlte ich Freiheit. Eine Freiheit, der ich mich endlich hingeben und die mir keiner je wieder entreißen konnte.

Das Gefühl das mich in diesem Moment erfüllte und zu leiten begann war Akzeptanz.

*

»Mama?«

»Ja, meine Kleine,« antwortete die lächelnde
Frau, deren gütige Augen ich nach all der Zeit
schon beinahe vergessen hatte.

Ihre Finger strichen zärtlich über meine Wange
und wischten die Freudentränen hinweg,
welche über diese rannen. Ich griff nach ihrer
Hand und hielt sie fest umschlossen, so als
hätte ich Angst, dass man sie mir wieder
entreißen würde, so wie es einst vor langer Zeit
bereits geschehen war.

»Du bist es wirklich.«

Die Tränen begann nun förmlich zu fließen und
ich fiel meiner Mutter um den Hals, was sie mit
einer deutlich seichteren, jedoch kein bisschen
weniger herzlichen Umarmung entgegnete.

»Meine süße Nina. Es ist alles wieder gut.«

Ihre Stimme war so klar und rein, sodass ich für
einen Moment vergaß, was ich in meinem
Leben bislang für furchtbare Dinge verkraften
musste. In einer Welt, der eine solche Stimme
innewohnte, kann nichts Böses existieren.

Ich bin endlich zuhause.

Nun wurde Mamas Griff um mich herum fester.
Ich versuchte mich von ihr zu lösen, doch sie

hatte sich so eng um mich geschlungen, dass es mir unmöglich gemacht wurde.

»Mama, was ist los?«, rief ich laut auf.

Ihr Kinn hatte sie auf meiner Schulter abgelegt, die nun von den Tränen befeuchtet wurde, welche offenbar aus ihren Augen drangen. Ich konnte ihr Gesicht nicht sehen, doch ich spürte, dass sie Angst hatte. Ihre gerade noch so zarten Finger, krallten sich nun förmlich wie Klauen in meinen Rücken und ich gab ein schmerzerfülltes Seufzen von mir.

»Er ist heimgekehrt,« flüsterte, nein, zischte sie mir in mein Ohr und aus einer mir unbekannten Richtung erklangen plötzlich schwere, langsame Schritte, die immer lauter wurden und aus allen verschiedenen Richtungen widerhallten. Von links, rechts, vorne, hinten, oben und unten. Das unheilvolle Stampfen umgab mich wie ein Gewitter, schloss mich ein und all die Erleichterung, die ich soeben noch empfand, wich der altbekannten Furcht, die mir wieder tief in meine Knochen fuhr.

»NINA!!!«

Die Stimme war tief und dennoch wirkte sie irgendwie schrill. Wie ein donnernder Schrei, der auf mich niederging. Ich riss mich von meiner Mutter los, die suchend ihre Hände nach mir ausstreckte. Um uns herum war es dunkel geworden und ehe ich mich versah, waren zwei große Pranken aus der Finsternis geschossen und hatten sich um Mamas Hals gelegt. Ihr Schrei war nur ein stiller Hilferuf geworden, kaum mehr als ein leises Hauchen, das noch während sie es ausstieß, von der Schwärze verschlungen wurde, in welche die Pranken sie hineinrissen.

Ich kauerte auf dem Boden, winkelte meine Beine an und vergrub mein Gesicht zwischen den Knien. Ich hatte ihr schon damals nicht helfen können und nun war ich abermals gescheitert. Schwach war ich gewesen und Stärke hatte ich seither nie erlangt.

Meine Arme und Beine begannen zu zittern als sich die große Hand auf meinen Scheitel legte und meinen Hinterkopf hinabstrich. Die groben Finger wanderten wie ein Kamm durch meine Haare und der kalte Atem des Mannes blies durch sie hindurch wie ein grausamer Eissturm, der mein Blut erkalten ließ.

Seine Finger schlossen sich gleich darauf fest um meinen dünnen Nacken und bevor seine Zunge über meinen entblößten Hals leckte, säuselte sie mir bedrohlich in mein Ohr:

»Du wirst für immer mein kleines Schneewittchen sein…«

Ich riss die Augen auf und als ich mich in jener

verhassten Dunkelheit wiederfand, wusste ich, dass mein Wunsch vom Sterben nicht erfüllt worden war. Etwas hatte sich jedoch geändert und zwar war meine längst verloren geglaubte Stärke wieder zurückgekehrt. Meine körperliche Stärke versteht sich. Meine geistige Stärke war weiterhin irreversibel verkümmert.

Als ich von meiner wiedererworbenen Kraft Gebrauch machen und mich erheben wollte, merkte ich jedoch, dass sich noch etwas anderes an meinem Zustand geändert hatte. Erst bemerkte ich sie an den Armen, dann an meinen Beinen – Fesseln, nein eher Fixiergurte, die sich so fest um meine Handgelenke und Knöchel wanden, dass sie die neu erworbene Kraft mit jeder meiner Bewegungen wieder aus meinen Extremitäten zu pressen begannen und eine ermattende Taubheit zurückließen.

Mit einem Ruck zerrte ich an den Gurten, in der Hoffnung, dass sie sich nicht unbedingt lösen, aber sich zumindest ein wenig lockern würden. Doch meine Bemühungen waren vergeblich – wie schon so viele zuvor.

Auch hatten sich meine Kopfschmerzen verstärkt. Schweiß lief an meiner Stirn hinab und ich hatte mit einem Mal unkontrollierbar zu zittern begonnen. Mir war übel und mein Körper schmerzte stark. Wo genau konnte ich noch nicht einmal genau sagen – es schmerzte einfach alles.

Mein angestrengtes Schnaufen und das scharrende Geräusch der Gurte, blieb zudem nicht lange unbemerkt. Kaum eine Minute nachdem ich erwacht war, kündigten gedämpfte Schritte das Herannahen einer Gruppe von Personen an. Die große schwere Tür öffnete sich und der schummerige Lichteinfall, der mich trotz seiner Schwäche zu blenden vermochte, gab den Blick auf vier gewaltige Schnäbel preis, die sich zu mir in die Finsternis gesellten.

»Wie es aussieht, sind sie erwacht, mein Kind.«

Der Schnabel zog wie ein scharfes Schwert durch die Luft, als sich die Person zu ihren Begleitern wandte.

»Das darf nie wieder geschehen. Sorgt dafür, dass das jedem unserer Brüder und Schwestern verständlich gemacht wird.«

Die Angesprochenen verneigten sich knapp und verließen, nach einer kurzen Handbewegung ihrer Anführerin, den Raum. Nachdem die Tür wieder ins Schloss gefallen war, entfachte die Person, bei der es sich der Stimme nach zu urteilen um eine Frau handelte, eine große Kerze, die sie vor mir auf dem Boden platzierte. Die Flamme war klein, reichte jedoch aus, um das gröbste ihrer Konturen zu erkennen.

»Sie haben uns einen wahrlichen Schrecken eingejagt. Glückwunsch, das haben die wenigsten bisher vollbracht.«

Ich wusste nicht genau wovon sie sprach, doch die Vorstellung, diese mir noch unbekannte Tat zu wiederholen, ließ mich interessiert aufhorchen.

»Wovon sprechen sie?«

Meine Kehle war so trocken, dass ich die Worte nur in Form eines heiseren Keuchens hervorbringen konnte, so leise, dass die Ohren meines Gegenübers es wohl nie vernommen hätten, wenn auch nur ein anderes Geräusch diesen Raum zeitgleich erfüllt hätte.

Sie verstand jedoch gut, strich mir mit einem ihrer Finger über die Wange, meinen Hals hinab und stoppte dann abrupt bevor sie meine entblößte Brust ertastete.

»Sie hätten beinahe das Zeitliche gesegnet, mein Kind.«

Einerseits erschien es mir sinnvoll, dass sie mich lebend haben wollten. Falls nicht, hätten sie mich sicherlich längst getötet und es wäre nicht einmal ein großer Akt der Anstrengung für sie gewesen. Andererseits stellte sich mir die Frage was sie eigentlich mit mir vorhatten.

Wie lange war ich schon hier? Ein paar Tage bestimmt. Würden sie mich für ein Ritual opfern wollen, hätten sie das bereits hinter sich bringen können. Es sei denn sie warteten auf einen bestimmten Tag. Eine Vollmondnacht oder so einen okkulten Kram.

»Und ich werde es wieder versuchen,« gab ich ihr zu verstehen.

»Hm,« sie zog ihren Finger zurück, betrachtete mich kurz von oben bis unten und hob dann die am Boden stehende Kerze auf.

»Ich würde zu gerne sehen wie sie das bewerkstelligen wollen. Außerdem bleibt ihnen nicht mehr sonderlich viel Zeit, mein Kind.«

Sie war kurz davor die Kerze auszublasen, als sie innehielt, mit ihren schwarzen leeren Augen zu mir hinübersah und die Kerze stattdessen direkt neben mir platzierte.

»Sehen sie selbst,« sagte sie und ich konnte förmlich hören, wie breit sie unter ihrer scheußlichen Maske grinsen musste. »Sie sind so gut wie bereit.«

Nun öffnete sie die Tür, trat hinaus in das sanft umhertanzende Licht, verschloss sie wieder und ließ mich ratlos im seichten Kerzenschein zurück. Was hatte sie gemeint? War der Tag gekommen auf den sie gewartet hatten? Meinen Kopf konnte ich zu meiner Erleichterung weit genug heben, um einen Blick auf das zu werfen, von dem meine Peiniger offenbar wollten, dass ich es erblicke.

Zunächst erfassten meine Augen die langen Schläuche, die in meine Arme drangen. So hatten sie mich also zurückgeholt. Damit entfiel ein todbringendes Runterhungern schonmal als Option, um diesen Krähen einen Strich durch die Rechnung zu machen. Mein zitternder Körper war sämtlicher Kleidungsstücke entledigt worden, doch je mehr ich darüber nachdachte, desto unsicherer war ich mir, ob ich nicht schon die ganze Zeit ohne Kleider in dieser Zelle hockte oder ob sie mich erst nach meinem annähernden Ableben dieser beraubt hatten. Zumindest würde das diese plötzliche Kälte erklären, die viel schlimmer war als zuvor.

Aber dieser Schmerz – dieser unaufhörliche Schmerz am ganzen Körper. Woher dieser rührte bemerkte ich nun zum ersten Mal und ich wäre am liebsten auf der Stelle tot umgefallen als noch weiter jenen grauenhaften Anblick zu ertragen, der sich auf meinem eigenen Körper abzeichnete.

Es waren Beulen – große, schwarze Beulen, die

sich über meinen Leib verteilten. Einige von ihnen wuchsen an meinen Oberschenkeln entlang, andere wiederum längs an meinen Brüsten vorbei.

Nun verstand ich. Sie hatten auf mich gewartet – darauf, dass ich bereit für ihre kranken Machenschaften war. Krank – das war das Stichwort.

Als wenn sie mich nicht schon genug hatten leiden lassen, mussten sie mich auch noch mit einer der furchtbarsten Krankheiten der Menschheitsgeschichte infizieren, um mich wie sie es nannten ‚vorzubereiten‘. Mein Aufschrei war trotz meiner heiseren Stimme schrill und laut, so dass meine Entführer ihn selbst hinter der schweren Eisentür gewiss vernahmen.

Und während ich mich qualvoll kreischend umherwand und klagte, schwang die stählerne Tür ein weiteres Mal auf und als ich panisch vor Angst und malträtiert vor Schmerzen meinen Kopf in ihre Richtung drehte, drang mir der faulige Duft des Todes in die Nase.

Die schweren Schritte, die der Pestdoktor auf mich zu trat, hallten von den Wänden wider und übertönten beinahe mein Wimmern. Sein schweres Atmen wich nun einem gierigen Wittern, das an Intensität zunahm, je näher er mir kam. Der große Schnabel beugte sich direkt über die zahlreichen Beulen auf meinem nackten Fleisch und er roch an ihnen mit solch einem Genuss, als wäre es die köstlichste Speise, die ihm je vorgesetzt worden war und ich war fest davon überzeugt, dass er das auch genauso empfand.

Seine klauenartigen Finger strichen über meinen bebenden Leib, die daran befindlichen, spitzen Nägeln kratzten über die Oberfläche des angeschwollenen, schwarzen Fleisches und mit seiner tiefen, donnernden Stimme, ließ er selbst die mächtigen Wände meines Gefängnisses erzittern:

»ES IST ANGERICHTET!«

*

Die folgenden Stunden schwebte ich auf einer dünnen Schwelle zwischen Leben und Tod und es war das Ableben zu welchem ich mich mehr und mehr hingezogen fühlte. Überleben war längst keine Option mehr; alles worauf ich hoffen konnte, war zu sterben bevor sie mich für ihr sadistisches Ritual missbrauchen konnten.

Nur wie ich meinem Leben ein Ende setzen konnte, wusste ich nicht. Was blieben mir für Möglichkeiten? Ich war gefesselt und bekam Nährstoffe eingeflößt und mich dessen zu erwehren war ich nicht imstande. Aushungern konnte ich mich ebenfalls nicht weiter. Ich hätte mir den Kopf an den harten Wänden zerschlagen sollen, als ich die Gelegenheit dazu hatte, aber nun…

Langsam leckte ich über die völlig ausgetrockneten Lippen und schmeckte das Blut, welches dickflüssig aus der rissigen Haut hervorquoll. Der Einfall flog mir praktisch aus dem Nichts zu, jedoch war ich mir im Unklaren darüber, ob ich genügend Kraft aufbringen würde, um ihn auszuführen. Den Versuch wollte ich dennoch wagen.

Meine Zunge glitt über die ausgedorrte Haut hinweg und wanderte hinab in Richtung Kinn. Als sie so weit heraushing, dass ich sie kaum mehr weiter hätte ausstrecken können, fixierte ich den beinahe fast schon speichelfreien Muskelkörper innerhalb meines Mundes mit meinen Zähnen, atmete tief durch die Nase aus und trieb meine Kieferpartie so fest zusammen wie ich nur konnte.

Der Schmerz setzte zunächst stärker ein als ich es vermutet hatte, doch nachdem mein Biss energischer wurde, schwand er irgendwann und meine Zunge erschien beinahe taub im Vergleich zu der Pein, die sich über meinen übrigen Körper ausbreitete.

Der Vorteil an den schier nie enden wollenden

Malträtierungen war der, dass ich vor keinem drohenden Schmerz mehr zurückzuschrecken brauchte. Schließlich konnte kaum noch etwas meinen Zustand so drastisch verschlimmern als dass es mir etwas ausgemacht hätte. Jedes Leiden, das mir nun zugefügt wurde, verlor sich in dem bereits vorhandenen Meer aus Qualen, welches meinen Körper bewohnte.

Das Blut, welches nun aus meiner Zunge trat, bahnte sich langsam seinen Weg über meine Lippen, lief an meinen Mundwinkeln entlang und zog dunkelrote Striemen über meine Wangen. Der Geschmack von Eisen entfaltete sich in meiner Mundhöhle.

War es das? War das das Ende, auf welches ich nun so lange gewartet hatte?

Mein Atem wurde schwerer, der Druck meiner Kiefermuskulatur immer fester, doch obgleich ich deutlich das sich in meinem Schlund ansammelnde Blut schmeckte, schien der Versuch mich meines Geschmackssinns zu entledigen nicht von Erfolg gekrönt zu sein. Ich versuchte meinem Gebiss mehr Stärke abzuverlangen, doch ich begann schnell zu realisieren, dass mir inzwischen selbst dafür, die nötige Kraft abhandengekommen war.

Der anfänglich noch spürbare kleine Blutstrom, der sich auf meinem grotesk verzerrten Mund ergoss, ebbte binnen Sekunden wieder ab und noch bevor ich abwarten konnte, bis sich in mir wieder der nötige Kraftaufbau gesammelt hatte, ertönte das unglückkündende Quietschen und Knarren der schweren Eisentür.

Zuerst nahm ich an, dass mir der plötzliche Schreck die fehlende Energie liefern würde und sei es auch nur für eine Sekunde gewesen, doch bevor ich beenden konnte was ich angefangen hatte, schnellten ein paar Hände aus dem Dunkeln hervor. Zwei feste Griffe, packten mein Haupt und zogen meine Kiefer, welche ihnen kaum Widerstand entgegenbringen konnten, auseinander und brachten meinen Suizidversuch endgültig zum Scheitern.

Ich wollte was rufen, es hinausschreien. *Lasst mich, ihr Monster!* Wollte ich ihnen entgegenbrüllen. *Lasst mich endlich sterben!* Doch bevor ich auch nur einen Mucks machen konnte, begann ich durch das Blut in meinem Rachen zu röcheln. Viel konnte ich meinen Peinigern nicht entgegensetzen, doch ein halbwegs kräftiger Huster schleuderte einem von ihnen einige Spritzer des roten Saftes gegen die grauenvolle Maske und der Getroffene wandte ruckartig sein Gesicht ab. Offenbar waren einige Tropfen durch die leeren Augenhöhlen direkt in das Gesicht der Person gelangt und beinahe hätte sich ein verschmitztes Lächeln auf dem meinen gezeigt.

Dann vernahm ich kaum hörbar ein seltsames, schmatzendes Geräusch und ich wünschte es wäre mir entgangen, denn ich wusste sofort woher dieser Laut herrührte. Er leckte sich die Lippen. Dieser abscheuliche Kultanhänger hatte soeben von meinem Blut gekostet!

Der widerliche Schnabel richtete sich wieder starr auf mich und die in Leder gekleideten Finger strichen leicht, beinahe schon liebevoll über meine Wange.

»Du bist bereit, meine Kleine.«

Die kalte Hand drehte meinen Kopf zur Seite.

»Hm… eine kleine Änderung müssen wir leider noch vornehmen.«

Ich konnte aus dem Augenwinkel kaum erkennen, was die Person, deren Stimme wieder auf die Frau von vor Kurzem hindeutete, vorhatte, doch ich glaubte das, was sie aus ihrem Mantel hervorholte, als eine Zange identifizieren zu können.

»Es tut mir leid. Ob du es glaubst oder nicht, aber unnötige Gewalt ist etwas, das ich von ganzem Herzen verabscheue. Zu schade, dass du es mit deinem Versuch uns zu überlisten nötig hast werden lassen.«

Du hast gar kein Herz. wollte ich leise zischen, doch mir entwich lediglich ein kümmerliches Keuchen. Als hätte sie meine Gedanken gelesen, erwiderte die Frau jedoch etwas auf meine Worte als hätte ich sie klar und deutlich ausgesprochen.

»Wir alle haben ein Herz auch wenn es nicht immer ersichtlich ist. Weißt du, nur weil man grausam ist, bedeutet das nicht, dass wir keine Liebe empfinden können. Im Gegenteil – manchmal tun die Menschen die schrecklichsten Dinge, um das zu retten, was sie lieben.«

Mit diesen Worten umfasste sie mit der Zange meinen vorderen linken Schneidezahn und mit einem festen Ruck, riss sie ihn beinahe problemlos aus meinem Kiefer heraus. Mein Mund begann sich erneut mit Blut zu füllen und mit jedem Zahn, den sie entfernte, nahm der strenge Eisengeschmack zu.

Diesmal verspürte ich keinen Schmerz.

*

Irgendwann im Laufe der Prozedur musste ich das Bewusstsein verloren haben, denn als ich erwachte, lag ich seitlich gekippt auf dem kalten Boden. Mein Körper war nun wieder völlig der Taubheit und die Schmerzen, welche mich vor weniger Zeit so gequält hatten waren noch nicht zurückgekehrt. Zumindest darüber verspürte ich in meiner ansonsten gelinde gesagt ‚unvorteilhaften Lage' eine gewisse Dankbarkeit. Jedoch merkte ich deutlich den Druck durch die Beulen, welche auf meinem Körper wucherten. Unkontrolliert bebten meine Glieder und es fiel mir zudem immer schwerer meine Augen gänzlich zu öffnen.

Langsam versuchte ich mich zu drehen, überhaupt mich einfach nur zu bewegen, doch schien es so als wäre jeder einzelnen Muskel in meinem Leib gelähmt. Ich konnte ja nicht einmal einen Blick auf meinen Körper werfen; woher sollte ich wissen, ob es überhaupt noch etwas gab, das ich spüren konnte. In diesem Zustand hätte ich vierfach amputiert sein können und wäre darüber in völliger Ahnungslosigkeit verblieben.

Aus der Ferne ertönten derweilen Schritte, die von einem synchronen, chorartigen Summen begleitet wurden. Als die Tür sich langsam öffnete, schien das Licht von Kerzen auf mich hernieder und gab meinen nackten Korpus den Augen derer preis, die dieses groteske Spektakel wohl nun zu seinem großen Finale zu bringen gedachten.

Sie kamen näher, rangen sich um mich und einer von ihnen beugte sich zu mir herunter.

Diese Schnäbel – diese verdammten Schnäbel...

Ein würziger Geruch stieg mir in die Nase. Ich hätte ihn beinahe als wohlriechend bezeichnen können, denn auch das Aroma von Flieder gesellte sich alsbald dazu. Gleichzeitig drängte sich jedoch bald ein beißendes Odeur in den Vordergrund, das die guten Gerüche in Windeseile vertrieb. Es war der Gestank von Fleisch, süßlich faulig und stechend grub er sich förmlich durch meine Nasenlöcher. Als er so durch diese hindurchwanderte, schien es mir fast so als hätte er seine gasförmige Existenz zu einer festen Form gewandelt, so grauenhaft war seine Intensität.

Er war unter ihnen. Dieser Gott oder was auch immer er für diese kranken Leute sein mochte. Diesen Duft würde ich überall erkennen.

Jedoch nahm meine anfängliche Gewissheit eine unerwartete Wendung als eine der Anwesenden unter ihrer Maske zu würgen begann.

»Reiß dich zusammen!«, zischte eine andere Person sie an. »Du weißt, dass er es nicht gutheißt, wenn du dich so aufführst.«

»Tut mir leid,« entgegnete die Missetäterin.

»Wenn du es gar nicht ertragen solltest, dann

nimmt dir noch ein paar der Öle und Kräuter, aber lass sowas ja nicht bei der Zeremonie geschehen, sonst bist du am Ende noch die Nächste, die in dieser Zelle einsitzen muss.«

Hoffentlich werdet ihr alle irgendwann hier drinnen verrotten, dachte ich mir. Was die, unter Übelkeit leidende Frau jedoch entgegnete, schien sämtliche Gedanken, die mir in diesem Augenblick durch den Kopf gingen, mit einem Schlag auszuradieren.

»Wird nicht wieder vorkommen. Aber diese hier riecht noch übler als die Letzte und das will schon etwas heißen.«

Er war gar nicht hier bei uns. Gerade als ich annahm seinen widerwärtigen Stank überall erkennen zu können, wurde ich eines Besseren belehrt. Ich war es. In den Tagen der Angst und der Qualen, war es mein Fleisch, welches immer mehr der Fäulnis hingegeben wurde.

Dann griffen sämtliche Hände nach mir, packten meine Glieder, meine Hüften und meinen Rücken, um mich anschließend emporzuhieven und aus dem Raum zu tragen. Nichts hatte ich mir so herbeigesehnt, als dieses Gefängnis zu verlassen, doch vor mir öffneten sich nun die Pforten einer noch viel tiefer liegenden Höllenebene und ich wollte einfach nur noch dieser irdischen Welt entfliehen, bevor ich in dieser ankommen würde.

Der summende Klang des Chors um mich intensivierte sich mit jedem Schritt den sie taten und die Kulisse des Schreckens, durch welche sie mit mir wanderten, wurde mehr und mehr von seichten Lichtern erhellt. Alsbald erreichten wir einen weiteren Raum, dessen Inneres aufgrund all der Kerzen so hell erleuchtet war, dass es mich nach all der Zeit der Dunkelheit förmlich blendete. Jeder einzelne Docht war wie ein funkelnder Zuschauer einer Exekution. Wohin man auch blickte, erhoben sich kleine Flammen aus einem Bett schwarzen Wachses, welches durch die Hitze bis auf dem Grund, auf dem es platziert war, hinablief. Als würden die Kerzen um mich weinen.

Als sie stoppten, spürte ich kurz darauf festes Gestein unter mir auf welches sie mich abgelegt hatten. Ich begann zu zittern, dabei verspürte ich weder Kälte noch Schmerzen. Hatte ich Angst? Um ehrlich zu sein konnte ich das in diesem Augenblick nicht beantworten. Ich bezweifelte, dass irgendjemand in einer vergleichbaren Situation noch so etwas wie Angst verspüren konnte. Das war das Ende – wovor also sollte ich mich noch fürchten?

Vor dem Tod selbst? Wieviel schmerzhafter als

meine momentane Existenz könnte er schon sein? Außerdem würde der süße Kuss des Todes mich von weiterem Leid erlösen.

Ob ich Angst vor dem Ergebnis dieses Rituals haben müsste? Nun, da ich es selbst nicht mehr erleben würde, stand meine Antwort auf diese Frage zweifelsohne fest. Wenn ich etwas empfand, dann war es Wut. Ein inniger Zorn darüber, dass sie mit dem was sie taten Erfolg erzielen würden.

Und die Hölle? Das Leben nach dem Tod, welches durch die hiesigen Vorgänge nachhaltig beeinflusst werden würde, weil sie meine Seele unrein werden ließen oder so? Wohl kaum. Denn wenn man an die Hölle glaubt, dann ist es unabdingbar, dass der Himmel ebenfalls existent ist und würde dieser von einer göttlichen Macht bewohnt werden, dann hätte diese das, was mir hier angetan wurde, doch nicht zugelassen...

Es gab keinen Gott – ebenso wenig wie eine Hölle. Die Hölle war hier, direkt unter uns und keiner schien sie zu bemerken, weil sie sich versteckt und immer nur einen nach dem anderen unbemerkt zu sich holt.

Nun standen sie um mich gereiht, die Arme in die Höhe gestreckt, wie zu einem feierlichen und lobpreisenden Gebet. Die Masken dämpften ihre Worte und ließen diese schwingen, bis sie sich ihren Weg in den Raum hineinkämpften, um dort mit den Stimmen der Anderen zu einem Gesang zu verschmelzen, welcher in keiner Weise mehr menschlich klang. Was immer dies auch für Gesänge waren – sie entstammten jener Welt, aus welcher auch *er* zu uns kam.

»Katerra – Katerra – Katerra!«

Aus der Ferne ertönten schwere Schritte und diesmal wusste ich mit Sicherheit, dass er es war. Das schwere Atmen übertönte beinahe den Chor, doch als er dann direkt neben mir stand und auf mich herabsah, stoppten sowohl Gesang als auch sein Atem abrupt und ich fand mich in einer unerträglichen Stille wieder.

»WIE FADE IST DOCH DER TOD IM VERGLEICH ZU EINEM LEBEN, FÜR WELCHES MAN MIT SCHMERZ BEZAHLT.«

Die Stimme durchfuhr mich wie ein elektrischer Impuls, der meinem schon scheintoten Körper wieder Gefühl einhauchte. Mit einem Mal war alles zurückgekehrt, was ich im Laufe der letzten Tage verloren geglaubt hatte. Sowohl die Schmerzen als auch die Angst. Einzig und alleine meine zuvor verendete Hoffnung, ruhte weiterhin in ihrem Grab.

Seine entratene Kralle strich prüfend über die nässenden, dunklen Beulen. Die Spitze dessen was aus seiner Fingerkuppe wuchs und schon eher einem Messer denn eines Nagels glich, stach schließlich in eines der fleischigen Gebilde und auch wenn ich keinen Ton mehr von mir geben konnte, verzog ich den Mund zu einem stummen Schrei, verkrampfte und glaubte für einen Moment lang bewusstlos zu werden.

»Erst wenn man uns vergessen hat, sind wir wahrlich aus der Welt geschieden. Doch stirbt man für einen Gott, so wird man ewig in ihm weiterleben,« ertönte es um mich herum im unheilvollen Chor.

Als der Pestdoktor seinen Finger aus meiner Wunde herauszog, war dieser von Blut und Eiter bedeckt, welches er genauestens betrachtete und dann an einem Tuch abstrich, welches einer seiner Anhänger ihm reichte.

Dann umklammerten seine Hände die schwarze Maske auf seinem Gesicht und im schummerigen Schein der Kerzen offenbarte er mir jenes Antlitz, welches ich mit Anstrengung aus meiner Erinnerung zu verdrängen versucht hatte. Jetzt jedoch zeichnete es sich klarer vor mir ab als jemals zuvor.

Das was meine weit aufgerissenen Augen

einfingen raubte mir augenblicklich den Verstand.

Mein Torso begann sich immer stärker und in kürzeren Abständen zu heben und zu senken. Mein Atem fing an allmählich zu versagen und meine Brust begann so sehr zu schmerzen, dass ich glaubte, mein Herz würde alleine durch den Anblick dieses Monstrums zerrissen werden.

Der Pestdoktor reichte seine Maske an einen seiner Jünger und ich folgte dem Vorgang, um meinen Augen zu erlauben dem zu entfliehen was sie soeben gesehen hatten. Jener, der die Maske entgegengenommen hatte, schritt hinüber zu einem kleinen Altar in der Ecke des Raumes, auf welchem ein kleines Feuer brannte, dessen Flammen kaum größer waren als die der Kerzen.

Mit einem Ruck entlud er den Inhalt des großen Schnabels, welcher auf der glimmenden Kohle landete und sogleich vom Feuer erfasst wurde. Der Gestank im Raum intensivierte sich und ich begann zu würgen. Das war es was sie vorhatten?

Vor meinen Augen verbrannte soeben das, was der Pestdoktor all die Zeit lang in seiner Maske mit sich umhergetragen hatte. An dessen Duft er sich jede Sekunde lang weidete und der Ursprung seines schweren Atmens gewesen zu sein schien - und es waren keine wohlriechenden Kräuter oder Blumen.

Während eine Träne an meiner Wange hinunterrann, starrte ich mit ungläubigem Blick auf die dunkelrot glänzenden Eingeweide und die von eitrigem Sekret überzogenen Organreste, die von den Flammen geschwärzt wurden, bis nichts außer Asche mehr von ihrer einstigen Existenz zeugte.

»Katerramantia! Prinz der Fäulnis!«, ertönte es plötzlich hinter mir, doch auch wenn ich die sprechende Person nicht sah, so erkannte ich ihre Stimme auf der Stelle.

Mit langsamen Schritten trat Fräulein Bélanger in mein Sichtfeld, den Schnabel der Maske, welche sie trug, in Richtung ihres Gottes gerichtet.

»Wie es unsere Ahnen schon vor Jahrhunderten begannen, so wollen wir auch heute deiner Erhabenheit frönen und dir darbringen, wonach es dir am meisten gelüstet.«

In ihrer Hand blitzte die helle Klinge eines Skalpells auf, dessen Griff sie in ein dunkles Stück Stoff gewickelt hatte.

»Bitte nimm hin unseren bescheidenen Tribut, auf dass du dich an ihm laben und deine Macht für die zahlreichen unserer Erben erhalten

mögest.«

Schweigend nahm er das ihm gereichte Werkzeug entgegen und wandte sich wieder mir zu. Ich sah auf seine Hände und mir wurde klar, dass sich all der Schmerz, den ich in den nächsten Sekunden erfahren würde, in dieser Klinge bündelte und so verschloss ich, was manche Menschen als Fenster zur Seele bezeichneten. Eine Seele, welche in Berlin immer fragiler gemacht und hier letztendlich unwiederbringlich zerstört worden war.

Der kalte Dunst seines Atems streifte über meine nackte Haut und augenblicklich verschlug es mich wieder zurück an den Anfang. Ich war nie entkommen, sondern hatte mich lediglich im Kreis gedreht. Bei ihm handelte es sich um nichts weiter als die Personifizierung von einem Monster, dem ich schon Jahre zuvor hilflos ausgeliefert war. Während die einsame Träne auf meiner Wange langsam vertrocknete, wurde mir klar, dass ich auch ihn nie hatte ansehen können.

Ich konnte mich nicht einmal mehr an sein Gesicht erinnern.

»BIST DU BEREIT EIN GOTT ZU WERDEN?«

Nachdem der Hall seiner Stimme verklungen war, hörte ich nie wieder etwas. Es war als würde mein Körper sich auflösen und nach allem was geschehen war, war es dieses Gefühl, welches mir die größte Angst einjagte. Ich hörte auf zu existieren. Alles was ich war oder je sein wollte, wurde mir endgültig genommen ohne, dass ich etwas dagegen tun konnte. Es würde nichts außer leerem Fleisch zurückbleiben, welches irgendwann ebenfalls verging.

Ich hatte gelebt, um zu leiden und am Ende durfte ich nicht ein einziges Mal der Mensch sein, der ich immer hatte sein wollen.

Während die scharfe Klinge meine Haut durchtrennte und zwischen meinen Brüsten und schließlich meinen Bauch entlangwanderte, war das Leid bereits vergangen und es kehrte nie wieder zurück. Seine Hände glitten tief in meinen Körper hinein und trotz dessen ich mir bereits über die Präsenz des langersehnten Sensenmannes im Klaren war, beschloss ich meine Augen ein letztes Mal zu öffnen, bevor sie sich für immer schlossen.

Was ich sah war abartig. Die grässlichen Züge formten etwas, das man nicht einmal als Gesicht bezeichnen konnte. Zwar hatte ich dieses scheußliche Antlitz bereits erblickt als es auf mich herabsah, während ich bei meiner Flucht die Regenrinne hinabkletterte, doch es schien in der Zwischenzeit noch weitaus mehr entartet zu sein.

Aus dem schiefen Kiefer wuchsen die spitzen, gekrümmten Zähne, die sich wie Würmer aus diesem herauswanden. Die Augen waren nichts weiter als zwei große schwarze Löcher, die den Rest dessen, was von meiner Seele noch übrig war, erfassen und zu verschlingen versuchten. Wenn ich noch bei meiner ersten Sichtung seiner Visage kaum bemerkbare Merkmale eines menschlichen Gesichtes erkennen ließen, so waren diese nun gänzlich verschwunden.

Eine Nase besaß die Kreatur nicht, lediglich zwei große tiefe Löcher klafften in seinem von grauer ledriger Haut überzogenen Schädel und ließen sich kaum von seinen leeren Augenhöhlen unterscheiden. Und dann fuhr diese widerwärtige Zunge aus seinem Maul hervor. Wie eine fleischige geschwärzte Made kroch sie über seine nicht vorhandenen Lippen und präsentierte gebogene Dornen, die aus ihr emporsprossen.

Meine Furcht jedoch war verflogen. Ich sah ihn einfach nur an, während er mit seinem Handeln fortfuhr und mir dabei zurück in meine Augen sah. Und mit einem Mal begann ich voller Überraschung zu lächeln und ich wusste, dass ich zwar ein Leben verloren, jedoch zugleich ein Martyrium überstanden hatte.

Dein Gesicht war so viel schlimmer, wenn ich

mich an all das zu erinnern glaubte. Ich habe keine Angst mehr vor dir. Ich bin frei.

Der Schein der Kerzen nahm zunehmend ab. Es gab kein Licht auf das ich hätte zugehen können und der Chor der Pestjünger wurde auch nicht von Engelgesängen abgelöst, doch ich wusste dennoch, dass nun endlich alles vorbei war. Der Preis war hoch, doch ich war endlich der Hölle entkommen, in welche ich einst hineingeboren wurde.

»Endlich frei...«

IV. Rattenfänger

Als Andrea am frühen Morgen die Augen aufschlug, während die Sonne langsam zwischen den hohen Gebäuden Runans emporkletterte, erahnte sie noch nichts von dem was der heutige Tag für sie bereithalten sollte. Sie setzte sich im Bett auf, atmete kurz durch, schritt dann hinüber zum Fenster, um dieses zu öffnen und empfing der Hauch der frischen Morgenluft, der ihr entgegenströmte.

Gemächlich schlurfte sie in die Küche, machte den Kühlschrank auf und begann damit sich ein paar Brote zu schmieren, die sie Punkt 5 Uhr am danebenstehenden Tisch verzehrte. So tat sie es seit über 22 Jahren und daran würde sich wohl auch niemals etwas ändern.

Manchmal wirkte ihre Art zu leben zu einstudiert auf sie und oft zweifelte Andrea daran, dass diese in geordneten Bahnen laufende Routine, die sie ihr Leben nannte wahrlich erfüllend war, doch sobald sich solcherlei Zweifel in ihrem Innern auftaten, wurde sie sogleich wieder an diesen unheilvollen Tag zurückversetzt, der sie in diese Grube der Tristheit hatte fallen lassen.

Nachdem sie Anna nach jener grauenvollen Nacht nie wieder zu Gesicht bekam, war dieser langweilige Alltag die einzige Therapie, die ihre Ängste im Zaum halten konnte. Es stellte das nötige Gegengewicht zu der Furcht und der ständigen Paranoia dar, welche sie jedes Mal empfand, wenn ihr Blick aus der Eingangstür, hinüber auf die andere Seite der Straße fiel.

Dort wo ihre Augen diesen entsetzlichen Schreckenspalast fixierten, welcher Andrea tagtäglich beunruhigte und sie förmlich anzugrinsen schien. Während sie die knarrenden Stufen der Treppe hinab in ihren Laden stieg, zündete sie sich die erste Zigarette an. Nur alleine wegen dieses Vorfalls hatte sie überhaupt erst zu rauchen begonnen.

Anna hatte ihr immer versichert, dass es eine beruhigende Wirkung besaß und nach ihrem Verschwinden erhoffte Andrea sich genau das davon. Das versprochene Ergebnis blieb jedoch all die Jahre aus und lediglich eine nicht zu stillende Sucht wurde geweckt, die sie bis ins Grab begleiten und sie höchstwahrscheinlich auch in dieses befördern würde.

Etwa zwei Stunden saß Andrea bald darauf schon hinter dem Tresen und las in einem Magazin. Was blieb ihr auch anderes übrig, besonders groß war der Andrang in ihrem bescheidenen Laden wahrlich nicht. Zwar kamen hier und da ein paar Stammkunden vorbei, doch außer der lokalen Zeitung und ein paar Schachteln Zigaretten verkaufte sie selbst ihnen nicht viel.

Die monatlichen Einnahmen deckten gerade so ihre Verpflegung und vielleicht die ein oder andere Unternehmung, aber da Andrea auch keinen besonders kostenintensiven Hobbies nachging und zudem nicht vorhatte zu reisen, war dies für sie nie zu einem Problem geworden.

Das kleine Glöckchen über der Eingangstür riss sie aus ihrer Tagträumerei und als sie aufschaute, sah Andrea sich einem bedrohlich funkelnden Augenpaar gegenüber. Wobei „gegenüber" das falsche Wort war, denn die ominöse Frau überragte Andrea um fast zwei Köpfe und blickte mit einer beinahe verächtlichen Art auf sie hernieder.

Ein »*Guten Morgen*« welches sie sonst jedem Kunden entgegenbrachte, blieb Andrea direkt im Halse stecken als sie erkannte, wer da soeben in ihren Kiosk getreten war. Es war eine dieser furchtbaren Frauen von der gegenüberliegenden Straßenseite.

Nachdem diese ihre vor Gift triefenden Augen von Andrea abgewendet hatte, schweiften sie durch das Regal hinter ihr. Dann deutete sie auf eine der Schachteln in diesem und hob auffordernd ihren Kopf in die Höhe.

Andrea drehte sich um und griff nach der gewünschten Ware. Mit einem derartig abfälligen Verhalten sah sie sich hier selten konfrontiert, waren doch die meisten ihrer Kunden sozialgesellschaftlich noch notdürftiger als sie es war. Umso mehr heizte es den Ärger, über die Art und Weise wie diese Frau mit ihr kommunizierte, in ihrem Innern an.

Die Tatsache, dass es sich zusätzlich auch noch ausgerechnet um eine der ihr ohnehin schon suspekten oder viel eher verhassten Frauen von gegenüber handelte, machte es ihr umso schwerer diese sich formende Wut zu zügeln.

Noch in der Bewegung vernahm Andrea ein Geräusch, welches nicht nur unnötig war, sondern ihren Zorn so stark aufkochen ließ, dass sie sich zusammenreißen musste, um beim Zurückwenden zu der Kundin, ihre flache Hand nicht so sehr mitzuschwingen, dass diese versehentlich in deren blassen Gesicht landete.

Die hagere Dame hatte begonnen ungeduldig mit ihren spitzen Fingern auf den Tresen zu tippeln, so als wären die vier Sekunden die Andrea benötigt hatte, um die Ware zu besorgen eine bereits zu große Verschwendung ihrer kostbaren Zeit.

Noch während sie sich umdrehte, erfassten Andreas Augen jedoch etwas das diese Wut sogleich in Alarmbereitschaft umschlagen ließ. An der linken Hand der Frau blitzte beim Tippeln der Finger für einen kurzen Moment ein wohlvertrautes Schmuckstück auf.

Dieser Ring... sie brauchte nicht lange um zu realisieren wo sie das Glänzen des Rubins schon einmal gesehen hatte.

»Haben sie zufällig etwas von Frau Lehmann gehört?«, entfuhr es ihr plötzlich.

Die Frau blickte ruckartig auf, so als fühle sie sich ertappt und das Funkeln in ihren Augen wurde stärker.

»Wen meinen sie bitte?«

Die Stimme war rauchig und strahlte eine beunruhigende Bösartigkeit aus.

»Frau Lehmann, die Frau, die vor Kurzem zu ihnen ins Haus gezogen ist.«

Andrea wusste selbstverständlich sofort, dass die Dame ihr keine genauere Auskunft über ihren Verbleib geben würde, doch unversucht wollte sie es nicht lassen. Nachdem Anna verschwand zehrte die Schuld darüber nicht mehr getan zu haben bis zum heutigen Tage an ihr wie ein gieriger Aasfresser, dessen Hunger nie gestillt werden würde und ein weiteres Mal könnte Andrea diese Untätigkeit nicht mehr mit ihrem Gewissen vereinbaren.

»Ich kenne niemanden mit diesem Namen.«

»Sie meinen sie haben sie in der letzten Zeit nicht einmal zu Gesicht bekommen?«

»Nein,« sagte die Dame, diesmal etwas bestimmter und wollte sich schon umdrehen, um sich aus dem Laden zu entfernen.

Andrea schob vorsichtig ihre Hand unter den kleinen Tisch neben sich.

»Nein? Dann würde mich interessieren wie sie an ihren Ring gekommen sind.«

Die Frau schaute ihr tief in die Augen und es schien förmlich Toxin aus ihren dunkelgrünen Iriden zu träufeln.

»Dieser Ring ist ein Erbstück, er befindet sich seit Jahrzehnten im Besitze meiner Familie und hat meinen Finger nicht verlassen, seit er mir vor über dreißig Jahren von meiner Mutter angesteckt worden war.«

In Andrea begann es zu brodeln und sie spürte wie sich Wut in ihrem Innern zusammenzubrauen begann und die Subtilität in ihrer momentanen Privatermittlung ließ sich nicht mehr aufrechterhalten.

»Ich weiß nicht was ihr grässlichen Hyänen mit der Kleinen angestellt habt. Ich weiß auch nicht was mit Anna damals vor über zwanzig Jahren geschehen ist, aber dieses Mal werde ich euch mit euren düsteren Geheimnissen nicht einfach so davonspazieren lassen.«

Die Dame schmunzelte und drehte sich wieder in Richtung der Tür.

»Wenn sie der Ansicht sind, dass in unserem Hause etwas nicht mit rechten Dingen zu geht, dann steht es ihnen selbstverständlich frei die Polizei zu alarmieren, doch ich kann ihnen von dieser hoffnungslosen Mühe nur abraten, denn aufgrund dessen, dass sie für ihre unerhörte Annahme nicht den kleinsten Beweis vorbringen können, wird dieses Vorhaben unglücklicherweise zum Scheitern verurteilt sein. Guten Tag, Fräulein.«

Sie öffnete die Tür. Nein. Das konnte sie nicht zulassen; sie würde diese verfluchten Teufelinnen nicht ein weiteres Mal damit durchkommen lassen. Eigentlich hatte sie all die Jahre nur Zeit verschwendet, das war ihr nun klar, jetzt wo sie sich auch noch Nina geholt hatten, aber dieses Spiel war nun vorbei. Jetzt musste sie handeln.

Andrea schloss ihre Hand fest um den Revolver, den sie vor drei Sekunden unter dem Tisch ertastet hatte, holte ihn hervor und richtete ihn auf die hünenhafte Dame vor sich, die drauf und dran war auf ewig mit all den

Antworten zu verschwinden, nach denen Andrea schon Jahrzehnte lang suchte.

»Sie bleiben auf der Stelle stehen und werden sich keinen Zentimeter mehr vorwärtsbewegen oder ich blas ihnen noch ein paar Extralöcher in ihren Körper durch die sie ihre Kippen rauchen können!«

Die Dame stand sofort still und drehte sich langsam um. Als sie die Waffe erblickte, begannen ihre Netzhäute augenblicklich wässrig zu werden.

»Oh mein Gott! Was haben sie denn vor?! Bitte tun sie mir nichts, ich habe ihnen doch nichts zuleide getan!«

Andrea zögerte kurz. Die Frau hielt bettelnd ihre Arme vor der Brust gefaltet und näherte sich wieder dem Tresen.

»Haben sie doch Gnade, ich weiß nicht von wem sie da sprechen. Ich habe von diesem Mädchen noch nie gehört. Sie müssen mir glauben; wenn nicht dann fragen sie doch unsere Hausherrin, ich selber habe nie was mit den anderen Frauen in diesem Haus zu tun gehabt.«

Die glitzernden Zähren liefen nun bereits in Strömen aus ihren Augen, doch in diesen funkelte noch immer dieselbe Boshaftigkeit wie vorher.

»Woher wussten sie dann,« begann Andrea, »dass es sich bei Frau Lehmann um ein Mädchen handelt?«

Das klägliche Schluchzen der Dame stoppte abrupt und auf ihren schmalen Lippen formte sich kaum merklich ein verschmitztes Lächeln. Ihre Hände, die sie gerade eben noch flehend vor sich hielt, schnellten hervor, um sie der Waffe in Andreas Hand zu bemächtigen.

Sie selbst hatte diesen Revolver noch niemals zuvor gebraucht. Ein Geschenk ihres Bruders war er gewesen, nachdem dieser gehört hatte in was für eine verruchte Stadt seine Schwester gezogen war. Er hatte ihr nur einmal kurz erklärt wie sie funktionierte und danach hatte sie eigentlich nie wieder auch nur an die Waffe gedacht. Nun sah sie nur die Finger dieser Furie auf sich zukommen, die noch in der Bewegung die Form von Krallen anzunehmen begannen und die Konturen der Dame verschwammen in Andreas Augen zu einer gar raubtierähnlichen Kreatur.

Ein Schuss löste sich – Andrea selbst hielt die Augen für einen kurzen Moment geschlossen. Auch wenn sie mit ihm gerechnet hatte, überraschte sie der laute Knall dennoch und sie zuckte zusammen. Als sie vorsichtig ihre Lider wieder aufschlug, sah sie nur noch wie die Dame vor ihr langsam zu Boden glitt, ihre Augen dabei jedoch stetig auf ihre Schützin gerichtet. Das Funkeln aus ihrem Blick war verschwunden, dafür las Andrea nun Verwunderung aus diesem heraus.

Durch das schwarze Gewand, welches die Frau trug, konnte sie es erst gar nicht recht sehen, doch spätestens als ihr Körper am Boden lag, erkannte Andrea, dass Blut aus ihrem Brustkorb lief und sich über den hölzernen Boden verteilte.

Ihre Hände, in denen sie den Revolver weiterhin fest umklammerte, zitterten nun so stark, dass sie glaubte die Waffe fallen zu lassen. Was sollte sie denn nun tun? Nicht nur, dass sie einen Mord begangen hatte, sie hatte nun auch die einzige Quelle möglicher Antworten zur Strecke gebracht.

Was war mit Nina? Was mit Anna? Welchen Machenschaften gingen diese Frauen nach? Würde sie nun jemals Antworten auf diese Fragen bekommen?

Schweiß bildete sich auf ihrer Stirn und sie legte die Waffe vorsichtig wieder unter den Tisch von wo aus sie ihn hervorgeholt hatte.

Dann sah sie wieder herab auf die Leiche vor sich unter welcher die rote Lache anfing sich immer weiter auszubreiten. Der Glanz in den weit geöffneten Augäpfeln der Hexe verblasste binnen weniger Sekunden und die gerade noch so kleinen Pupillen schwollen um ein Vielfaches an, um das endgültige Ergebnis von Andreas Tat zu bestätigen.

Das war doch alles reiner Wahnsinn was sich hier zutrug. Hektisch kramte Andrea sich eine Zigarette hervor und noch während sie sie ansteckte, fiel ihr Blick wieder auf die Hand der Toten an deren gekrümmtem Finger nach wie vor der glänzende Ring prangte.

Was hatte Nina gesagt? Andrea konnte sich kaum noch erinnern, alles was sie von jener Nacht noch wusste war verschwommen und undeutlich. Aber dieser Ring war der Schlüssel oder zumindest einer der Schlüssel, der alle Geheimnisse dieses Hauses aufzudecken vermochte.

Etwas zurückhaltend griff sie nach der leblosen Hand und streifte vorsichtig das Schmuckstück von dem Finger. Noch im Tode jedoch schien der Finger des Leichnams sich gegen die Entwendung des Ringes zur Wehr zu setzen und drauf und dran zu sein Andrea mit den klauenartigen Nägeln zu attackieren.

Alleine diesen Gegenstand nun in der Hand zu halten löste Unwohlsein in Andrea aus. Das

Funkeln auf seiner glatten Oberfläche glich haargenau dem nun versiegten Funkeln in den Augen seiner einstigen Besitzerin. Was jedoch sollte sie nun mit diesem Objekt anfangen, jetzt da sie ihn an sich genommen hatte?

Gerade als sie ihn vorerst in ihre Kasse legen wollte, vernahm Andrea mit einem Male ein Geräusch. Es war leise, zunächst kaum wahrnehmbar, doch innerhalb weniger Sekunden, begann es sich unaufhaltsam zu intensivieren. Irgendetwas war vor ihrem Laden, aber zuordnen konnte sie die Geräuschkulisse keiner der ihr bekannten.

Langsam trat sie zur Eingangstür, umschloss mit der einen Hand die Klinke und mit der anderen fest den Ring, in der stetigen Angst im Unterbewusstsein, dass er ihr jeden Augenblick wieder entrissen werden könnte. Die Tür schwang durch das ruckartige Öffnen durch Andrea auf – und sie blieb wie in einer Stockstarre gefangen stehen. Was sich dort direkt vor ihr für ein Anblick bot war zu verrückt und grotesk, als dass es der Wahrheit hätte entsprechen können. Sie hatte bereits des Öfteren Ratten in Runan gesehen, klar es war auch nicht wirklich die sauberste Stadt, wie so ziemlich jede Ortschaft dieser Größenordnung, aber das Bild welches sich ihr hier bot übertraf selbst ihre schlimmsten Horrorvorstellungen.

Sie standen direkt vor ihrer Ladentür, so als hätten sie nur darauf gewartet, dass Andrea die Tür aufreißen würde. Eine Vielzahl kleiner schwarzer Augen starrte sie an und ein grässlicher Chor des Fiepens ertönte, wie eine unheilvolle Begrüßung. Diese Geräusche die sie von sich gaben; es war ein entsetzlicher Qualgesang. Nun erinnerte sie sich wieder daran, was Nina in jener vergangenen Nacht zu ihr gesagt hatte.

Die Ratten – der Ring mache irgendetwas mit den Ratten…

Aber konnte es tatsächlich dieses kleine Ding in ihrer Faust sein, dass diese Nagetiere angelockt hatte? Nein, das war an Absurdum nicht zu überbieten. Langsam tat sie ein paar Schritte rückwärts, doch zu ihrem Entsetzen musste Andrea feststellen, dass sich nun auch die kleinen Tiere in Bewegung setzten. Mit einem ohrenbetäubenden kollektiven Aufschrei, stießen sie hervor und rannten wie eine kleine Armee auf die völlig irritierte Frau zu!

Diese schrie laut auf und verschloss blitzschnell die Türe, während auf der anderen Seite das Scharren vielerlei kleiner Krallen einsetzte. Unter der Türschwelle konnte sie die zahlreichen Schatten erkennen, die sich langsam einen Weg in ihr sicheres Heim zu bahnen begannen. Bald schon sah sie das erste Köpfchen unter der Pforte hervorschauen.

Was sollte sie denn nun tun? Die Hintertür, dachte sie sich und stürmte nach hinten. Was war denn nur los? War diese Stadt endgültig dem blanken Wahnsinn verfallen? Andrea schämte sich inzwischen zunehmend, dass sie Nina nicht einfach bei sich Unterschlupf gewährt hatte. Warum tat sie es auch nicht, womöglich wäre sie dann gar nicht erst verschwunden. Es war fahrlässig das Kind trotz allem was Andrea wusste weiterhin in diesem Höllenhaus wohnen zu lassen.

Vielleicht war es ja einfach ihre unstillbare Suche nach Antworten gewesen. Womöglich hatte sie einfach gehofft, dass Nina etwas entdecken würde, was ihr beim Entschlüsseln dieses jahrealten Rätsels behilflich sein könne. Womöglich hatte sie noch mehr entdeckt als das was sie ihr erzählt hatte. Schließlich wusste sie nur über den Ring halbwegs Bescheid, nicht jedoch darüber was Nina sonst noch alles in diesem Gemäuer gesehen hatte.

Andrea schlotterten die Knie und sie konnte nur erahnen, wie sehr sich Nina gefürchtet haben musste, als sich diese alten Geier auf sie gestürzt hatten. Was tun? Sie musste hier verschwinden, bald würden diese Biester schließlich hier eindringen und Gott weiß was dann mit ihr geschehen würde. Sie wollte jedenfalls unter keinen Umständen als Rattenfutter enden, aber angesichts ihrer momentanen Lage stand ihr dieses Schicksal unmittelbar bevor.

Andrea schnappte sich die nötigsten Dinge, die sie spontan zu greifen bekam. Den Revolver, ein wenig Geld aus der Kasse und eine Packung Zigaretten. Den Ring steckte sie sich an, auch wenn ihr der Gedanke widerstrebte dieses Schmuckstück zu tragen, erst wenige Minuten nachdem sie es einer ermordeten Frau von ihrem noch nicht erkalteten Finger genommen hatte.

Dann geschah etwas. Etwas das Andreas Angst augenblicklich in Verwirrung umschwenken ließ.

Das Scharren als auch das entsetzlich laute Fiepen stoppte auf der Stelle. Verwundert wandte sie sich um. Das war doch nicht möglich. Ihre Augen wanderten auf ihren rechten Ringfinger und spiegelten sich in dem dunkelroten Rubin, in dessen Schimmer ihre geweiteten Pupillen kaum einen Unterschied zu den schwarzen Knopfaugen der Ratten aufwies.

Vorsichtig schritt sie langsam in Richtung der Tür, legte die Sachen, die sie eben noch eingesammelt hatte beiseite und griff nach einem Besen, der in der Ecke des Zimmers hinter der Tür stand. Diesen hielt sie sich über die linke Schulter, bereit dazu jeden Augenblick mit voller Wucht auf das scheußliche Ungeziefer zu schlagen.

Die Tür schwang auf, Andrea holte aus... und hielt mitten in der Bewegung inne. Sie starrten sie einfach nur an, mucksmäuschenstill und vollkommen bewegungslos. Die gerade eben noch so wild gewordenen Ratten hockten einfach nur da und schauten zu ihr auf als wäre sie ihre treusorgende Besitzerin.

Die Legion aus Nagern hatte beinahe eine Art Formation gebildet, nicht vergleichbar mit dem vorherigen wilden Gemenge, welches noch vor wenigen Sekunden vor ihrer Tür herrschte. Zögerlich ging Andrea einen Schritt vorwärts und zu ihrer Überraschung wichen nun auch die Ratten im Gleichschritt zurück ohne ihre vertrauensseligen Blicke von ihr zu lassen.

Ihre Hand begann zu zittern angesichts des bizarren Schauspiels das sich ihr bot. Beinahe krampfhaft versuchte sie das unkontrollierbare Zucken in ihren Fingern zu unterbinden und hob ihren Arm, fixierte ihre Hand für ein paar Sekunden lang mit beiden Augen und schaffte es ihre Nerven zumindest ein wenig herunterzufahren.

Als Andrea dann jedoch ihren Blick wieder auf die Ratten richtete, war es mit der kurz anhaltenden Ruhe in ihrem Körper sogleich wieder vorüber. Was taten sie da bloß?

Die Ratten standen nun nicht mehr nur da, sondern hatten sich auf ihre kleinen Hinterläufe gestellt und reckten ihre winzigen Nasen gen Himmel als hätte es sich bei Andreas Bewegung um einen Appell gehandelt. Das Ungeziefer gehorchte ihr.

Nachdem Andrea den Schock der Erkenntnis über das rätselhafte Geschmeide einigermaßen überwunden hatte, ging sie langsam wieder rückwärts in die Wohnung. Als sich die Ratten vor ihr daraufhin jedoch nun ebenfalls in Bewegung setzten, streckte sie reflexartig ihre Hand aus und als wüsste sie genau was sie tat befehligte sie den Nagetieren somit stehenzubleiben. Vorsichtig schritt sie über die Schwelle und verschloss die Tür.

Und nun? Abgesehen von diesem, gelinde gesagt, höchst sonderbaren Zwischenfall hatte sich an ihrer Notlage nicht unbedingt viel geändert. Klar, die Ratten hatten aufgehört sie zu attackieren, aber trotzdem befand sich in ihrem Laden noch immer diese verdammte Leiche. Zwar könnte sie diese für eine Weile unentdeckt lassen, aber wie lange könne sie dieses Versteckspiel wohl treiben? Einen Garten, um sie zu vergraben hatte sie nicht, ganz abgesehen von der Möglichkeit, dass jemand den Schuss vernommen und bereits die Polizei alarmiert haben könnte.

Sie hätte natürlich auch die Möglichkeit sie in den Keller zu sperren oder auf dem Dachboden verstauen, aber wie lange könnte sie den gewiss rasch einsetzenden Gestank unterbinden oder vor ihrer Kundschaft geheim halten, ganz zu schweigen davon, dass es Andrea selbst sicherlich in Kürze den Verstand rauben würde?

Andrea dachte kurz nach, ließ die Gedanken kreisen und in ihr festigte sich allmählich eine Idee, die ihr zwar im höchsten Maße absurd erschien, aber die für sie, in Anbetracht dessen was sie erst vor wenigen Sekunden mit eigenen Augen gesehen hatte, offenbar nicht im Bereich des Unmöglichen lag. Ihre Finger umfassten die Klinke der Tür und nachdem sich diese geöffnet hatte, machte sie mit der rechten Hand eine kurze winkenden Bewegung.

Als hätten die Ratten nur auf diese Einladung gewartet, kamen sie in Windeseile in den Laden und schon bald war der knarrende Holzboden kaum mehr als solcher zu erkennen, da jeder Zentimeter seiner Oberfläche von einem unüberschaubaren, jedoch erstaunlich geordnet wirkenden Pelzteppich überzogen war.

Den toten Körper den sie ebenfalls bedeckt hatten rührten sie allerdings nicht an. Zumindest nicht bis zu dem Augenblick in dem Andrea ihre Hand auf die Tote richtete und ihrem neuen, kleinen Gefolge somit das Festmahl gestattete. Die bisher so in ihrer Routine gefangene Kioskdame konnte es kaum glauben, so befremdlich und (alp)traumgleich kam ihr dieses Szenario vor. Die Ratten gaben keinen Ton von sich, nicht das kleinste Fiepen war zu vernehmen, obgleich es Andrea lieber gewesen wäre, wenn das Geräusch der Ratten die nun eintretende Geräuschkulisse dominiert hätte.

Stattdessen ertönte der Klang von reißendem Stoff, sowie der kurz darauffolgende schmatzende Laut von Fleisch, das langsam in kleine Stücke zerteilt und von den schon alsbald blanken Knochen abgetrennt wurde. Der Prozess nahm ungefähr nur zehn Minuten in Anspruch, dann klangen die Geräusche langsam ab und von der Frau, die noch vor weniger als einer halben Stunde quicklebendig vor Andrea gestanden hatte, war nurmehr ein mit vereinzelten Blutresten versehenes Skelett übriggeblieben. Ein Skelett von dem Andrea annahm, dass es deutlich einfacher zu entsorgen wäre als ein vollständiger Leichnam. Im schlimmsten Fall würde sie die Knochen einzeln in Kisten verpacken und auf Ewig im Keller verstauen, auch wenn ihr der Gedanke bei genauerer Überlegung doch zu morbide erschien.

Dann bahnten sich allerdings andere Überlegungen an und diese betrafen nicht die tragisch verstorbene ältere Dame, sondern jene die noch lebten und in ihrer Stätte des Grauens auf die Rückkehr ihrer Komplizin warteten. Womöglich fragten sie sich schon wo sie so lange blieb, immerhin wollte diese ja offenbar nur eine Schachtel Zigaretten kaufen. Auch wenn Andrea nervlich nun so immens weit am Abgrund stand, dass sie drohte jeden Moment in diesen hineinzustürzen, wusste sie, dass ein schnelles Handeln nun unabdingbar war.

Kurzerhand wies sie den Ratten, die den knöchernen Kadaver bedeckten, sich beiseite zu bewegen, um diesen mit einem recht hektischen Tempo und immer festeren Tritten in Richtung der Kellertüre zu befördern. Just als Andrea diese erreicht hatte, öffnete sie sie und stieß die skelettierten Überreste mit einem letzten kräftigen Fußtritt auf die oberen Stufen der Treppe von wo aus sie nach und nach den Weg in die undurchdringliche Dunkelheit des Gewölbes herabfielen.

Sie schloss die Tür, drehte sich von dieser weg, lehnte gegen ihre raue Beschaffenheit, schloss die Augen und atmete einige Male tief ein und aus. Indessen saßen die Ratten vor ihr, blickten sie beinahe mit einem süß anmutenden Gesichtsausdruck an und schienen geradezu erwartungsvoll auf ihre nächsten Kommandos zu warten.

Andrea schlug die Augen wieder auf, suchte den Raum eilig nach etwas ab, das sie noch unbedingt mit sich führen müsse, wenn sie das Haus verließe, im Ungewissen darüber wie lange dies wohl sein würde. Ein paar Sachen hatte sie ja vor wenigen Minuten bereits zusammengesucht, doch beim Betrachten dieser wurde ihr klar, dass dies nicht gerade ausreichend für eine Flucht sein würde.

Fast übersah Andrea es, während ihr Gesicht durch das Zimmer schwang, doch als hätte ihr Verstand gewollt, dass sie es erblickte, richtete sie ihren Kopf in Richtung des Bücherregals. Eine Idee von ihr, die bisher noch keine allzu großen Früchte abgeworfen hatte, doch war sie damals als sie den Laden eröffnete davon ausgegangen, dass auch das kleinste Geschäft zumindest einen Hauch von Lektüre anbieten sollte, auch wenn Andrea beim Anblick ihrer Kundschaft recht schnell bewusstwurde, dass sie mit dieser Überlegung auf das falsche Pferd gesetzt hatte.

In all den Jahren die sie hier nun schon Alkohol, Tabak und Zeitschriften verkaufte, war erst ein einziges der von ihr sorgfältig ausgesuchten und liebevoll einsortierten Bücher tatsächlich über die Ladentheke gegangen. Eine herbe Enttäuschung wie Andrea fand, aber sie redete es sich einfach damit schön, dass die meisten Menschen in Runan vermutlich genauso dumm waren wie sie aussahen und demnach auch nicht das Talent besaßen mehr als die tagesaktuellen Schlagzeilen zu lesen.

Nun kam ihr diese örtliche Leseschwäche allerdings wider aller Erwartungen zunutze, denn in diesem Moment erfasste ihr Sehnerv einen Buchrücken, der ihre Fluchtpläne umzuformen und ihr eine völlig andere Vision in den Kopf zu setzen begann.

Abgesehen von dem Revolver rührte sie keinen weiteren Gegenstand in der Wohnung mehr an, steckte lediglich die Waffe in die Tasche der Jacke, welche sie sich überstreifte und verließ den Laden durch die kleine Hintertür, welche sie sogleich in eine schmale Gasse führte. Das Rattengefolge lief ihr dabei in kleinen, schnellen Schritten ohne Widerstand nach. Schon bereits nach den ersten Metern, die sich Andrea zwischen den Mülltonnen und den

Haufen an Abfällen, welche nicht in diesen entsorgt worden waren, bewegte, bemerkte sie im Augenwinkel wie die Masse an Nagetieren hinter ihr stetig zunahm.

Runan war ein Paradies für dieses allesfressende Getier und Andrea hatte sie in den vergangenen Jahren beinahe täglich gesehen, aber jetzt da sie sich allesamt an einem Ort bündelten, überraschte es sie dennoch wie ungeheuerlich ihre Anzahl eigentlich war. Schon nach wenigen Minuten konnte die durch die Straßen wandernde Frau nicht mehr sagen ob es noch hunderte oder schon tausende kleiner Tiere waren, die sich ihr angeschlossen hatten.

Zwischenzeitlich hatte sie die Befürchtung bei ihrer grotesken Pilgerfahrt beobachtet zu werden, doch da diese Gegend im Vergleich zur restlichen Stadt überaus spärlich bewohnt war und die meisten Menschen die hier lebten entweder Alkoholiker oder Drogenabhängige waren, die eher ihren Verstand anzweifeln als die Behörden verständigen würden, verflüchtigte sich diese Besorgnis recht schnell wieder. Es brauchte keinen langen Marsch um eine beträchtliche Anzahl an Ratten um sich zu sammeln. Im Gegenteil, es ging sogar weitaus schneller als Andrea es für möglich gehalten hätte.

Der Weg der sie durch sämtliche Seitengassen führte und demnach auch an die schmutzigsten Orte der Stadt beförderte, hatte ihre Gefolgschaft so gewaltig werden lassen, dass jede der schmalen Pfade die sie alsbald durchwanderten nicht mehr genügend Platz aufwies und die Ratten dazu zwang übereinander zu kriechen, sodass sie inzwischen mehr einer schwarzen Flutwelle glich, die durch die Ortschaft strömte, denn einem Haufen einzelner Tiere.

Eine riesiges, totbringendes und mit spitzen kleinen Zähnen ausgestattetes Kollektiv, das sich seinen Weg unaufhaltsam hinter seiner Anführerin bis hin zu jenem unheilvollen grün schimmernden Gebäude bahnte, vor welchem ihre kurze jedoch äußerst ertragreiche Odyssee vor kaum mehr als zwei Stunden ihren Anfang nahm.

Andrea stoppte, blickte stumm auf die große Eingangspforte und atmete tief durch. Die Ratten hinter ihr waren ebenfalls zum Stillstand gekommen und harrten trotz ihrer Masse völlig ruhig und leise aus.

Sie klopfte lautstark an und ein nervöses Zittern begann von ihrer Körpermitte aus in ihre Akren zu strömen. Von der anderen Seite der Tür aus vernahm sie alsbald lauter werdende Schritte und Andrea wich ein wenig zurück als sich der Hauseingang wie das gähnende Maul eines Ungeheuers vor ihr zu öffnen begann.

Der Vorgang ging schnell und gnadenlos vonstatten. Noch bevor die Frau auf der anderen Seite der Schwelle ihre n Blick auf Andrea gerichtet hatte, sanken sie sogleich hinab zum Boden, wo ihre Füße bereits von der Welle aus Ratte erfasst worden waren. Der Schrei welcher ihren offenbar schwachen Lungen entwich war leise und dennoch schrill, allerdings nicht von großer Ausdauer.

Lediglich für den Bruchteil einer Sekunde nachdem sie ihn ausgestoßen hatte, war er bereits wieder erstickt worden. Was folgte war ein gequältes Winseln und verzweifeltes Röcheln, während die hungrigen Nagetiere zunächst ihre schlotternden Beine erklommen, dann ihren Oberkörper und schließlich über ihr erbleichtes Gesicht herfielen.

Das zuvorige Röcheln, welches ihrem Rachen entsprang verwandelte sich binnen weniger Sekunden in ein grässliches Gurgeln was wohl daher rührte, dass die Ratten inzwischen begonnen hatten sich unaufhaltsam in ihren entblößten Hals zu fressen den sie verzweifelt, jedoch vollkommen vergeblich, versuchte mit ihren Händen zu schützen. Die Frau taumelte rückwärts, stolperte und fiel zu Boden. Ihr zappelnder Leib wurde nun gänzlich mit Ratten überdeckt und fast noch im Sturze versiegte auch der letzte der von ihr im Todeskampf ausgestoßenen Laute.

Andrea schritt vorwärts, während die zahlreichen Nager beiseite wichen und einen kleinen Gang formten durch welchen sie gemächlich hindurchgehen konnte. Obgleich die Eingangshalle überdurchschnittlich stark beleuchtet war verlor sie nach Andreas Eintreten den Großteil ihres Lichtes, fast so als würde das Schwarz, das die Schar an unerwarteten Besuchern mit sich brachte, sämtlichen Schein der Deckenlampen absorbieren.

So kurz und kläglich der Schrei der Dame jedoch war, er hatte gereicht um weitere Schaulustige aus dem oberen Stockwerk auf sie aufmerksam zu machen. Festen Schrittes betrat Andrea die erste Stufe der hinaufführenden Treppe und als sie in die verstörten und entsetzten Gesichter jener Frauen sah, die sie dort oben erwarteten, fühlte sie zum ersten Mal seit langer Zeit in ihrem Leben eine wahrhaftige und innige Genugtuung.

All die Jahre der Ungewissheit, der Zweifel und vor allem der ständigen Angst vor diesen

Frauen hatte sie immer weiter in ein tiefes Loch hinabsacken lassen doch nun stand sie hier und hielt sämtliche Trümpfe in der Hand. Endlich konnte sie es ihnen heimzahlen und ihrem schier niemals enden wollenden Elend das Ende bereiten, welches sie sich bereits so lange schon herbeigesehnt hatte. Was blieb ihr auch übrig? Die Polizei konnte nichts ausrichten, schließlich wusste Andrea ja noch nicht einmal genau was sie in jener Nacht vor 22 Jahre genau erblickt hatte.

Und weil sie damals nichts gegen diese Furien hatte ausrichten können, hatten sie sich jetzt auch noch Nina geholt und Gott alleine wusste wie viele junge Mädchen außerdem unter den Mächten dieser Bestien gelitten haben mussten. Andrea musste fast schon schmunzeln als sie darüber nachdachte wie lange sie des Nachts in ihrem Bett gelegen hatte, ohne die Möglichkeit zu schlafen und stattdessen von wilden Fantasien darüber wachgehalten wurde, was sich in diesem Hause wohl alles zutrug.

Ein beinahe amüsanter Gedanke, dass sie sich damals für verrückt hielt als sie den Damen Organhandel unterstellte oder annahm, dass sie Anna und andere Mädchen an reiche Perverse weiterverkauften. Zu wissen, dass sie sich damals von diesen Überlegungen getrennt hatte, da sie ihr zu absurd erschienen ließ

Andrea in Anbetracht ihrer einstigen Narretei kurz laut auflachen, während sie die letzte Stufe hinaufstieg und zusah wie die verängstigen Frauen panisch in Richtung ihrer noch offenstehenden Wohnungstüren rannten.

Nein; es waren keine bösartigen Frauen, keine Organhändlerinnen oder etwas auch nur im geringsten Maße Vergleichbares. Diese Frauen waren Hexen! Und anstatt sie mitsamt der Brutstätte ihres Unheils in Brand zu stecken, wie es wohl dem guten Ton überlieferter Traditionen entsprach, brachte Andrea ihnen nun mit einer simplen Handbewegung ein lautstark fiependes und mordlüsternes Inferno entgegen.

Der Rattenstrom glitt geifernd durch den Flur und an jeder der noch verschlossenen Türen blieben ein paar von ihnen stehen, um sich unter der Schwelle hindurch zu nagen. Ob die entsprechenden Bewohnerinnen noch in ihren Betten gelegen oder bereits zitternd unmittelbar von der anderen Seite gelauscht hatten, ließ sich daran festmachen wann ihre markerschütternden Schreie einsetzten.

Manche von ihnen eilten noch panisch auf den Flur, nur um dort endgültig zu Fall gebracht und bei lebendigem Leibe gefressen zu werden, andere wurden noch an Ort und Stelle in ihren

Betten zerfleischt und lediglich die blutverschmierten Laken und ein paar abgenagte Knochen zeugten von ihrem Verbleib.

Andrea hatte eher mit einem wahren Blutbad gerechnet, doch die Ratten hatten die wehrlosen Opfer derartig schnell vertilgt, dass es ihr beinahe unmöglich war den Prozess des großen Festmahls genauestens zu beobachten. Die grausamen Details wurden bereits wenige Sekunden nach dem ersten Bissen einer Ratte von den unzähligen anderen Nagern verdeckt, die sich wie eine totbringende Decke auf die sich windenden Opfer legten und ihre Schreie innerhalb kürzester Zeit erstickten.

Nachdem auch der letzte Schrei verstummt war wies Andrea mit hochgehaltener Hand die gefräßige Horde zum Stehen an. Der ungeordnete Haufen nahm augenblicklich eine geregelte Formation ein. Dadurch, dass sie sich nun nicht mehr übereinander türmten und somit keine dezimeterdicke Schicht bildeten, schauten nun zwischen ihren kleinen Körpern unverkennbare Beweise ihrer Raserei hervor.

Rippen, Wirbelsäulen sowie ein rumpfloser Schädel stießen aus der Masse empor. Auch hatten ein paar einzelne Gliedmaßen wie Beine und Arme den Großangriff bis auf einige vereinzelte Bissstellen unbeschadet überstanden, da Andrea den Leichenfraß abrupt für beendet erklärte.

Langsam trugen ihre Füße sie geradeaus, während die Ratten nach und nach eine Gasse vor ihr bildeten, die sich bis zu der letzten Tür erstreckten, welche direkt am Kopfe des Flures darauf zu warten schien geöffnet zu werden. An ihrer Schwelle hatten sich die Ratten nicht vergangen und nachdem Andrea die Klinke hinabgedrückt und sie geöffnet hatte, sah sie auch den Grund dafür.

Hinter dieser Türe erwartete sie kein kitschig eingerichtetes Zimmer, wie hinter all den anderen, sondern stattdessen nur eine große Wendeltreppe die hinauf in eine undurchdringliche Finsternis führte, welcher sie nun ohne einen Funken Angst und mit wilder Entschlossenheit entgegentrat.

Während die Rächerin einen Fuß vor den anderen setzte und Stück für Stück die Stufen erklomm, zogen die Ratten wie eine große dunkle Schleppe hinter ihr her. Sie ließ den Gestank des Blutes hinter sich, konnte wieder ein wenig aufatmen, doch kaum war sie am oberen Ende der Treppe angekommen, zwang sie ein moderiger und muffiger Duft dazu ihre Atemwege erneut zu verschließen.

Die Tür war lediglich angelehnt und durch den dünnen Spalt schien das flackernde Licht von Kerzen hindurch, deren Schein sich intensivierte als Andrea die Tür öffnete und das Zimmer betrat. Wie zu erwarten sah es aus wie jeder herkömmliche Dachboden, auch wenn alles was hier herumstand vermutlich eher in ein Museum als in ein Wohnhaus gehören sollte. Hier und da wurden diverse alte Möbelstücke zur Seite gerückt oder ein klein wenig Staub gewischt, aber abgesehen von dem kleinen Bett und danebenstehenden Nachttisch deutete wirklich nichts darauf hin, dass jemand tatsächlich hier in diesem Raum hauste.

Vorsichtig schritt sie vorwärts, während die Ratten damit begannen in jede erdenkliche Ecke des Raumes auszuströmen und nach der letzten verbliebenen Widersacherin Ausschau zu halten. Die Kerzen, welche zu allem Überfluss auch noch die einzige Lichtquelle in diesem Zimmer darstellten, boten kaum genügend Sicht für Andrea, um sich überhaupt ausreichend orientieren zu können.

Das Knarren des hölzernen Bodens wurde schon nach wenigen Metern so laut, dass sie fürchtete jeden Augenblick durch diesen hindurchzustürzen. Neben den von ihren Schritten ausgelösten Lauten hörte sie lediglich das leise Tippeln der hunderten winzigen Füße um sich herum.

Andrea hielt kurz inne und stoppte. Die Ratten taten es ihr gleich. Etwas stimmte hier nicht.

Bevor sie dieses Gefühl jedoch wirklich einordnen konnte, spürte Andrea einen stechenden Schmerz in ihrer Schulter und kaum hatte sie sich umgewandt starrte sie erschrocken in ein weit aufgerissenes Paar eisblauer Augen, die sie wutentbrannt im Kerzenschein anstarrten.

»Was haben sie getan?! Sie wahnsinniges Miststück haben alles zerstört!«

Fräulein Bélanger zog den Dolch, den sie fest umklammert in der Hand hielt, aus Andreas Schulter heraus und setzte zum nächsten Stoß an, den die Verwundete nur schwach abwehren konnte, sodass er ihren Brustkorb zwar verfehlte, aber einen tiefen Schnitt in ihrer Hand verursachte. Die Waffe die sie noch fest umklammert hatte, entglitt ihr und schon sah sie erneut die blitzende Klinge auf sich zu schnellen.

»Ich werde nicht zulassen, dass sie alles vernichten wofür ich mein Dasein auf dieser gottverdammten Erde geopfert habe!«

Erneut schnitt die Spitze des Dolches in ihr Fleisch, diesmal nur knapp an ihrem Hals vorbei direkt über ihr Schlüsselbein. Mit einem panischen Faustschlag versuchte Andrea ihre Gegnerin zu treffen. Ihre geballte Hand traf sein Ziel und sie schaffte es die Angreiferin ebenfalls zu entwaffnen.

»Du verfluchte Schlampe! Was habt ihr Hexen Nina angetan?!«

Eine Antwort auf diese Frage erhielt sie nicht, stattdessen bückte sich Fräulein Bélanger nach dem Dolch und versuchte ihn wieder zwischen ihre Finger zu bekommen. Hektisch versuchte Andrea sie daran zu hindern, doch noch während sie sich bückte, erfasste die alte Dame wieder den Griff ihrer Waffe, erhob sich und stieß ihn Andrea mit einem lauten triumphierenden Schrei in den Bauch.

»Sie werden unsere Ziele niemals verstehen können. Diese ganze Sache ist so viel größer als sie es sich vorstellen können. Größer als jede einzelne Person in dieser verfluchten Stadt.«

Andrea stöhnte vor Schmerzen auf und versuchte den Dolch, welchen Fräulein Bélanger noch immer fest umklammert hatte, aus sich herauszuziehen, doch sie hatte die unglaubliche Kraft unterschätzt, mit welcher dieser in ihren Körper gebohrt worden war.

»Sie hätten sich niemals einmischen sollen. Wir

hätten sie schon vor Ewigkeiten aus dem Weg räumen sollen, aber er hat sie nicht gewollt,« sagte die Frau mit gedämpftem Zorn ohne ihren Blick von der Eingedrungenen abzuwenden.

»Von wem sprechen sie?«, keuchte Andrea und spürte wie ihre Kräfte langsam zu schwinden begannen.

»Wo ist er? Wo hast du den Ring du verdorbenes Drecksstück?!«

Andrea wandte ihren Blick ab, schweifte mit diesem hinunter zu ihrem Finger. Ein letzter Kraftaufwand durchfuhr sie und mit einem heftigen Stoß schubste sie Fräulein Bélanger von sich weg. Den Dolch, welcher immer noch in ihr steckte, spürte sie in diesem Moment kaum noch.

»Du willst den Ring?!«, schrie sie laut auf und streifte das unheilvolle Schmuckstück von ihrem Finger.

»Du kannst ihn haben!«

Die Klinge in ihrem Leib nun völlig ignorierend stürzte sie sich auf die am Boden liegende Frau, schlug ihr in das faltige und rot vor Zorn angelaufene Gesicht, drückte mit ihrer großen, von den Jahren gezeichneten Hand ihren dürren Hals zu und als Fräulein Bélanger verzweifelt nach Luft schnappte, stopfte sie ihr den Ring mit aller Gewalt in ihren aufgerissenen Mund.

»Erstick dran du elende Sau!«

Mit all der Kraft die sie aufzubringen in der Lage war, hielt sie der klagenden Frau den Mund zu und schlug auf ihren bebenden Brustkorb ein, bis Fräulein Bélanger ihren Angriffen nichts mehr entgegenzubringen vermochte und ihre Gegenwehr ermattete.

Während Andrea sich daraufhin erschöpft nach hinten zu Boden fallen ließ, begann ihre Gegnerin damit panisch zu röcheln, fasste sich klagend an die Kehle, doch der entsetzte Blick verriet Andrea, dass sich der Ring bereits seinen Weg durch ihre Speiseröhre gebahnt hatte.

»Nein…«

Noch während Fräulein Bélanger realisierte was ihr soeben zugestoßen war, begannen die Ratten um die beiden herum wieder damit sich in Bewegung zu setzen. Das entsetzliche Fiepen hallte durch den Raum und nun wurde die alte Frau, die sich verzweifelt die Finger als letzten rettenden Versuch in den Hals steckte, von ihnen eingekreist.

»Was haben sie getan?!«

Und während Andrea sich angesichts der

bevorstehenden Szenerie langsam rückwärts krabbelt entfernte, stürzten sich die zahlreichen Nager mit grässlichen kreischenden Lauten auf das vor ihnen kauernde Opfer.

Die Klagerufe von Fräulein Bélanger waren laut, doch schon nach wenigen Sekunden wurden sie erstickt als eines der Tiere ihren Torso emporkroch und sich wild um sich beißend in ihren zum Todesschrei aufgerissenen Schlund zu graben begann.

Jetzt stieß die Okkultistin nurmehr von Würgelauten begleitete Blutstöße aus ihrem Körper, während die anderen Ratten sich auf anderem Wege Zugang in ihren zuckenden Leib verschafften.

Andrea versuchte sich indessen schwerfällig aus ihrer Position zu erheben, während die Schreie allmählich von dem kreischenden Tosen der Ratten übermannt wurden. Um einem Angriff auf sich selber zu entgehen, stemmte sich Andrea letztlich mühselig auf, taumelte die Treppe herab und watete durch das Meer an Knochen im Flur, um dieses Teufelshaus ein für alle Mal zu verlassen.

Als sie die Tür öffnete knarrte diese ein letztes Mal laut auf und wie auch das Fiepen der Ratten wurde auch dieser Laut von jenen Wänden verschluckt, von denen Andrea nie erfahren sollte, was sie in den Jahrzehnten ihres Bestehens an Schrecken vernommen hatten.

Es war als agierten sie mehr als Komplizen denn als Zeugen, um das zu verschleiern was sich in diesem Gemäuer als Horrorszenarien abgespielt hatte. Und das Geheimnis, das noch immer tief in den unterirdischen Gewölben unter diesem hauste, würde sie in ihrem ganzen zukünftigen Dasein niemals preisgeben.

Epilog

Die genaue Erklärung für die Vorkommnisse, die sich an jenem Tage in einem der von da an berüchtigtsten Häuser Runans abgespielt hatte, erfuhr Andrea niemals. Der offizielle Bericht in den Nachrichten schilderte von einer höchst dramatischen Ungezieferplage, was Andrea zwar unglaubwürdig erschien, aber zeitgleich hätte man die Geschehnisse, ohne des Wissens bezüglich der bizarren Hintergründe, wohl auch nicht auf logische Weise erklären können.

Ihre Verletzungen wurden erfolgreich in der örtlichen Klinik verarztet und es war für sie leichter als gedacht diese durch einen einfachen Überfall eines Landstreichers zu erklären, der sie vor ihrem Laden unverhofft angegriffen hatte. Verbrechen wie diese waren in ihrer Gegend schließlich nicht ungewöhnlich und die Übeltäter solcher kriminellen Aktivitäten aufzuspüren war in dem Ozean aus Abschaum, der durch Runan floss, ohnehin eine schier unmögliche Aufgabe.

Sowie sie aus dem Krankenhaus entlassen wurde, verließ sie die Stadt ein für alle Mal. Das Letzte was sie hiervor jedoch tat, war der Besuch einer Ausstellung, da ihr eines der Schmuckstücke auf dem Werbeposter äußert vertraut vorkam. Vor Ort erfuhr sie von den

Betreibern, dass der Ring bereits an ein Museum gestiftet worden war, wo er unter den höchstmöglichen Sicherheitsvorkehrungen bewacht werden würde. Die bald darauf eintretende Rattenplage in der Umgebung hatte sich außer ihr nie jemand wirklich erklären können.

Ihr altes Wohnhaus mit dem darin befindlichen Kiosk, versuchte sie noch eine Weile lang für einen absoluten Spottpreis zu verkaufen, doch durch den Vorfall und Runans ohnehin schlechten Ruf starb schon sehr bald das gesamte Viertel aus und wurde gänzlich zu einem Schmelztiegel für die räuberischen und abhängigen Sklaven der Stadt.

Der alte Kiosk war nun nichts weiter als ein verkommener Ort um Drogen zu verkaufen oder sie zu konsumieren, nicht, dass es Andrea jemals etwas ausgemacht hatte. Dieser Ort war bis zum Ende ihres Lebens ohnehin nurmehr mit Schmerz und Verlust verbunden.

Die Erinnerung an Nina blieb jedoch die schmerzhafteste von allen. Fünf Jahre nachdem sie Runan verließ begab sie sich nach Berlin und versuchte irgendjemanden ausfindig zu machen, bei dem sie mit dem Bericht über Ninas Ableben auf offenen Ohren stieß. Nach wochenlanger Suche begegnete sie tatsächlich einer jungen Frau namens Nicole, welcher sie natürlich nicht die ganzen schrecklichen Details offenbarte, sondern ihr nur die Nachricht von Ninas Tod überbrachte.

Nachdem sie die längst verloren geglaubte Freundin bitterlich weinen sah, schrieb Andrea daheim einen Brief an das einst noch so hoffnungsvolle Mädchen, der lediglich aus einem einzigen Satz bestand:

Nina,

du wurdest geliebt und du warst niemals alleine in dieser Welt.

Das Haus in welchem Nina und vermutlich noch dutzende oder gar hunderte weiterer Mädchen den Tod fanden, wurde zwei Jahre nachdem Andrea fortgezogen war, abgerissen und wich einem Stadtpark, der jedoch schon sehr bald vernachlässigt wurde und lediglich zu einem hässlichen Schandfleck in einer ohnehin abscheulichen Gegend mutierte.

Als eine Person der dieses Gebäude einen Großteil ihres Lebens nicht mal mehr ein Dorn im Auge, sondern eine durchweg angst- und hasseinflößende Erinnerung war, konnte Andrea es sich nicht verkneifen als darüber in heimlicher Schadenfreude amüsiert zu sein.

Die geheimen Tunnel welche sich unterhalb des

einstigen Tempeleinganges verbargen, wurden jedoch niemals gefunden. Aufgrund des ohnehin gewaltigen Aufsehens, das der ganze Vorfall erregte, wurde versucht die Sache nicht noch durch große Nachforschungen am Leben zu halten oder gar noch auszuweiten.

Einzig ein Zwischenfall bei dem ein ominöser Mann von zwei Jugendlichen ausgeraubt und erstochen wurde, nachdem er mit einer Schaufel ausgestattet damit begonnen hatte das Gelände umzugraben, zeugte von einigen wenigen Mitwissern. In den darauffolgenden Jahren fanden jedoch nie wieder ähnliche Anmutende Vorfälle eine Erwähnung.

Und auch wenn Andrea selbst nie von dem geheimen, unheilvollen Innenleben des Gebäudes erfahren hatte und auch nie von ihnen erfahren würde, wachte sie dennoch manchmal mitten in der Nacht schweißgebadet auf, geplagt von den traumatischen Erinnerungen, die sie auf ewig an dieses Gemäuer fesselten und wurde beim erneuten Versuch einzuschlafen immer und immer wieder von folgenden Worten wachgehalten:

»Wir hätten sie schon vor Ewigkeiten aus dem Weg räumen sollen, aber ER hat sie nicht gewollt.«

Wer war *er* gewesen? War er ihr Anführer, war

er ihr Gott oder repräsentierte er beides in einem für diese Frauen? Noch nach Jahren plagte Andrea diese Frage auf die sie nie eine Antwort erhalten sollte und als sie eines späten Tages auf ihrem Sterbebett ruhte, nur in Gegenwart einer Pflegerin, die ihr die vom Dolch stark vernarbte Hand hielt, spann sie all diese Gedankengänge ein letztes Mal weiter und stellte sich nach all der Zeit, die ins Land gezogen war, noch eine weitere große Frage:

Hatte sie damals das Haus tatsächlich von seiner teuflischen Macht gereinigt oder hatte sie diese lediglich in einen tiefen Schlaf versetzt, der einst enden und das Böse erneut entfesseln würde?

Ende

Milton Keynes UK
Ingram Content Group UK Ltd.
UKHW012221290324
440241UK00001B/12